JN132670

2025年版 イチから身につく

宅建士 合格の トリセツ

頻出 一問一答式 過去問題集

はじめに

『2025年版　宅建士合格のトリセツ　頻出一問一答式過去問題集』を手に取っていただき、ありがとうございます。

　本書の姉妹本『宅建士合格のトリセツ　基本テキスト』『宅建士合格のトリセツ　厳選分野別過去問題集』は、発売以来、多くの方にご利用いただきました。それと同時に、「一問一答式の問題集が欲しい」というお声も多くいただくようになりました。

　そこで、これまでLEC東京リーガルマインドが発刊してきた書籍に寄せられた声などを参考に、どのような一問一答集が求められているのかを調査することから始めました。

　すると、次のような気持ちを受験生の皆様が抱えていることがわかりました。

A　「問題数が多すぎて挫折してしまいそう…」
B　「過去問を使用していない一問一答集は使いにくい…」
C　「スピーディーに解きたいのに解説が長すぎると問題量がこなせない…」

　このような意見をもとに、本書『宅建士合格のトリセツ　頻出一問一答式過去問題集』は作成されました。その後、毎年改良を重ね、今日まで多くの受験生に選ばれています。

A → 合格に必要な肢を厳選して800肢に絞りこみました！　あまりに少ないと網羅できず、あまりに多いと挫折してしまうので、800肢がベストだと判断しました！

B → 全選択肢が過去問ベースです。出典もすべて明記いたしました。法改正その他の事情で一部設問は改題してありますが、ほぼ過去問そのまま使用しているので、本番と同じ文体で学習できます！

C → 全選択肢に一行解説を付けました！　時間がない場合はここだけ読んで、しっかり学びたいときにはその後の解説を読めるように２段階にわけました。詳細解説もあまり文が長くならないように簡潔な説明を心がけました。

　本書は『宅建士合格のトリセツ　基本テキスト』と併用することでよりいっそう効果を発揮いたします。基本テキストで理解をして、本書で知識を定着させてください。そして『宅建士合格のトリセツ　厳選分野別過去問題集』でさらに実力をブラッシュアップさせていきましょう。本書を持ち歩いて、ぜひ今年合格を勝ち取っていただきたいと思います。

　2024年10月吉日

友次　正浩

株式会社　東京リーガルマインド

LEC総合研究所　宅建士試験部

※本書は、2024年9月1日時点で施行されている法令、および同日時点で判明している2025年4月1日施行の法改正を基準に作成しました。法令の改正、または宅建士試験の基準・内容・傾向の大幅な変更が試験実施団体より発表された場合は、インターネットで随時、最新情報を提供いたします。

なお、アクセス方法につきましては、16ページの「インターネット情報提供サービス」をご確認ください。

本書の使い方

本書は『宅建士 合格のトリセツ 基本テキスト』に準拠した問題集です。知識の確認にピッタリなのは試験と同じ四肢択一形式ではなく、一問一答形式です。一問一答に取り組むことで、覚える必要のない知識に惑わされたり、消去法で考えてしまうことなく、知識の確認ができます。

★マーク（出題頻度）

近年の本試験問題の傾向分析から、肢の出題頻度を3段階に表示しています。
- ★★★：出題頻度が高い問題
- ★★ ：出題頻度がそこそこ高い
  合否を分ける問題
- ★ ：出題頻度が低い問題

チェックボックス

解き終わった問題にチェックをつけたり、もう一度解くべき問題にチェックを入れたりすることで、進度を確認することができます。さまざまな用途に利用できるチェックボックスです。

権利関係

1 意思表示

001
★★★
□□□

A所有の土地について、AがBに、BがCに売り渡し、AからBへ、BからCへそれぞれ所有権移転登記がなされた。Cが移転登記を受ける際に、AB間の売買契約がBの詐欺に基づくものであることを知らず、かつ過失がなかった場合で、当該登記の後にAによりAB間の売買契約が取り消されたとき、Cは、Aに対して土地の所有権の取得を対抗できる。 (1996-5-1改)

002
★★★
□□□

A所有の甲土地につき、AとBとの間で売買契約が締結された。Bが、第三者であるCから甲土地がリゾート開発される地域内になるとだまされて売買契約を締結した場合、AがCによる詐欺の事実を知っていたとしても、Bは本件売買契約を詐欺を理由に取り消すことはできない。 (2011-1-2)

出題年・問題番号

本書は、実際の過去問を使用しています。出題年、問題番号は、ここで確認できます。(2011-1-2) は、2011年本試験問1第2肢の意味です。
「改」とあるのは、法改正などにより、表記等を、一部改めたものです。

LEC東京リーガルマインド 2025年版 宅建士 合格のトリセツ
頻出一問一答式 過去問題集

一言解説

選択肢の解説には、「問題を解く上でのポイント」が一目で分かるように、まず「一言解説」を示しました。「一言解説」だけで理解できれば、効率のよい学習が可能になります！

「解答かくしシート」で解答・解説を隠そう！

問題を解く前に解答・解説が見えないようにしたい方は、本書にはさみ込まれた「解答かくしシート」をご利用ください。

大事な部分を強調

解説文で大事な部分は色字で強調しています。間違えた問題は、その範囲だけではなく、その章全体の『基本テキスト』をもう1度読み直しましょう。

『基本テキスト』へのリンク

出題知識の復習ができるよう、『宅建士合格のトリセツ 基本テキスト』へのリンクを表示しています。たとえば、「コース1 ポイント❷❸」は、同じ編（第1編 権利関係）の第1コース、第❷ポイント❸に記載されていることを表しています。

第1編 権利関係 1 意思表示

001 善意無過失の第三者は詐欺の被害者に対抗可

〇 詐欺による取消しは、取消し前の善意無過失の第三者には対抗することができません。したがって、善意無過失のCは、Aに対して土地の所有権の取得を対抗することができます。

ワンポイント解説

A 詐欺被害者 ―― B
C 善意（無過失）

コース1 ポイント❷❸

002 相手方が悪意なので取消し可

✕ 第三者の詐欺による意思表示は、相手方が悪意や善意有過失の場合には取り消すことができます。

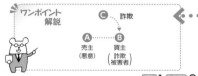

ワンポイント解説

C 詐欺
A 売主（悪意） ―― B 買主（詐欺被害者）

コース1 ポイント❷❹

ワンポイント解説

問題を解く上でのポイントを、図表やイラストで表し、解き進めやすくしています。解答に至るポイントがスムーズに理解できます。

応用問題に チャレンジ！

知識を広げるための演習として解いてみましょう。メッセージアプリでの会話のような楽しいコラムで解説しています。

＋αで考えよう！

重要なテーマの内容をさらに掘り下げ、理解度を高めましょう。時間があるときに読んでおきたいコーナーです。

「比較」で覚えよう！

問題で問われた論点と関わりのある内容をまとめています。関係した法律等を比較して覚えることで、さらに理解を深めることができます。

持ち運びに便利な「セパレート方式」

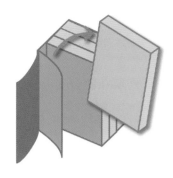

各分冊を取り外して、
通勤や通学などの外出時、
手軽に持ち運びできます！

❶各冊子を区切っている、グリーンの厚紙を残し、色表
紙のついた冊子をつまんでください。

❷冊子をしっかりとつかんで、手前に引っ張ってください。

見た目もきれいな「分冊背表紙シール」

背表紙シールを貼ることで、
分冊の背表紙を保護することができ、
見た目もきれいになります。

見た目も
きれい！

❶付録の背表紙シールを、ミシン目にそって切り離してください。

❷赤の破線（…）を、ハサミ等で切り取ってください。

❸切り取ったシールを、グレーの線（一）で山折りに折ってください。

❹分冊の背表紙に、シールを貼ってください。

キャラクター紹介

宅建士の資格をもつ、
立派な大人ペンギン

コーチ

ペン太

立派なペンギンを
夢見るおとこのこ。
少しお調子ものだけど、
素直でがんばり屋

キャスター

お役立ち情報を
伝えてくれる
シロクマ

アクターズ

どこからともなくあらわれる、
なぞの妖精（?）たち

いつでもどこでも **全問 アプリ付き**

本書掲載の全問をスマホで持ち運び、
いつでもどこでもサクサク学習できます！

問題を	解いて	書き込んで	学習できます

※画像はイメージです。

※利用開始日：2024年12月1日、登録期限：2025年10月18日、利用期限：登録から11ヶ月間。
※ご利用の際の通信料はお客様ご負担となります。

令和6年度試験問題・解答解説ダウンロード

専用サイトから、ダウンロードができます。（PDFデータ提供）

URL https://www.lec.jp/takken/book/member/TD09748.html

ダウンロード開始日：2025年5月12日予定　　ダウンロード期限：2025年10月31日
※特典をご利用の際の通信料はお客様ご負担となります。

※画像はイメージです。

アプリの利用方法

本書は、デジタルコンテンツ（アプリ）と併せて学習ができます。
パソコン、スマートフォン、タブレット等でも問題演習が可能です。

利用期間

利用開始日　　2024 年 12 月 1 日
登 録 期 限　　2025 年 10 月 18 日
利 用 期 限　　登録から 11 ヶ月間

動作環境（2024年8月現在）

【スマートフォン・タブレット】
● Android 8 以降
● iOS 10 以降
※ご利用の端末の状況により、動作しない場合があります。OS のバージョン
　アップをされることで正常にご利用いただけるものもあります。
【パソコン】
● Microsoft Windows 10、11
　ブラウザ：Google Chrome、Mozilla Firefox、Microsoft Edge
● Mac OS X
　ブラウザ：Safari

利用方法

1　タブレットまたはスマートフォンをご利用の場合は、Google Play または
　　　は App Store で、「ノウン」と検索し、ノウンアプリをダウンロードし
てください。

2 パソコン、タブレット、ス
マートフォンの Web ブラウ
ザで下記 URL にアクセスして「ア
クティベーションコード入力」ペー
ジを開きます。次ページ 8 に記載
のアクティベーションコードを入力
して「次へ」ボタンをクリックして
ください。

[アクティベーションコード入力
ページ]

https://knoun.jp/activate

3 「次へ」ボタンをクリックす
ると「ログイン」ページが
表示されます。ユーザー I D とパス
ワードを入力し、「ログイン」ボタ
ンをクリックしてください。
ユーザー登録が済んでいない場合
は、「ユーザー登録」ボタンをクリッ
クします。

※表紙画像はイメージです。

4 「ユーザー登録」ページで
ユーザー登録を行ってくだ
さい。

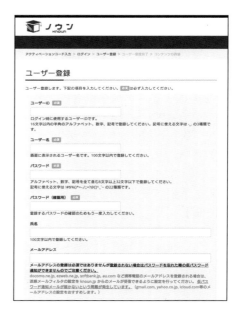

5 ログインまたはユーザー登
録を行うと、コンテンツが表
示されます。

6 「学習開始」ボタンをクリッ
クすると、タブレット及び
スマートフォンの場合はノウンアプ
リが起動し、コンテンツがダウン
ロードされます。パソコンの場合は
Webブラウザで学習が開始されま
す。

※表紙画像はイメージです。

7 　２回目以降は、パソコンをご
利用の場合は下記の「ログイ
ン」ページからログインしてご利用
ください。タブレット及びスマート
フォンをご利用の場合はノウンアプ
リから直接ご利用ください。

[ログインページ]
https://knoun.jp/login

8 　アクティベーションコード（半角英数字で入力してください）

LECt-2025-Tori-6yUd

[ノウンアプリ　お問い合わせ窓口]
ログインやアプリの操作方法のお問い合わせについては、以下の方法にて承ります。
なお、回答は、メールにてお返事させていただきます。
○ノウンアプリのメニュー＜お問い合わせ＞から
○ノウン公式サイト　お問い合わせフォームから
　URL：https://knoun.jp/knounclient/ui/inquiry/regist
○メールから
　お問い合わせ先アドレス：support@knoun.jp
お電話でのお問い合わせはお受けしておりませんので、予めご了承ください。

※「ノウン」は NTT アドバンステクノロジ株式会社の登録商標です。
※記載された会社名及び製品名は、各社の商標または登録商標です。

宅地建物取引士資格試験について

宅建士試験 とは

　「宅地建物取引士資格試験」（宅建士試験）は、2023 年度では 28 万 9,096 人の申込みがあり、そのうち 23 万 3,276 人が受験した非常に人気のある資格です。では、なぜ宅建士試験がこれほど多くの人に受験されているのか、その秘密を探ってみましょう。

1 受験しやすい出題形式

　宅建士試験は、4 つある選択肢のなかから正しいもの、あるいは誤っているものなどを 1 つ選ぶ「4 肢択一」式の問題が 50 問出題されています。記述式の問題や論述式の問題と違って、時間配分さえ注意すれば、後は正解肢を選択することに専念できますので、比較的受験しやすい出題形式といえます。

2 誰でも受験できる

　宅建士試験を受験するにあたっては、学歴や年齢といった制約がありませんので、誰でも受験することができます。たとえば、過去には、最年長で 90 歳、最年少で 10 歳の人が合格を勝ち取っています。

3 就職や転職の武器となる

　宅建士試験は、不動産を取引するにあたって必要な基礎知識が身についているかどうかを試す試験です。このような知識は不動産会社のみならず、金融機関や建築関係、また、店舗の取得を必要とする企業など、さまざまな業種で必要とされています。このため、就職や転職にあたって宅建士の資格をもっていることは、自分をアピールするための強い武器となります。

4 科目別出題数

　権利関係、宅建業法、法令上の制限、税・価格の評定、5問免除対象科目の5科目から、4肢択一形式で50問出題されます。各科目の出題数は下記のとおりです。

科目	出題内訳	出題数
権利関係	民法・借地借家法・建物区分所有法・不動産登記法	14問
宅建業法	宅建業法・住宅瑕疵担保履行法	20問
法令上の制限	都市計画法・建築基準法・国土利用計画法・農地法・土地区画整理法・盛土規制法・その他の法令	8問
税・価格の評定	地方税・所得税・その他の国税：2問 不動産鑑定評価基準・地価公示法：1問	3問
5問免除対象科目	独立行政法人住宅金融支援機構法：1問 不当景品類及び不当表示防止法：1問 統計・不動産の需給：1問 土地：1問 建物：1問	5問

試験情報

1 試験概要

〔受験資格〕　年齢、性別、学歴等に関係なく、誰でも受験することができる

〔願書配布〕　7月上旬（予定）

〔願書受付〕　郵送による申込み：配布日から7月中旬まで（予定）
　　　　　　　インターネットによる申込み：配布日から7月下旬まで（予定）

〔受験手数料〕　8,200円（予定）

〔試験日〕　10月第3日曜日　午後1時～3時（予定）

〔合格発表〕　11月下旬

〔問い合わせ先〕　（一財）不動産適正取引推進機構　試験部
　　　　　　　　　〒105-0001　東京都港区虎ノ門3-8-21　第33森ビル3階
　　　　　　　　　https://www.retio.or.jp

2 出題形式

〔出題数〕 50問4肢択一
〔解答方法〕 マークシート方式
〔解答時間〕 2時間（午後1時〜3時）
　　　　　　ただし登録講習修了者は、午後1時10分〜3時
〔出題内容〕 以下の7つの項目について出題されます
〔出題項目〕

①土地の形質、地積、地目および種別ならびに建物の形質、構造および種別に関すること（土地・建物）
②土地および建物についての権利および権利の変動に関する法令に関すること （民法・借地借家法・建物区分所有法・不動産登記法）
③土地および建物についての法令上の制限に関すること （都市計画法・建築基準法・農地法・国土利用計画法・土地区画整理法）
④宅地および建物についての税に関する法令に関すること（固定資産税・不動産取得税・所得税）
⑤宅地および建物の需給に関する法令および実務に関すること （統計・需給・独立行政法人住宅金融支援機構法・景品表示法）
⑥宅地および建物の価格の評定に関すること（地価公示法・不動産鑑定評価基準）
⑦宅地建物取引業法および同法の関係法令に関すること（宅建業法・住宅瑕疵担保履行法）

3 受験者数・合格率・合格点

　過去10年間の宅建士試験の状況は下記の表のとおりです。

〔過去10年間の試験状況〕

年度	申込者数（人）	受験者数（人）	合格者数（人）	（受験者数中の）合格率	合格点
'14	238,343	192,029	33,670	17.5%	32点
'15	243,199	194,926	30,028	15.4%	31点
'16	245,742	198,463	30,589	15.4%	35点
'17	258,511	209,354	32,644	15.6%	35点
'18	265,444	213,993	33,360	15.6%	37点
'19	276,019	220,797	37,481	17.0%	35点
'20 (10月)	204,163	168,989	29,728	17.6%	38点
'20 (12月)	55,121	35,261	4,610	13.1%	36点
'21 (10月)	256,704	209,749	37,579	17.9%	34点
'21 (12月)	39,814	24,965	3,892	15.6%	34点
'22	283,856	226,048	38,525	17.0%	36点
'23	289,096	233,276	40,025	17.2%	36点

目次

第 1 分冊

第 1 編●権利関係……1

第 2 分冊

第 2 編●宅建業法……1

第 3 分冊

第 3 編●法令上の制限……1

第 4 編●税・その他……85

インターネット情報提供サービス

登録無料

お届けするフォロー内容

法改正情報

宅建 NEWS（統計情報）

アクセスして試験に役立つ最新情報を手にしてください。

登録方法 情報閲覧にはLECのMyページ登録が必要です。

LEC東京リーガルマインドのサイトにアクセス
https://www.lec-jp.com/

⬇

≫ Myページ ログイン をクリック

⬇

MyページID・会員番号をお持ちの方　　　Myページお持ちでない方
　　　　　　　　　　　　　　　　　　　LECで初めてお申込みいただく方

Myページログイン　　　　　　　　　**Myページ登録**

⬇　　　　　　　　　　　　　　　　　　⬇

必須

Myページ内
希望資格として　**宅地建物取引士**　を選択して、**希望資格を追加 ○** をクリックしてください。

ご選択いただけない場合は、情報提供が受けられません。
また、ご登録情報反映に半日程度時間を要します。しばらく経ってから再度ログインをお願いします（時間は通信環境により異なる可能性がございます）。

※サービス提供方法は変更となる場合がございます。その場合もMyページ上でご案内いたします。
※インターネット環境をお持ちでない方はご利用いただけません。ご了承ください。
※上記の図は、登録の手順を示すものです。Webの実際の画面と異なります。

注目

本書ご購入者のための特典

① **2025 年法改正情報（2025 年8月下旬公開予定）**
② **2025 年「宅建 NEWS（統計情報）」（2025 年５月中旬と8月下旬に公開予定）**
〈注意〉上記情報提供サービスは、2025年宅建士試験前日までとさせていただきます。予めご了承ください。

持ち運びに便利な「セパレート方式」

各分冊を取り外して、
通勤や通学などの外出時、
手軽に持ち運びできます!

❶各冊子を区切っている、グリーンの厚紙を残し、
　冊子をつまんでください。
❷冊子をしっかりとつかんで、手前に引っ張ってく
　ださい。

見た目もきれいな「分冊背表紙シール」

背表紙シールを貼ることで、
分冊の背表紙を保護することができ、
見た目もきれいになります。

見た目も
きれい!

❶付録の背表紙シールを、ミシン目にそって切り離してください。
❷赤の破線（…）を、ハサミ等で切り取ってください。
❸切り取ったシールを、グレーの線（―）で山折りに折ってください。
❹分冊の背表紙に、シールを貼ってください。

第1編
権利関係

2025 年版
宅建士 合格のトリセツ
頻出一問一答式過去問題集
分冊 ①

第1編●権利関係

本試験での出題数：14問　得点目標：9点

論　点	問題番号
意思表示	問題 001 〜問題 015
制限行為能力者	問題 016 〜問題 023
時効	問題 024 〜問題 033
代理	問題 034 〜問題 056
債務不履行・解除	問題 057 〜問題 070
弁済	問題 071 〜問題 077
契約不適合責任	問題 078 〜問題 088
相続	問題 089 〜問題 104
物権変動	問題 105 〜問題 118
不動産登記法	問題 119 〜問題 134
抵当権	問題 135 〜問題 152
保証・連帯債務	問題 153 〜問題 169
共有	問題 170 〜問題 179
建物区分所有法	問題 180 〜問題 201
賃貸借	問題 202 〜問題 212
借地借家法（借家）	問題 213 〜問題 233
借地借家法（借地）	問題 234 〜問題 247
不法行為	問題 248 〜問題 257
その他	問題 258 〜問題 266

1 意思表示

001
★★★
□□□

Ａ所有の土地について、ＡがＢに、ＢがＣに売り渡し、ＡからＢへ、ＢからＣへそれぞれ所有権移転登記がなされた。Ｃが移転登記を受ける際に、ＡＢ間の売買契約がＢの詐欺に基づくものであることを知らず、かつ過失がなかった場合で、当該登記の後にＡによりＡＢ間の売買契約が取り消されたとき、Ｃは、Ａに対して土地の所有権の取得を対抗できる。 (1996-5-1改)

002
★★★
□□□

Ａ所有の甲土地につき、ＡとＢとの間で売買契約が締結された。Ｂが、第三者であるＣから甲土地がリゾート開発される地域内になるとだまされて売買契約を締結した場合、ＡがＣによる詐欺の事実を知っていたとしても、Ｂは本件売買契約を詐欺を理由に取り消すことはできない。 (2011-1-2)

001 善意無過失の第三者は詐欺の被害者に対抗可

○ 詐欺による取消しは、取消し前の善意無過失の第三者には対抗することができません。したがって、善意無過失のCは、Aに対して土地の所有権の取得を対抗することができます。

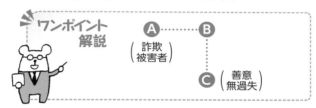

ワンポイント解説

A（詐欺被害者）┄┄┄ B

C（善意無過失）

コース **1** ポイント **②** **3**

002 相手方が悪意なので取消し可

× 第三者の詐欺による意思表示は、相手方が悪意や善意有過失の場合には取り消すことができます。

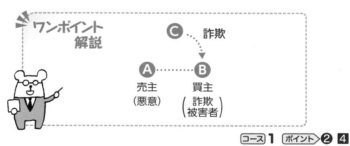

ワンポイント解説

C 詐欺

A（売主（悪意））┄┄┄ B（買主（詐欺被害者））

コース **1** ポイント **②** **4**

003

★★★

□□□

Ａ所有の甲土地につき、ＡとＢとの間で売買契約が締結された。Ｂ
がＥに甲土地を転売した後に、ＡがＢの強迫を理由にＡＢ間の売買
契約を取り消した場合には、ＥがＢによる強迫につき知らなかった
ときであっても、ＡはＥから甲土地を取り戻すことができる。

(2011-1-4)

004

★★★

□□□

Ａが第三者Ｃの強迫によりＢとの間で売買契約を締結した場合、Ｂ
がその強迫の事実を知っていたか否かにかかわらず、ＡはＡＢ間の
売買契約に関する意思表示を取り消すことができる。　(2007-1-3)

005

★★★

□□□

Ａが、債権者の差押えを免れるため、Ｂと通謀して、Ａ所有地をＢ
に仮装譲渡する契約をした。ＢがＡから所有権移転登記を受けてい
た場合でも、Ａは、Ｂに対して、ＡＢ間の契約の無効を主張するこ
とができる。

(2000-4-1)

LEC東京リーガルマインド　2025年版 宅建士 合格のトリセツ
頻出一問一答式 過去問題集

003　強迫の被害者は第三者の善意・悪意を問わずに取消し可

強迫による取消しは、取消し前の第三者に対しても対抗することができます。その際、第三者の善意・悪意を問わず、また、過失の有無も問いません。したがって、Aは、Eに対して甲土地の所有権を対抗することができ、Eから甲土地を取り戻すことができます。

ワンポイント
解説

A（強迫被害者）‥‥‥ B

E（善意）

コース1　ポイント▶❷ 3

004　強迫の被害者は取消し可

第三者の強迫による意思表示は、相手方の善意・悪意にかかわらず取り消すことができます。

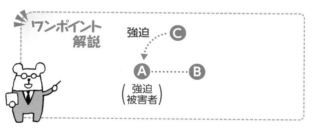

ワンポイント
解説

強迫 ‥‥ C

A（強迫被害者）‥‥‥ B

コース1　ポイント▶❷ 4

005　仮装譲渡は無効

相手方と通じてした虚偽の意思表示（虚偽表示）は無効です。したがって、Aは、AB間の仮装譲渡の契約について、無効を主張することができます。

コース1　ポイント▶❸ 1

006

★★★

☐☐☐

Ａは、その所有する甲土地を譲渡する意思がないのに、Ｂと通謀して、Ａを売主、Ｂを買主とする甲土地の仮装の売買契約を締結した。善意のＣがＢから甲土地を買い受けた場合、Ｃがいまだ登記を備えていなくても、ＡはＡＢ間の売買契約の無効をＣに主張することができない。 (2015-2-1)

007

★★★

☐☐☐

Ａは、その所有する甲土地を譲渡する意思がないのに、Ｂと通謀して、Ａを売主、Ｂを買主とする甲土地の仮装の売買契約を締結した。甲土地がＢから悪意のＣへ、Ｃから善意のＤへと譲渡された場合、ＡはＡＢ間の売買契約の無効をＤに主張することができない。 (2015-2-4)

008

★★★

☐☐☐

ＡがＢに住宅用地を売却した。Ｂは、代金をローンで支払うと定めて契約したが、Ｂの重大な過失によりローン融資を受けることができない場合、Ｂは、原則として、錯誤により売買契約を取り消すことができない。 (2001-2-4)

009

★★★

☐☐☐

Ａ所有の甲土地につき、ＡとＢの間で売買契約が締結された。Ｂは、甲土地は将来地価が高騰すると勝手に思い込んで売買契約を締結したところ、実際には高騰しなかった場合、相手方に表示していなくとも、動機の錯誤を理由に本件売買契約を取り消すことができる。 (2011-1-1)

LEC東京リーガルマインド 2025年版 宅建士 合格のトリセツ
頻出一問一答式 過去問題集

006 仮装譲渡の無効は善意の第三者に対抗不可

虚偽表示の無効は善意の第三者には対抗することができません。そして、ここでいう第三者は過失があっても登記を備えていなくても構いません。

ワンポイント
解説

Ⓐ ┄┄┄┄ Ⓑ ┄┄┄┄ Ⓒ
(善意)

コース 1　ポイント 3 ①

007 善意のDには対抗できない

善意の人は、その前に登場した人が悪意であっても保護されます。今回は、Dが善意なので、Aは対抗することができません。

コース 1　ポイント 3 ①

008 重過失があれば原則として取消し不可

錯誤が法律行為の目的及び取引上の社会通念に照らして重要なものであり、表意者に重大な過失がなかったときは、原則として取り消すことができます。今回の場合、重過失であるBは原則として取り消すことができません。

コース 1　ポイント 4 ②

009 動機の錯誤では原則として取消し不可

動機の錯誤は、その事情が法律行為の基礎とされていることが表示されていたときに限り、取り消すことができます。Bは、動機が表示されていないため、取り消すことはできません。

コース 1　ポイント 4 ①

010 ★★

法律行為の基礎とした事情について表意者の認識が真実に反していた場合、表意者によって、その事情が法律行為の基礎とされていることが表示されていれば、黙示的な表示であっても、表意者は、錯誤によって意思表示を取り消すことができる。　　　　　　　　(2009-1-4改)

011 ★★★

ＡがＢに住宅用地を売却したが、この売買契約に法律行為の目的及び取引上の社会通念に照らして重要な錯誤があった場合は、Ｂに代金を貸し付けたＣは、Ｂがその錯誤を認めず、取消しを主張する意思がないときでも、Ａに対し、Ｂに代位して、取消しを主張することができる。　　　　　　　　　　　　　　　　　(2001-2-2)

012 ★★

ＡとＢとの間で令和７年７月１日に締結された売買契約に関し、Ａは、自己所有の自動車を100万円で売却するつもりであったが、重大な過失によりＢに対し「10万円で売却する」と言ってしまい、Ｂが過失なく「Ａは本当に10万円で売るつもりだ」と信じて購入を申し込み、ＡＢ間に売買契約が成立した場合、売買契約締結後、ＡがＢに対し、錯誤による取消しができる。　　　　(2020⑩-6-1)

013 ★★

ＡとＢとの間で令和７年７月１日に締結された売買契約に関し、Ａは、自己所有の時価100万円の名匠の絵画を贋作だと思い込み、Ｂに対し「贋作であるので、10万円で売却する」と言ったところ、Ｂも同様に贋作だと思い込み「贋作なら10万円で購入する」と言って、ＡＢ間に売買契約が成立した場合、売買契約締結後、ＡがＢに対し、錯誤による取消しができる。　　　　(2020⑩-6-3)

010 ▶ 表示は黙示的で可

○ 動機の錯誤もその事情が法律行為の基礎とされていることが表示されていたときには取り消すことができます。その際、その表示は明示的であっても黙示的であっても構いません。

[コース] **1** [ポイント] **❹ 1**

011 ▶ 表意者が錯誤を認めていないなら不可

✕ 錯誤による取消しは基本的に表意者のみが主張できます。例外的に、表意者が錯誤を認めている場合には第三者が主張できる場合もありますが、今回は表意者が錯誤を認めていないため、第三者からの主張はできません。

[コース] **1** [ポイント] **❹ 3**

012 ▶ 相手方が善意無過失なので取消し不可

✕ 錯誤が表意者の重大な過失によるものであった場合には、原則として、錯誤による取消しができません。ただし、相手方が表意者に錯誤があることを知り又は重大な過失によって知らなかった場合は錯誤による取消しができます。Aの錯誤は重大な過失によるものであり、BはAの「10万円で売却する」との意思表示を過失なく信じています。したがって、今回は錯誤による取消しができません。

[コース] **1** [ポイント] **❹ 2**

013 ▶ 共通錯誤は重過失でも取消し可

○ 錯誤が法律行為の目的及び取引上の社会通念に照らして重要なものであっても、表意者に重大な過失があるときは、原則として取り消すことができません。ただし、相手方が表意者と同一の錯誤に陥っていた場合は、錯誤による取消しができます。今回の場合、BがAと同一の錯誤に陥っているので、錯誤による取消しができます。

[コース] **1** [ポイント] **❹ 2**

014

★★★

□□□

Aは甲土地を「1,000万円で売却する」という意思表示を行ったが当該意思表示はAの真意ではなく、Bもその旨を知っていた。この場合、Bが「1,000万円で購入する」という意思表示をすれば、AB間の売買契約は有効に成立する。　　　　　　　　　(2007-1-1)

015

★★★

□□□

Aは、「近く新幹線が開通し、別荘地として最適である」旨のBの虚偽の説明を信じて、Bの所有する原野（時価20万円）を、別荘地として2,000万円で購入する契約を締結した。Aは、当該契約は公序良俗に反するとして、その取消しを主張するとともに、Bの不法行為責任を追及することができる。　　　　　　　　(1994-2-1)

LEC東京リーガルマインド 2025年版 宅建士 合格のトリセツ
頻出一問一答式 過去問題集

---

014 ▶ **相手方が悪意であれば無効**

✕ 心裡留保は原則として有効です。ただし、相手方がその意思表示が表意者の真意ではないことを知り、又は知ることができたときは、その意思表示は無効とされます。したがって、Bが悪意である以上、ＡＢ間の売買契約の意思表示は無効であり、契約は有効に成立しません。

〔コース〕**1** 〔ポイント〕**❺ 1**

---

015 ▶ **公序良俗に反する契約は無効**

✕ 反社会的な契約などは当然のことながら守る必要はありません。そのような公序良俗に反する契約は最初から無効だとされています。無効である以上、取消しはできません。

覚えよう！

● 意思表示のまとめ 〈取消し or 無効〉

詐欺	取消し
強迫	取消し
虚偽表示	無効
錯誤	取消し

心裡留保	原則：有効 （例外：無効）
公序良俗違反	無効

〔コース〕**1** 〔ポイント〕**❻ 1**

第1編 権利関係 1 意思表示

2 制限行為能力者

016 ★★★ □□□　ＡＢ間の売買契約が、Ａが泥酔して意思無能力である間になされたものである場合、Ａは、酔いから覚めて売買契約を追認するまではいつでも売買契約を取り消すことができ、追認を拒絶すれば、その時点から売買契約は無効となる。　　　　　　　　　　　　(2007-1-4)

017 ★★★ □□□　被保佐人が、保佐人の同意又はこれに代わる家庭裁判所の許可を得ないでした土地の売却は、被保佐人が行為能力者であることを相手方に信じさせるため詐術を用いたときであっても、取り消すことができる。　　　　　　　　　　　　　　　　　　(2008-1-4)

018 ★★★ □□□　古着の仕入販売に関する営業を許された未成年者は、成年者と同一の行為能力を有するので、法定代理人の同意を得ないで、自己が居住するために建物を第三者から購入したとしても、その法定代理人は当該売買契約を取り消すことができない。　　　　　　　(2016-2-1)

016 意思無能力者の意思表示は無効

✕

法律行為の当事者が意思表示をした時に意思能力を有しなかったときは、その法律行為は最初から無効です。無効である以上、取消しはできません。

コース**2** ポイント**❶ ❶**

017 詐術を用いたら取消し不可

✕

制限行為能力者が、行為能力者であるように相手方を信じさせるため、詐術を用いたときは、その行為を取り消すことができなくなります。

コース**2** ポイント**❶ ❷**

018 許可を受けた営業に関するものに限って取消し不可

✕

営業を許された未成年者は、その営業に関しては、成年者と同一の行為能力を有します。今回のように、自己が居住するために建物を購入する行為は、古着の仕入販売とは関係がありません。したがって、法定代理人の同意を得なければなりません。

コース**2** ポイント**❷ ❶**

019

★★★

☐☐☐

成年被後見人が成年後見人の事前の同意を得て土地を売却する意思表示を行った場合、成年後見人は、当該意思表示を取り消すことができる。

(2003-1-3)

020

★★★

☐☐☐

成年被後見人が行った法律行為は、事理を弁識する能力がある状態で行われたものであっても、取り消すことができる。ただし、日用品の購入その他日常生活に関する行為については、この限りではない。

(2008-1-1)

021

★★

☐☐☐

成年後見人が、成年被後見人に代わって、成年被後見人が居住している建物を売却するためには、家庭裁判所の許可が必要である。

(2010-1-2)

019 ▶ **成年後見人に同意権なし**

○ 成年被後見人の行った法律行為は、成年後見人の同意があっても、取り消すことができます。

🔖暗記ポイント **総まとめ**

	未成年者	成年被後見人	被保佐人	被補助人
保護者	親権者（＝親）未成年後見人	成年後見人	保佐人	補助人
同意権	●	×	●	△
追認権	●	●	●	△
取消権	●	●	●	△
代理権	●	●	△	△

● ：あり
× ：なし
△ ：審判によって特定の法律行為について
　　付与された場合にのみ認められる。

コース**2** ポイント**2** **2**

020 ▶ **日用品の購入は取消し不可**

○ 成年被後見人が単独で行った法律行為は、取り消すことができます。成年被後見人は、事理を弁識する能力が完全に回復している状態であったとしても取り消すことができます。ただし、日用品の購入等日常生活上の契約は取り消すことができません。

コース**2** ポイント**2** **2**

021 ▶ **家庭裁判所の許可必要**

○ 成年後見人が、成年被後見人に代わって成年被後見人が居住している建物を売却・賃貸・抵当権設定等を行う場合、家庭裁判所の許可が必要です。

コース**2** ポイント**2** **2**

022

★★

☐☐☐

被保佐人については、不動産を売却する場合だけではなく、日用品を購入する場合も、保佐人の同意が必要である。 (2010-1-3)

023

★★

☐☐☐

被補助人が法律行為を行うためには、常に補助人の同意が必要である。 (2010-1-4)

LEC東京リーガルマインド 2025年版 宅建士 合格のトリセツ
頻出一問一答式 過去問題集

022 日用品の購入で保佐人の同意は不要

 保佐人の同意が必要なものは、不動産の売買や不動産の賃貸など、いくつかの重要な行為のみです。日用品を購入する場合には、保佐人の同意は不要です。

コース**2** ポイント**❷ ❸**

023 常に同意が必要ではない

 常に同意が必要となるわけではありません。被補助人が補助人の同意を必要とするものは、被保佐人が保佐人の同意を必要とする事項のうちの一部のみです。

コース**2** ポイント**❷ ❹**

3 時効

024

★★★

□□□

A所有の甲土地をBが占有している。Bが父から甲土地についての賃借権を相続により承継して賃料を払い続けている場合であっても、相続から20年間甲土地を占有したときは、Bは、時効によって甲土地の所有権を取得することができる。　　　　　　　　　(2015-4-1)

025

★★★

□□□

AがBの所有地を長期間占有している。Aが善意無過失で占有を開始し、所有の意思をもって、平穏かつ公然に7年間占有を続けた後、Cに3年間賃貸した場合、Aは、その土地の所有権を時効取得することはできない。　　　　　　　　　(1992-4-1)

024　所有の意思が必要

✕　所有の意思がない場合、所有権を時効取得することはできません。

覚えよう！

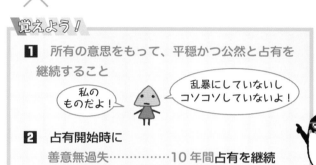

❶ 所有の意思をもって、平穏かつ公然と占有を継続すること

私のものだよ！

乱暴にしていないしコソコソしていないよ！

❷ 占有開始時に
善意無過失…………10年間占有を継続
善意有過失・悪意……20年間占有を継続

占有開始時に善意無過失であれば、途中で悪意になっても10年間で取得できます！

（コース）3（ポイント）❶❷

025　人に貸している間も占有として扱う

✕　善意無過失で占有開始した場合には、10年経過すれば土地を時効取得できます。人に貸している間も占有しているものとされます。ですので、時効取得することができます。

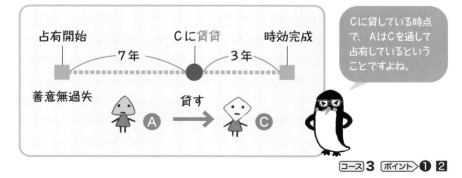

占有開始　　Cに賃貸　　時効完成
　　　7年　　　　3年
善意無過失　A　貸す　C

Cに貸している時点で、AはCを通して占有しているということですよね。

（コース）3（ポイント）❶❷

026
★★★
□□□
Aが甲土地を所有している場合、Bが甲土地を所有の意思をもって平穏かつ公然に17年間占有した後、CがBを相続し甲土地を所有の意思をもって平穏かつ公然に3年間占有した場合、Cは甲土地の所有権を時効取得することができる。　　　　　　　(2020⑩-10-1)

027
★★★
□□□
Dが、所有者と称するEから、Eが無権利者であることについて善意無過失で甲土地を買い受け、所有の意思をもって平穏かつ公然に3年間占有した後、甲土地がAの所有であることに気付いた場合、そのままさらに7年間甲土地の占有を継続したとしても、Dは、甲土地の所有権を時効取得することはできない。　　　　　(2020⑩-10-2)

028
★★★
□□□
Aが甲土地を所有している場合、Aが甲土地を使用しないで20年以上放置していたとしても、Aの有する甲土地の所有権が消滅時効にかかることはない。　　　　　　　　　　　　　　　(2020⑩-10-4)

029
★★★
□□□
Aの所有する甲土地をBが時効取得した場合、Bが甲土地の所有権を取得するのは、取得時効の完成時である。　　　　　(2017-2-1)

030
★★★
□□□
債務者が時効の完成の事実を知らずに債務の承認をした場合、その後、債務者はその完成した消滅時効を援用することはできない。
　　　　　　　　　　　　　　　　　　　　　　　(2018-4-4)

031
★★★
□□□
Aは、Bに対し建物を賃貸し、月額10万円の賃料債権を有している。Aが、Bに対する賃料債権につき内容証明郵便により支払を請求したときは、その請求により消滅時効は新たに進行を始める。
　　　　　　　　　　　　　　　　　　　　　　(2009-3-3改)

026 20年で取得時効完成

20年間で時効取得できます。前の占有者から相続した場合には、前主の占有を承継できます。

コース 3 ポイント ❶ ❷

027 途中で悪意になっても変わらない

占有開始時に善意無過失であれば10年間で時効取得できます。途中で悪意になっても変わりません。

コース 3 ポイント ❶ ❷

028 所有権は消滅時効にかからない

所有権は消滅時効にかからないので、何年経過しても消滅しません。

コース 3 ポイント ❶ ❸

029 占有開始時にさかのぼって取得

時効が完成すると、時効の効果は、その起算日にさかのぼります（時効の遡及効）。

コース 3 ポイント ❶ ❹

030 時効援用はできない

時効完成後に債務者が時効の完成を知らずに承認をした場合、時効援用をすることができません。

コース 3 ポイント ❸ ❸

031 6カ月の時効完成猶予

内容証明郵便等を出すなどして債務の履行を求めると、催告として、6カ月間の時効の完成猶予が生じます。

コース 3 ポイント ❷ ❷

032

★★★

□□□

Aは、Bに対し建物を賃貸し、月額10万円の賃料債権を有している。Bが、Aとの建物賃貸借契約締結時に、賃料債権につき消滅時効の利益はあらかじめ放棄する旨約定したとしても、その約定に法的効力は認められない。　　　　　　　　　　　　　　　　　(2009-3-2)

033

★★★

□□□

Aは、BのCに対する金銭債務を担保するため、A所有の土地に抵当権を設定し、物上保証人となった。Aは、この金銭債務の消滅時効を援用することができる。　　　　　　　　　　　　　　(2000-2-1)

| 032 | 放棄は時効完成後のみ |

◯ 時効の利益の放棄は、時効完成前にはすることができません。

コース 3 ポイント 3 3

| 033 | 物上保証人も時効を援用可能 |

◯ 時効の援用ができる人は、時効によって直接利益を受ける人のみとされています。物上保証人は時効によって直接利益を受けるので、消滅時効を援用することができます。

コース 3 ポイント 3 2

034
★★★
□□□

買主Aが、Bの代理人Cとの間でB所有の甲地の売買契約を締結する場合において、CがBの代理人であることをAに告げていなくても、Aがその旨を知っていれば、当該売買契約によりAは甲地を取得することができる。
(2005-3-ア)

035
★★★
□□□

Aは、Bの代理人として、C所有の土地についてCと売買契約を締結したが、CがAをだまして売買契約をさせた場合は、Aは当該売買契約を取り消すことができるが、Bは取り消すことができない。
(1990-5-3)

036
★★★
□□□

Aが、Bの代理人として、Cとの間でB所有の土地の売買契約を締結した場合、Aが、Bから土地売買の代理権を与えられ、CをだましてBC間の売買契約を締結したときには、Bが詐欺の事実を知っていたと否とにかかわらず、Cは、Bに対して売買契約を取り消すことができる。
(1996-2-3)

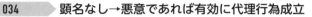

034　顕名なし→悪意であれば有効に代理行為成立

〇 顕名をしなかった場合、売買契約は代理人と相手方との間で成立します。ただし、相手方が悪意もしくは善意有過失であった場合、通常通り代理が成立しますので、売買契約は本人と相手方との間で成立します。

ワンポイント解説

B（本人）

C（代理人）……A（相手方）

コース 4 ポイント ❶ ❷

035　代理人がだまされた→本人は取消可

✕ 代理人が詐欺や強迫にあった場合、本人（今回はB）は取消しができます。

ワンポイント解説

B（本人）

A（代理人）……C（相手方）

コース 4 ポイント ❶ ❸

036　代理人がだました→本人の善意・悪意関係なく相手方は取消可

〇 代理人が詐欺や強迫を行った場合、本人の善意・悪意にかかわらず、相手方は取消しができます。

コース 4 ポイント ❶ ❸

037
★★★

Aが、Bに代理権を授与してA所有の土地を売却する場合において、Bが未成年者であるとき、Bは、Aの代理人になることができない。

(2000-1-1)

038
★★★

AがA所有の土地の売却に関する代理権をBに与えた場合、Bが自らを「売主Aの代理人B」と表示して買主Dとの間で締結した売買契約について、Bが未成年であったとしても、AはBが未成年であることを理由に取り消すことはできない。

(2009-2-2)

039
★★★

AがA所有の甲土地の売却に関する代理権をBに与えた場合、Aが死亡した後であっても、BがAの死亡の事実を知らず、かつ、知らないことにつき過失がない場合には、BはAの代理人として有効に甲土地を売却することができる。

(2010-2-1)

040
★★★

AがA所有の甲土地の売却に関する代理権をBに与えた場合において、Bが死亡しても、Bの相続人はAの代理人として有効に甲土地を売却することができる。

(2010-2-2)

041
★★★

AがB所有の甲土地の売却を代理する権限をBから書面で与えられている場合、A自らが買主となって売買契約を締結したときは、Aは甲土地の所有権を当然に取得する。

(2008-3-1)

042
★★★

Aは、A所有の甲土地の売却に関する代理権をBに与えた。この場合において、Bが売主Aの代理人であると同時に買主Dの代理人としてAD間で売買契約を締結しても、あらかじめ、A及びDの承諾を受けていれば、この売買契約は有効である。

(2010-2-4)

037 制限行為能力者も代理人になれる

 制限行為能力者でも代理人になれます。

コース4 ポイント❶ 4

038 代理人が未成年者でも取消不可・同意も不要

 制限行為能力者でも代理人になれます。代理人として売買契約をする場合、法定代理人の同意は不要です。また、制限行為能力者であることを理由に契約を取り消すことはできません。

コース4 ポイント❶ 4

039 本人死亡→代理権消滅

 本人の死亡によって、代理権は消滅します。

	死亡	破産	後見開始の審判
本人	●	● (任意代理のみ)	×
代理人	●	●	●

●：消滅する　×：消滅しない

コース4 ポイント❶ 6

040 代理人死亡→代理権消滅

 代理人の死亡によって、代理権は消滅します。

コース4 ポイント❶ 6

041 自己契約→無権代理として扱う

 自己契約が行われた場合には無権代理として扱います。ただし、本人が許諾していた場合は有効となります。

コース4 ポイント❷ 3

042 双方代理→無権代理として行う（承諾あれば可）

◯ 双方代理が行われた場合には無権代理として扱います。ただし、本人の許諾があれば有効となります。この場合、AとDの双方の許諾が必要です。

コース4 ポイント❷ 3

043
★★
□□□

Ａが、Ｂの代理人として、Ｃとの間でＢ所有の土地の売買契約を締結した。ＡがＢから土地売買の代理権を与えられていた場合で、所有権移転登記の申請についてＣの同意があったとき、Ａは、Ｂ及びＣ双方の代理人として登記の申請をすることができる。 (1996-2-1)

044
★
□□□

Ａが、所有する甲土地の売却に関する代理権をＢに授与し、ＢがＣとの間で、Ａを売主、Ｃを買主とする甲土地の売買契約を締結した場合、Ｂが売買代金を着服する意図で本件契約を締結し、Ｃが本件契約の締結時点でこのことを知っていたときであっても、本件契約の効果はＡに帰属する。 (2018-2-1)

045
★
□□□

Ａは、Ｂの代理人として、Ｂの所有地をＣに売却した。Ａに代理権がないにもかかわらず、ＡがＢの代理人と偽って売買契約を締結した場合、Ｂの追認により契約は有効となるが、その追認はＣに対して直接行うことを要し、Ａに対して行ったときは、Ｃがその事実を知ったとしても、契約の効力を生じない。 (1994-4-3)

046
★★★
□□□

Ｂ所有の土地をＡがＢの代理人として、Ｃとの間で売買契約を締結した。Ａが無権代理人である場合、ＣはＢに対して相当の期間を定めて、その期間内に追認するか否かを催告することができ、Ｂが期間内に確答をしないときには、追認とみなされ本件売買契約は有効となる。 (2004-2-2)

047
★★★
□□□

ＡがＢに対して、Ａ所有の甲土地を売却する代理権を令和７年７月１日に授与した場合、Ｂが、Ａから代理権を授与されていないＡ所有の乙土地の売却につき、Ａの代理人としてＦと売買契約を締結したときであっても、ＡがＦに対して追認の意思表示をすれば、Ｂの代理行為は追認の時からＡに対して効力を生ずる。 (2020⑫-2-4)

043 登記申請のための双方代理は可

双方代理は原則として無権代理となりますが、登記の申請をするための双方代理は有効となります。

コース **4** ポイント **❷ ❸**

044 代理権の濫用→無権代理として扱う

代理人が自己または第三者の利益を図る目的で代理権の範囲内の行為をした場合、相手方がその目的を知り（＝悪意）、または知ることができた（＝善意有過失）ときは、無権代理として扱います。

コース **4** ポイント **❷ ❹**

045 追認はＣだけでなくＡに対しても行うことができる

追認は相手方Ｃのみならず、無権代理人Ａに対しても行うことができます。ただし、無権代理人に追認をした場合、相手方がそれを知らなければ、相手方に対して追認の効果を主張することはできません。

コース **4** ポイント **❷ ❶**

046 確答なければ追認拒絶

相手方は、本人に対して、無権代理人との契約を追認するかどうか、催告することができます。**本人の確答のない場合には追認拒絶とみなされます。**なお、相手方が無権代理行為について悪意でも催告はできます。

コース **4** ポイント **❷ ❷**

047 契約時にさかのぼって効力を生ずる

ＡＦ間の契約は原則として効力を生じませんが、本人Ａが追認すれば効力を生じます。しかし、その場合、**契約の時にさかのぼって効力を生ずる**のであり、追認の時から効力を生じるものではありません。

コース **4** ポイント **❷ ❶**

048
★★★
□□□

ＡはＢの代理人として、Ｂ所有の甲土地をＣに売り渡す売買契約を
Ｃと締結した。しかし、Ａは甲土地を売り渡す代理権は有していな
かった。Ｂが本件売買契約を追認しない間は、Ｃはこの契約を取り
消すことができる。ただし、Ｃが契約の時において、Ａに甲土地を
売り渡す具体的な代理権がないことを知っていた場合は取り消せな
い。 (2006-2-3)

049
★★★
□□□

Ａの子Ｂが代理権なくＡの代理人として、Ａの所有地についてＣと
売買契約を締結した場合、Ａが売買契約を追認しないときは、Ｃは、
Ｂが制限行為能力者であっても、Ｂに対し履行の請求をすることが
できる。 (1993-2-2改)

050
★★★
□□□

ＡはＢの代理人として、Ｂ所有の甲土地をＣに売り渡す売買契約を
Ｃと締結した。しかし、Ａは甲土地を売り渡す代理権は有していな
かった。ＢがＣに対し、Ａは甲土地の売却に関する代理人であると
表示していた場合、Ａに甲土地を売り渡す具体的な代理権はないこ
とをＣが過失により知らなかったときは、ＢＣ間の本件売買契約は
有効となる。 (2006-2-1)

051
★★★
□□□

買主Ａが、Ｂの代理人Ｃとの間でＢ所有の甲地の売買契約を締結し
た。Ｂが従前Ｃに与えていた代理権が消滅した後であっても、Ａが
代理権の消滅について善意無過失であれば、当該売買契約によりＡ
は甲地を取得することができる。 (2005-3-イ)

052
★★★
□□□

ＡはＢの代理人として、Ｂ所有の甲土地をＣに売り渡す売買契約を
Ｃと締結したが、Ａは甲土地を売り渡す代理権は有していなかった。
ＢがＡに対し、甲土地に抵当権を設定する代理権を与えているが、
Ａの売買契約締結行為は権限外の行為となる場合、甲土地を売り渡
す具体的な代理権がＡにあるとＣが信ずべき正当な理由があるとき
は、ＢＣ間の本件売買契約は有効となる。 (2006-2-2)

048 ▶ 取消しは善意のときのみ

○ 相手方は、不安定な立場を逃れるため、取消しを本人に主張することができます。ただし、これは相手方が善意のときのみで、なおかつ、本人が追認をするとできなくなってしまいます。

[コース]**4** [ポイント]**❷ 2**

049 ▶ 無権代理人が制限行為能力者の場合は履行請求不可

✕ 履行請求や損害賠償請求ができるのは、Bが悪意でない限り、Cが善意無過失かつBが制限行為能力者でない場合です。

[コース]**4** [ポイント]**❷ 2**

050 ▶ 相手方に過失があるので表見代理成立せず

✕ 代理人であると表示（＝授権表示）して、相手方が善意無過失の場合、表見代理が成立します。今回は、相手方に過失があるため、表見代理は成立しません。

[コース]**4** [ポイント]**❷ 6**

051 ▶ 消滅後＋相手方の善意無過失＝表見代理

○ 代理権の消滅後に契約を行い、相手方が善意無過失の場合、表見代理が成立します。

[コース]**4** [ポイント]**❷ 6**

052 ▶ 権限外＋相手方の善意無過失＝表見代理

○ 抵当権設定の代理権しか与えられていない代理人が、土地の売買契約をしてしまい（＝権限外）、相手方が過失なく信じた（＝善意無過失）ので、表見代理が成立し、ＢＣ間の売買契約は有効となります。

[コース]**4** [ポイント]**❷ 6**

053

★★★

☐☐☐

Ａ所有の甲土地につき、Ａから売却に関する代理権を与えられていないＢが、Ａの代理人として、Ｃとの間で売買契約を締結した。Ｂの死亡により、ＡがＢの唯一の相続人として相続した場合、ＡがＢの無権代理行為の追認を拒絶しても信義則には反せず、ＡＣ間の売買契約が当然に有効になるわけではない。　　　　　　　(2012-4-3)

054

★★★

☐☐☐

Ａ所有の甲土地につき、Ａから売却に関する代理権を与えられていないＢが、Ａの代理人として、Ｃとの間で売買契約を締結した場合、Ａの死亡により、ＢがＡの唯一の相続人として相続したとき、Ｂは、Ａの追認拒絶権を相続するので、自らの無権代理行為の追認を拒絶することができる。　　　　　　　(2012-4-2)

055

★★★

☐☐☐

Ａは不動産の売却を妻の父であるＢに委任し、売却に関する代理権をＢに付与した場合、Ｂは、やむを得ない事由があるときは、Ａの許諾を得なくとも、復代理人を選任することができる。　(2007-2-1)

053 ▶ 無権代理人死亡→追認拒絶可

○ 本人が単独で無権代理人を相続した場合には、追認拒絶をすることができます。なお、その場合でも無権代理人の責任を免れることはできません。

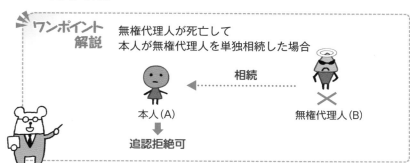

ワンポイント解説 無権代理人が死亡して
本人が無権代理人を単独相続した場合

相続

本人(A) ◀ 無権代理人(B)

追認拒絶可

コース **4** ポイント **❷** **5**

054 ▶ 本人死亡→追認拒絶不可

✕ 無権代理人が単独で本人を相続した場合には、その契約は有効となります。追認拒絶はできません。

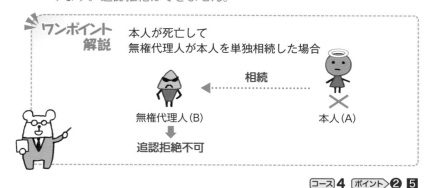

ワンポイント解説 本人が死亡して
無権代理人が本人を単独相続した場合

相続

無権代理人(B) ◀ 本人(A)

追認拒絶不可

コース **4** ポイント **❷** **5**

055 ▶ 本人の許諾orやむを得ない事情

○ 任意代理の場合、復代理人の選任には、本人の許諾またはやむを得ない事由が必要となります。なお、法定代理の場合、いつでも選任可能です。

コース **4** ポイント **❸** **1**

056

★★★

□□□

Ａが不動産の売却を妻の父であるＢに委任し、売却に関する代理権をＢに付与した場合において、Ｂが復代理人Ｅを適法に選任したときは、ＥはＡに対して、代理人と同一の権利を有し、義務を負うため、Ｂの代理権は消滅する。

(2007-2-4)

056 ▶ 復代理人を選任しても代理人の代理権は消滅しない

✕　復代理人を選任しても、代理人の代理権は消滅しません。

コース **4** ポイント **❸ 2**

057
★★★
□□□
売主が、買主の代金不払を理由として売買契約を解除した場合には、売買契約はさかのぼって消滅するので、売主は買主に対して損害賠償請求はできない。 (2005-9-2)

058
★★★
□□□
Aを売主、Bを買主として、甲土地の売買契約が締結された。AがBに甲土地の引渡しをすることができなかった場合、その不履行がAの責めに帰することができない事由によるものであるときを除き、BはAに対して、損害賠償の請求をすることができる。(2020⑫-7-2)

059
★★★
□□□
Aは、Bから土地建物を購入する契約（代金5,000万円、手付300万円、違約金1,000万円）を、Bと締結し、手付を支払ったが、その後資金計画に支障を来し、残代金を支払うことができなくなった。Aの債務不履行を理由に契約が解除された場合、Aは、実際の損害額が違約金よりも少なければ、これを立証して、違約金の減額を求めることができる。 (1994-6-4)

060
★★
□□□
AB間の土地売買契約中の履行遅滞の賠償額の予定の条項によって、AがBに対して、損害賠償請求をする場合、裁判所は、賠償額の予定の合意が、暴利行為として公序良俗違反となる場合でも、賠償額の減額をすることができない。 (2002-7-3)

061
★★★
□□□
AB間の利息付金銭消費貸借契約において、利率に関する定めがない場合、借主Bが債務不履行に陥ったことによりAがBに対して請求することができる遅延損害金は、年3パーセントの利率により算出する。 (2012-8-2改)

057 　解除と損害賠償請求は両方可

✕　債務不履行解除は解除をしてさらに損害賠償請求もすることができます。

コース 5 ポイント ❶ ❶

058 　損害賠償請求は債務者に帰責事由のあるときのみ

◯　損害賠償請求は債務不履行が債務者の責めに帰すべき事由に基づく場合のみ行うことができます。

コース 5 ポイント ❶ ❶

059 　違約金は損害賠償額の予定と推定され原則として減額はできない

✕　違約金は損害賠償額の予定と推定されます。そして、損害賠償額を予定した場合、実際の損害額を立証しても、裁判所は、原則としてその額を増減することはできません。

コース 5 ポイント ❷ ❶

060 　原則として裁判所は増減不可だが例外有

✕　あらかじめ損害賠償額を決めておくこともできます。あらかじめ決めた場合には、損害額がそれよりも多くても少なくても、その額になります。裁判所は原則としてその額を増減できませんが、公序良俗に反する等の場合は例外的に減額できます。

コース 5 ポイント ❷ ❶

061 　定めがない場合法定利率３％

◯　金銭債務の損害賠償額は、法定利率（年３％）によるのが原則ですが、それより高い利率の定めがある場合には、それに従います。

コース 5 ポイント ❷ ❷

062 ★★★

売買契約が詐欺を理由として有効に取り消された場合における当事者双方の原状回復義務は、同時履行の関係に立つ。　　　(2003-9-4)

063 ★★★

Aが、B所有の建物を代金8,000万円で買い受け、即日3,000万円を支払った場合で、残金は3カ月後所有権移転登記及び引渡しと引換えに支払う旨の約定がある。Bが、Aの代金支払いの受領を拒否してはいないが、履行期になっても建物の所有権移転登記及び引渡しをしない場合、Aは、Bに催告するだけで売買契約を解除することができる。　　　(1996-9-3)

064 ★★★

Aが、Bに建物を3,000万円で売却した。Bが建物の引渡しを受けて入居したが、2カ月経過後契約が解除された場合、Bは、Aに建物の返還とともに、2カ月分の使用料相当額を支払う必要がある。　　　(1998-8-2)

065 ★★★

AB間の金銭消費貸借契約において、借主Bは当該契約に基づく金銭の返済をCからBに支払われる売掛代金で予定していたが、その入金がなかった（Bの責めに帰すべき事由はない。）ため、返済期限が経過してしまった場合、Bは債務不履行には陥らず、Aに対して遅延損害金の支払義務を負わない。　　　(2012-8-4)

062 ▶ 同時履行の関係

○ 取消しの際の原状回復は同時履行の関係に立ちます。

[コース]5 [ポイント]❶ 2

063 ▶ 催告のみではなく履行の提供も必要

✕ 売主が同時履行の抗弁権を有する場合、買主は履行の提供をすることなしに催告のみで契約を解除することはできません。したがって、買主（A）は、売主（B）に履行の提供をすることなしに催告するだけで契約を解除することができません。

[コース]5 [ポイント]❶ 2

064 ▶ 原状回復＝建物＋使用料

○ 原状回復というのは、戻せばそれでよいというわけではありません。建物の場合、その引渡しを受けていた期間に自分が住むこともできるし、誰かに貸して収益を得ることもできたはずです。最初から何もなかったことになるのだから、当然、その引渡しを受けていた期間に発生していた利益も手に入らなかったことになるはずです。そのため、受領の時以後の使用料相当額も支払う必要があります。

[コース]5 [ポイント]❷ 4

065 ▶ 金銭債務は不可抗力をもって抗弁とできない

✕ 金銭債務は不可抗力をもって抗弁とすることができません。

[コース]5 [ポイント]❷ 2

066
★★
□□□

共に宅地建物取引業者であるＡＢ間でＡ所有の土地について、令和７年９月１日に売買代金3,000万円（うち、手付金200万円は同年９月１日に、残代金は同年10月31日に支払う。）とする売買契約を締結した場合、Ａが残代金の受領を拒絶することを明確にしているときであっても、Ｂは同年10月31日には2,800万円をＡに対して現実に提供しなければ、Ｂも履行遅滞の責任を負わなければならない。 (2004-4-4)

067
★★★
□□□

買主Ａと売主Ｂとの間で建物の売買契約を締結し、ＡはＢに手付を交付したが、その手付は解約手付である旨約定した場合において、手付の額が売買代金の額に比べて僅少であるときには、本件約定は、効力を有しない。 (2000-7-1)

068
★★★
□□□

買主Ａと売主Ｂとの間で建物の売買契約を締結し、ＡはＢに手付を交付したが、その手付は解約手付である旨約定した場合において、Ｂが本件約定に基づき売買契約を解除するときは、Ｂは、Ａに対して、単に口頭で手付の額の倍額を償還することを告げて受領を催告するだけでは足りず、これを現実に提供しなければならない。 (2000-7-4)

066 明確に受領を拒む場合は現実の提供なしで可

債権者が明確に受領を拒んでいるので、Bは現実の提供をしなくても履行遅滞とはなりません。

コース 5 ポイント ❶ ❷

 067 手付の金額の制限はない

手付の金額についての制限はありません。

コース 5 ポイント ❸ 🛈

068 売主が手付解除→倍額を現実に提供

売主が手付解除をするには、口頭で催告するだけでは足りず、現実の提供が必要となります。

【買主が解除をしたい場合】

 買主 A 預けていた手付を放棄します 売主 B

➡買主が手付の額を損することで解除できた

【売主が解除をしたい場合】

買主 A  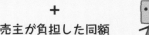 買主が預けていた手付 ＋ 売主が負担した同額 ＝ 手付の倍額を現実に提供する 手付を倍返しします 売主 B

➡売主が手付の額を損することで解除できた

コース 5 ポイント ❸ ❷

069

★★★

☐☐☐

買主が、売主に対して手付金を支払っていた場合には、売主は、自らが売買契約の履行に着手するまでは、買主が履行に着手していても、手付金の倍額を買主に支払うことによって、売買契約を解除することができる。 (2005-9-4)

070

★★★

☐☐☐

買主Ａと売主Ｂとの間で建物の売買契約を締結し、ＡはＢに手付を交付したが、その手付は解約手付である旨約定した。Ａが本件約定に基づき売買契約を解除した場合で、Ａに債務不履行はなかったが、売主Ｂが手付の額を超える額の損害を受けたことを立証できるとき、Ｂは、その損害全部の賠償を請求することができる。 (2000-7-3)

069 ▶ 相手方が履行に着手するまで

相手方が履行に着手するまでは手付解除ができます。自分が履行に着手しているかどうかは無関係です。今回は相手方がすでに履行に着手しているので解除できません。

コース **5** ポイント **❸ ❸**

070 ▶ 手付解除→別途損害賠償請求は不可

手付解除は債務不履行に基づく解除と異なり損害賠償請求ができないことに注意してください。

コース **5** ポイント **❸ ❶**

6 弁済

071
★★★
AがBに対して不動産を売却した場合のBの代金の弁済について、Bの親友Cが、Aに直接代金の支払いを済ませても、それがBの意思に反する弁済であり、AがBの意思に反する弁済であることを知っている場合には、Bの代金債務は消滅しない。 (1999-5-1改)

072
★★★
Aが、土地所有者Bから土地を賃借し、その土地上に建物を所有してCに賃貸している場合、Cは、借賃の支払債務の弁済をするについて正当な利益を有する者でない第三者なので、Aの意思に反して、債務を弁済することはできない。 (2005-7-1改)

073
★★★
AのBからの借入金について、Aの保証人CがBに弁済した場合、Cは、Aの承諾がなくても、Bに代位することができる。 (1993-6-2改)

074
★★★
Aは、土地所有者Bから土地を賃借している。Aが、Bの代理人と称して借賃の請求をしてきた無権限者に対し債務を弁済した場合、その者に弁済受領権限があるかのような外観があり、Aがその権限があることについて善意、かつ、無過失であるときは、その弁済は有効である。 (2005-7-2)

075
★★★
借地人が地代の支払を怠っている場合、借地上の建物の賃借人は、土地賃貸人の意思に反しても、地代について金銭以外のもので代物弁済することができる。 (2008-8-3)

071 **正当な利益を有しない第三者→債務者の意思に反した弁済不可**

○ 弁済をするについて正当な利益を有する者でない第三者は、原則として債務者の意思に反して弁済することはできません。単に親・兄弟・親友であるというだけでは、正当な利益を有するとはいえません。

コース **5** ポイント **4 2**

072 **正当な利益を有する第三者→意思に反した弁済可**

✕ 弁済をするについて正当な利益を有する者である第三者は債務者の意思に反しても弁済をすることができます。借地上の建物の賃借人は、Aが土地の借賃を払わないと追い出される可能性があるので、弁済をするについて正当な利益を有する者である第三者といえます。

コース **5** ポイント **4 2**

073 **当然に代位する**

○ 弁済をするにつき正当な利益を有する者が弁済した場合、債務者の承諾なしに、当然に代位できます。

コース **5** ポイント **4 4**

074 **受領権者としての外観を有する者に善意無過失で弁済→有効**

○ 受領権者としての外観を有する者に善意無過失でした弁済は有効となります。

コース **5** ポイント **4 3**

075 **債権者の意思に反しての代物弁済は不可**

✕ 代物弁済を行うためには、債権者と弁済者との間で契約をすることが必要です。したがって、債権者の意思に反している場合、代物弁済はできません。

コース **5** ポイント **4 5**

076

★★

☐☐☐

Ａは、土地所有者Ｂから土地を賃借している。Ａが、当該借賃を額面とするＡ振出しに係る小切手（銀行振出しではないもの）をＢに提供した場合、債務の本旨に従った適法な弁済の提供となる。

(2005-7-3)

077

★★★

☐☐☐

Ａは、土地所有者Ｂから土地を賃借している。Ａは、特段の理由がなくても、借賃の支払債務の弁済に代えて、Ｂのために弁済の目的物を供託し、その債務を免れることができる。

(2005-7-4)

LEC東京リーガルマインド　2025年版 宅建士 合格のトリセツ
頻出一問一答式 過去問題集

076　銀行振出しでない小切手→弁済として扱わない

銀行振出しでない小切手（＝自己振出しの小切手）の持参は、弁済の提供として扱いません。

> 自己振出しの小切手 ＝ 履行の提供とならない
> 銀行振出しの小切手 ＝ 履行の提供となる

コース**5**　ポイント **4** **1**

077　供託には一定の理由が必要

弁済の目的物を供託するためには、債権者が受領を拒んだり、債権者が誰であるかがわからないときなど、一定の理由が必要です。それがない場合には供託することはできません。

> 【供託が可能な場合】
> **1**　債権者が受領を拒む場合
> **2**　債権者が受領不可能な場合
> **3**　弁済者に過失なく債権者が誰かがわからない場合

コース**5**　ポイント **4** **6**

7 契約不適合責任

078
★★★
☐☐☐

Aが、Bに建物を売却し、代金受領と引換えに建物を引き渡した後に、Bが、この建物の品質に関して契約の内容に不適合があることを発見した。Bは、この不適合がAの責めに帰すべき事由により生じたものであることを証明した場合に限り、契約不適合責任に基づき代金の減額を請求することができる。　　　　　　　　（2002-9-1改）

079
★★★
☐☐☐

買主Bが不動産の種類又は品質に関して契約不適合があることを契約時に知っていた場合や、Bの過失により不動産の種類又は品質に関して契約不適合があることに気付かず引渡しを受けてから当該契約不適合があることを知った場合でも、売主Aは契約不適合責任を負う。　　　　　　　　　　　　　　　　　　　　　（2007-11-3改）

080
★★★
☐☐☐

Aは、中古自動車を売却するため、Bに売買の媒介を依頼し、報酬として売買代金の3％を支払うことを約した。Bの媒介によりAは当該自動車をCに100万円で売却した。Cに引き渡された当該自動車が品質に関して契約の内容に適合しない場合には、CはAに対しても、Bに対しても、契約不適合責任を追及することができる。　　　　　　　　　　　　　　　　　　　　　（2017-5-2改）

078 **売主の帰責性は要求されない**

✕　契約不適合責任に基づく代金減額請求は、損害賠償請求権と異なり、売主の帰責性は要求されていません。

暗記ポイント **総まとめ**

	追完	代金減額	損害賠償	解除
売主に帰責事由あり	●	●	●	●
売主に帰責事由なし（買主も帰責事由なし）	●	●	✕	●

コース **6** ポイント **❶ 3**

079 **買主が善意無過失である必要なし**

◯　買主が売主に対して契約不適合責任を追及するためには、目的物が種類・品質・数量に関して契約の内容に適合しないものであればよく、善意無過失である必要はありません。

コース **6** ポイント **❶ 3**

080 **責任を負うのは売主のみ**

✕　Bは売主ではなく媒介者なので、契約不適合責任は負いません。

コース **6** ポイント **❶ 1**

081
★★★
□□□

Aを売主、Bを買主として、A所有の甲自動車を50万円で売却する契約が締結された。Bが甲自動車の引渡しを受けたが、甲自動車のエンジンに契約の内容に適合しない欠陥があることが判明した場合、BはAに対して、甲自動車の修理を請求することができる。

(2021⑩-7-1)

082
★★★
□□□

Aを売主、Bを買主として、A所有の甲自動車を50万円で売却する契約が締結された。Bが甲自動車の引渡しを受けたが、甲自動車に契約の内容に適合しない修理不能な損傷があることが判明した場合、BはAに対して、売買代金の減額を請求することができる。

(2021⑩-7-2)

083
★★★
□□□

不動産の売買契約に、種類又は品質に関して契約不適合責任を負わない旨の特約が規定されていても、売主Aが知りながら買主Bに告げなかった事実については、Aは契約不適合責任を負わなければならない。

(2007-11-1改)

084
★★★
□□□

Aが、BからB所有の土地付中古建物を買い受けて引渡しを受けたが、建物の主要な構造部分に欠陥があり、契約内容に適合しないものであった。Aが、この不適合を知らないまま契約を締結した場合、契約締結から1年以内にその旨をBに通知しなければ、原則として、AはBに対して契約不適合責任を追及することができなくなる。

(2003-10-3改)

081　追完請求できる

○　引き渡された目的物が種類、品質又は数量に関して契約の内容に適合しないものであるときは、買主は、売主に対して、追完請求をすることができます。

コース**6** ポイント**❶ 3**

082　追完不能→代金減額請求できる

○　履行の追完が不能であるときは、買主は、その不適合の程度に応じて、代金減額請求をすることができます。

コース**6** ポイント**❶ 3**

083　知りながら告げなかった事実については責任を負う

○　契約不適合責任を負わない特約は有効です。しかし、特約をしたとしても、知りながら告げなかった事実についてはその責任を免れることはできません。

コース**6** ポイント**❶ 5**

084　契約締結からではなく知った時から1年

✕　目的物の種類・品質に不適合がある場合、知った時から1年以内に通知しなければなりません。

目的物の契約不適合	種類	知った時から1年以内※1に通知
	品質	消滅時効にかかる※2
	数量	消滅時効にかかる※2
権利に関する契約不適合		

※1　売主が悪意または善意重過失の場合は通知しなくても失権しない
※2　知った時から5年、権利行使できるようになった時から10年

コース**6** ポイント**❶ 4**

085 ★★★ ☐☐☐ ＡＢ間の不動産売買契約において、買主Ｂは、引き渡された不動産が種類又は品質に関して契約の内容に適合しないものであることを発見しても、相当の期間を定め追完等の催告をしたにもかかわらず、期間内に追完等がなされない場合、当該契約不適合が契約及び社会通念に照らして軽微なものであるときには、損害賠償を請求することも契約を解除することもできない。　　　　　　　　　（2007-11-2改）

086 ★★★ ☐☐☐ 買主が、売主以外の第三者の所有物であることを知りつつ売買契約を締結し、売主が売却した当該目的物の所有権を取得して買主に移転することができない場合には、買主は売買契約の解除はできるが、損害賠償請求はできない。　　　　　　　　　　　　　　（2005-9-1）

087 ★★★ ☐☐☐ Ａが1,000㎡の土地についてＢに売却する契約をＢと締結した場合、その土地にＥが登記済みの地上権を有していて、ＡＢ間の契約の内容に適合していなかったとき、Ｂは、契約を解除することができる。
　　　　　　　　　　　　　　　　　　　　　　　　　（1993-8-4）

088 ★★★ ☐☐☐ 買主が、抵当権が存在していることを知りつつ不動産の売買契約を締結し、当該抵当権の行使によって買主が所有権を失った場合には、買主は、売買契約の解除はできない。　　　　　　　　　　（2005-9-3）

ＬＥＣ東京リーガルマインド　2025年版 宅建士 合格のトリセツ
頻出一問一答式 過去問題集

085 軽微である→解除不可

契約不適合が軽微である場合、損害賠償請求をすることはできますが、解除をすることはできません。

コース5 ポイント❷ 🔢

086 全部他人物売買→履行されない場合債務不履行

全部他人物売買では、権利の全部が履行不能の場合、債務不履行により善意・悪意に関係なく契約の解除をすることができます。また、損害賠償請求もできます。

コース5 ポイント❶ 🔢

087 地上権等→契約不適合責任

地上権等の制限がある場合、売主が移転した権利が契約内容に適合しないため契約を解除することができます。

コース6 ポイント❶ 🔢

088 抵当権実行→債務不履行

買主の善意・悪意にかかわらず、抵当権が実行されて所有権を失った場合には、債務不履行として契約の解除とともに損害賠償請求ができます。

コース5 ポイント❶ 🔢

8 相続

089
★★★
☐☐☐

死亡したAに、配偶者B、Bとの婚姻前に縁組した養子C、Bとの間の実子D（Aの死亡より前に死亡）、Dの実子E及びFがいる場合、BとCとEとFが相続人となり、EとFの法定相続分はいずれも8分の1となる。 (1996-10-1)

090
★★★
☐☐☐

Aに、その死亡前1年以内に離婚した元配偶者Jと、Jとの間の未成年の実子Kがいる場合、JとKが相続人となり、JとKの法定相続分はいずれも2分の1となる。 (1996-10-4)

091
★★★
☐☐☐

甲建物を所有するAが死亡し、相続人がそれぞれAの子であるB及びCの2名であった。Bが自己のために相続の開始があったことを知らない場合であっても、相続の開始から3か月が経過したときは、Bは単純承認をしたものとみなされる。 (2016-10-4)

092
★★★
☐☐☐

被相続人の子が、相続の開始後に相続放棄をした場合、その者の子がこれを代襲して相続人となる。 (2002-12-4)

089　すでに死亡→代襲相続

○

配偶者であるBと子CとDが相続人となるはずですが、Dはすでに死亡していますので、EとFが代襲相続します。

ワンポイント解説

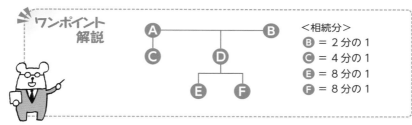

<相続分>
Ⓑ = 2分の1
Ⓒ = 4分の1
Ⓔ = 8分の1
Ⓕ = 8分の1

コース7　ポイント❶ ❷、❸、❺

090　元配偶者に法定相続分はない

×

元配偶者（J）は配偶者ではないため、法定相続分はありません。今回の場合、子（K）が全部相続します。

コース7　ポイント❶ ❷

091　熟慮期間は知った時から3カ月

×

知った時から3カ月以内に限定承認も相続の放棄もしなかった場合には単純承認したものとみなされます。

コース7　ポイント❶ ❹

092　相続放棄→代襲相続しない

×

相続放棄の場合、代襲相続はしません。

コース7　ポイント❶ ❺

093

★★★

☐☐☐

甲建物を所有するＡが死亡し、相続人がそれぞれＡの子であるＢ及びＣの２名である場合、Ｃが単純承認をしたときは、Ｂは限定承認をすることができない。　　　　　　　　　　　　　　　(2016-10-3)

094

★★★

☐☐☐

相続の放棄をする場合、その旨を家庭裁判所に申述しなければならない。　　　　　　　　　　　　　　　　　　　　　　(2002-12-1)

095

★★★

☐☐☐

未成年であっても、15歳に達した者は、有効に遺言をすることができる。　　　　　　　　　　　　　　　　　　　　　(2010-10-3)

096

★★★

☐☐☐

夫婦又は血縁関係がある者は、同一の証書で有効に遺言をすることができる。　　　　　　　　　　　　　　　　　　　(2010-10-4)

097

★★★

☐☐☐

遺言は、家庭裁判所の検認の手続を経なければ、効力を生じない。　　　　　　　　　　　　　　　　　　　　　　　(1994-13-2)

098

★★★

☐☐☐

Ａが公正証書で土地をＢに遺贈すると遺言した場合でも、後に自筆証書でこれをＣに遺贈すると遺言したときは、Ｂは、Ａが死亡しても当該土地の所有権を取得しない。　　　　　　　　　(1994-13-4)

099

★★★

☐☐☐

被相続人Ａ、相続人Ｂ及びＣ（いずれもＡの子）として、Ａが、「Ａの甲土地をＢに相続させる」旨の遺言をした場合で、その後甲土地を第三者Ｅに売却し、登記を移転したとき、その遺言は撤回したものとみなされる。　　　　　　　　　　　　　　(2000-10-3)

093 限定承認→相続人全員で

◯ 限定承認は相続人全員で共同してする必要があります。誰かが単純承認をしてしまうと、他の共同相続人は限定承認はできなくなります。

コース **7** ポイント **❶ 4**

094 限定承認・相続放棄→家庭裁判所に申述

◯ 相続放棄をするときには家庭裁判所に申述しなければなりません。

コース **7** ポイント **❶ 4**

095 遺言→満15歳以上

◯ 遺言は満15歳以上であれば、有効にすることができます。

コース **7** ポイント **❷ 1**

096 1通につき1人

✕ 遺言は1通につき1人であり、2人以上の者が同じ証書で遺言することはできません。

コース **7** ポイント **❷ 2**

097 検認なし→無効にはならない

✕ 検認を怠っても、遺言は当然には無効となりません。

コース **7** ポイント **❷ 1**

098 遺言は撤回可→新しい遺言を作成

◯ 前の遺言と後の遺言で内容が抵触する場合、後の遺言で前の遺言を撤回したものとみなされます。

コース **7** ポイント **❷ 2**

099 遺言は撤回可→異なる処分

◯ 遺言と異なる処分を生前にした場合、その遺言は撤回したものとみなされます。

コース **7** ポイント **❷ 2**

100
★★★

Aには、相続人となる子BとCがいる。Aは、Cに老後の面倒をみてもらっているので、「甲土地を含む全資産をCに相続させる」旨の有効な遺言をした。この場合、Bの遺留分を侵害するAの遺言は、その限度で当然に無効である。　　　　　　　　　　　　　(2008-12-1)

101
★★★

相続人が被相続人の兄弟姉妹である場合、当該相続人には遺留分がない。　　　　　　　　　　　　　　　　　　　　　　　　　(2022-2-4)

102
★★

被相続人Eの生前に、Eの子Fが家庭裁判所の許可を得て遺留分の放棄をした場合でも、Fは、Eが死亡したとき、その遺産を相続する権利を失わない。　　　　　　　　　　　　　　　　　(1997-10-4)

103
★★

遺留分侵害額請求は、訴えを提起しなくても、内容証明郵便による意思表示だけでもすることができる。　　　　　　　　　(1997-10-2改)

104
★★

甲建物を所有するAが死亡し、Aの配偶者Bが甲建物の配偶者居住権を取得する旨の遺産分割協議が成立した。遺産分割協議において、Bの配偶者居住権の存続期間が定められなかった場合、配偶者居住権の存続期間は20年となる。　　　　　　　　　　　　(2023-7-1)

100　遺留分を侵害する遺言→有効

遺留分を侵害する遺言も有効になります。

コース7　ポイント ❸ ❶

101　兄弟姉妹に遺留分はない

兄弟姉妹には遺留分はありません。

コース7　ポイント ❸ ❷

102　遺留分放棄と相続放棄は別

遺留分の放棄と相続の放棄は別物です。Fが放棄したのは相続権ではなく遺留分なので、遺産を相続する権利はあります。

コース7　ポイント ❸ ❸

103　訴えなしで請求可

遺留分侵害額の請求は訴えを提起する必要はありません。意思表示のみで請求したこととなります。内容証明郵便でも大丈夫です。

コース7　ポイント ❸ ❶

104　存続期間の定めがない場合、原則として終身

配偶者居住権の存続期間は、別段の定めがあるとき（または家庭裁判所が別段の定めをしたとき）を除き、配偶者の終身の間となります。

コース7　ポイント ❹ ❶

105

★★★
☐☐☐

Aの所有する土地について、AからBへの所有権移転登記が完了していない場合は、BがAに代金全額を支払った後であっても、契約の定めにかかわらず、Bは、Aに対して所有権の移転を主張することができない。 (1996-3-1)

106
★★★
☐☐☐

Aは、自己所有の建物をBに売却したが、Bはまだ所有権移転登記を行っていない。Aはこの建物をFから買い受け、FからAに対する所有権移転登記がまだ行われていない場合、Bは、Fに対し、この建物の所有権を対抗できる。 (2004-3-4)

107

★★★
☐☐☐

Aは、自己所有の甲地をBに売却し、代金を受領して引渡しを終えたが、AからBに対する所有権移転登記はまだ行われていない。Aの死亡によりCが単独相続し、甲地について相続を原因とするAからCへの所有権移転登記がなされた場合、Bは、自らへの登記をしていないので、甲地の所有権をCに対抗できない。 (2005-8-1)

108
★★★
☐☐☐

Aは、自己所有の建物をBに売却したが、Bはまだ所有権移転登記を行っていない。Cが何らの権原なくこの建物を不法占有している場合、Bは、Cに対し、この建物の所有権を対抗でき、明渡しを請求できる。 (2004-3-1)

105 売主に所有権主張可

土地や建物を売った人が、たとえ登記を備えていたとしても、自分
のものだと買った人に主張できません。したがって、買主は登記が
なくても、所有権を売主に主張できます。

コース 8 ポイント ❶ 🔟

106 前主に対して→登記無しで所有権を対抗可

売主の前主に対しても、買主は登記なく所有権を対抗できます。

コース 8 ポイント ❶ 🔟

107 相続人に対して→登記無しで所有権を対抗可

相続人は権利や義務をそのまま引き継ぐので、AとCは同じという
扱いになり、Bは登記なしでCに対して所有権を対抗できます。

コース 8 ポイント ❶ 🔢

108 不法占拠者に対して→登記無しで所有権を対抗可

不法占拠者に対しては登記なしで所有権を対抗できます。

コース 8 ポイント ❷ 🔢

109
★★★
□□□

Aが、債権者の差押えを免れるため、Bと通謀して、A所有地をBに仮装譲渡する契約をした。DがAからこの土地の譲渡を受けた場合には、所有権移転登記を受けていないときでも、Dは、Bに対して、その所有権を主張することができる。　　　　　　　(2000-4-3)

110
★★★
□□□

AからB、BからCに、甲地が、順次売却され、AからBに対する所有権移転登記がなされた。Aが甲地につき全く無権利の登記名義人であった場合、真の所有者Dが所有権登記をBから遅滞なく回復する前に、Aが無権利であることにつき善意のCがBから所有権移転登記を受けたとき、Cは甲地の所有権をDに対抗できる。

(2001-5-1)

111
★★★
□□□

Aから甲土地を購入したBは、所有権移転登記を備えていなかった。EがこれにじてBに高値で売りつけて利益を得る目的でAから甲土地を購入し所有権移転登記を備えた場合、EはBに対して甲土地の所有権を主張することができない。　　　　　　　(2016-3-3)

109　**無権利者に対して→登記無しで所有権を対抗可**

○　虚偽表示は無効なので、この場合のBは無権利者となります。無権利者に対しては、登記なしで所有権を主張できます。

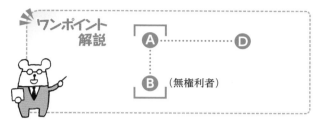

ワンポイント解説

Ⓐ ……… Ⓓ

Ⓑ（無権利者）

コース8　ポイント❷2

110　**無権利者から譲り受ける→無権利者**

×　無権利者から取得した者も無権利者となります。よって、無権利者であるCは、真の所有者であるDに対して対抗することはできません。

コース8　ポイント❷2

111　**背信的悪意者→登記のない第三者に対抗不可**

○　背信的悪意者Eは、Bに対して所有権を主張することはできません。

コース8　ポイント❷2

112
★★★

AがA所有の甲土地を、FとGとに対して二重に譲渡してFが所有権移転登記を備えた場合に、AG間の売買契約の方がAF間の売買契約よりも先になされたことをGが立証できれば、Gは、登記がなくても、Fに対して自らが所有者であることを主張することができる。

(2012-6-3)

113
★★★

A所有の甲土地につき、AとBとの間で売買契約が締結された。AがBにだまされたとして詐欺を理由にAB間の売買契約を取り消した後、Bが甲土地をAに返還せずにDに転売してDが所有権移転登記を備えても、AはDから甲土地を取り戻すことができる。

(2011-1-3)

114
★★★

第三者のなした登記後に時効が完成して不動産の所有権を取得した者は、当該第三者に対して、登記を備えなくても、時効取得をもって対抗することができる。

(2021⑫-6-3)

112 ▶ 二重譲渡→登記

✕ 二重譲渡の場合、登記で勝負をつけることになります。なお、売買契約の先後は関係ありません。

（コース）**8** （ポイント）**❷** **1**

113 ▶ 取消後の第三者→登記

✕ 取消し後の第三者に対しては、登記がなければ対抗することができません。

覚えよう！

● 取消し・解除・時効と登記

場面	結論
①取消し前の第三者	詐欺：善意無過失の第三者に対抗できない
②取消し後の第三者	先に登記した者が勝つ
③解除前の第三者	第三者は登記があれば勝つ
④解除後の第三者	先に登記した者が勝つ
⑤時効完成前の第三者	時効取得した者が勝つ
⑥時効完成後の第三者	先に登記した者が勝つ

（コース）**8** （ポイント）**❸** **1**

114 ▶ 時効完成前の第三者→時効取得者の勝ち

◯ 時効取得者は時効完成前の第三者に登記なしで対抗することができます。

（コース）**8** （ポイント）**❸** **2**

115
★★★

□□□

取得時効の完成により乙不動産の所有権を適法に取得した者は、その旨を登記しなければ、時効完成後に乙不動産を旧所有者から取得して所有権移転登記を経た第三者に所有権を対抗できない。

(2007-6-4)

116
★★★

□□□

Ａ所有の土地について、ＡがＢに、ＢがＣに売り渡し、ＡからＢへ、ＢからＣへそれぞれ所有権移転登記がなされた。Ｃが移転登記を受ける際に、ＡＢ間の売買契約に解除原因が生じていることを知っていた場合で、当該登記の後にＡによりＡＢ間の売買契約が解除されたとき、Ｃは、Ａに対して土地の所有権の取得を対抗できない。

(1996-5-3)

117
★★★

□□□

Ａ所有の土地について、ＡがＢに、ＢがＣに売り渡し、ＡからＢへ、ＢからＣへそれぞれ所有権移転登記がなされた。Ｃが移転登記を受ける際に、既にＡによりＡＢ間の売買契約が解除されていることを知っていた場合、Ｃは、Ａに対して土地の所有権の取得を対抗できない。

(1996-5-4)

118
★★★

□□□

甲不動産につき兄と弟が各自２分の１の共有持分で共同相続した後に、兄が弟に断ることなく単独で所有権を相続取得した旨の登記をした場合、弟は、その共同相続の登記をしなければ、共同相続後に甲不動産を兄から取得して所有権移転登記を経た第三者に自己の持分権を対抗できない。

(2007-6-3)

---

115 ▶ 時効完成後の第三者→登記

〇 時効完成後の第三者に対しては、登記がなければ所有権を対抗することができません。

コース 8 ポイント ❸ 2

---

116 ▶ 解除前の第三者→登記

✕ 解除前の第三者が保護されるためには登記が必要です。

コース 8 ポイント ❸ 3

---

117 ▶ 解除後の第三者→登記

✕ 解除後の第三者Cは登記を有すればAに所有権を対抗できます。

コース 8 ポイント ❸ 3

---

118 ▶ 無権利者から譲渡→無権利者

✕ 兄は弟の持分に関しては無権利者なので、無権利者から譲渡された第三者も弟の持分に関しては無権利者となります。したがって、弟は登記がなくても第三者に自己の持分権を対抗できます。

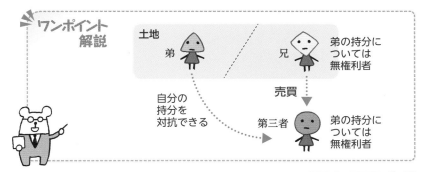

ワンポイント解説

土地

弟

兄 … 弟の持分については無権利者

自分の持分を対抗できる

売買

第三者 … 弟の持分については無権利者

コース 8 ポイント ❸ 4

119
★★★

相続又は法人の合併による権利の移転の登記は、登記権利者が単独で申請することができる。 (2005-16-2)

120
★★★

建物が滅失したときは、表題部所有者又は所有権の登記名義人は、その滅失の日から1月以内に、当該建物の滅失の登記を申請しなければならない。 (2023-14-1)

121
★★★

表示に関する登記は、登記官が、職権ですることができる。 (2018-14-2)

122
★

登記の申請をする者の委任による代理人の権限は、本人の死亡によっては、消滅しない。 (2019-14-4)

119　相続又は法人の合併による権利の移転登記→単独申請可

○

以下の場合は単独申請が可能です。

ワンポイント解説

1　所有権保存の登記
2　登記名義人の氏名・住所の変更登記
3　相続または合併による登記
4　登記すべきことを命じる確定判決による登記
5　仮登記義務者の承諾がある仮登記

コース 9　ポイント ② 2

120　1カ月以内に申請義務

○

建物や土地が滅失したときには、所有者は1カ月以内に滅失の登記を申請する義務があります。なお、建物や土地が新しくできたときには、所有者は1カ月以内に表題登記を申請する義務があります。

コース 9　ポイント ① 2

121　表題部→職権登記可

○

表題部などは、登記官の職権による登記が認められています。

コース 9　ポイント ① 2

122　登記申請の代理人→本人が死亡しても代理権消滅せず

○

通常、代理権は本人の死亡により消滅しますが、登記の申請をする者の委任による代理人の権限は、本人の死亡によっては消滅しません。

コース 9　ポイント ② 2

123

★★★

□□□

新築した建物又は区分建物以外の表題登記がない建物の所有権を取得した者は、その所有権の取得の日から1月以内に、所有権の保存の登記を申請しなければならない。 (2016-14-1)

124

★★★

□□□

表題部に所有者として記録されている者の相続人は、所有権の保存の登記を申請することができる。 (2006-15-3)

125

★★★

□□□

登記権利者は、その者の所有権を確認する確定判決に基づき、売買による所有権移転の登記の申請を単独ですることができる。 (1993-15-4)

126

★★★

□□□

区分建物の所有権の保存の登記は、表題部所有者から所有権を取得した者も、申請することができる。 (2023-14-4)

127

★★★

□□□

登記権利者及び登記義務者が共同して申請することを要する登記について、登記義務者が申請に協力しない場合には、登記権利者が登記義務者に対し登記手続をすべきことを命ずる旨の確定判決を得れば、その登記義務者の申請は要しない。 (2002-15-4改)

---

123 ▶ 権利部の登記申請は原則として義務ではない

✕ 所有権保存登記は権利部（甲区）にする登記です。この保存登記は義務ではありませんので、必ず登記しなければいけないものではありません。

コース **9** ポイント **❶ 2**

---

124 ▶ 表題部所有者の相続人は申請可

◯ 以下の者は所有権保存登記の申請が可能です。

ワンポイント解説

1 表題部所有者
2 表題部所有者の相続人その他の一般承継人
3 所有権を有することが確定判決により確認された者
4 収用により所有権を取得した者

コース **9** ポイント **❷ 2**

---

125 ▶ 確認判決は所有権「保存」の登記のみ

✕ 所有権を確認する確定判決を得ても、所有権移転の登記の単独申請はできません。なお、所有権保存の登記は、所有権を確認する確定判決を得れば可能です。

コース **9** ポイント **❷ 2**

---

126 ▶ 区分建物のみ可

◯ 区分建物（＝マンションなど）に限り、このような申請方法も認められています。

コース **9** ポイント **❷ 2**

---

127 ▶ 確定判決で単独申請可

◯ 相手方が共同申請に応じない場合、裁判所から登記すべきことを命ずる確定判決を得ることで、その判決に基づき単独申請ができます。

コース **9** ポイント **❷ 2**

128
★★★

登記事項証明書の交付の請求は、利害関係を有することを明らかに
することなく、することができる。　　　　　　　　（2015-14-1）

129
★★★

権利に関する登記の申請をするときは、申請人又はその代理人が登
記所に出頭しなければならないので、郵送により登記申請をするこ
とはできない。　　　　　　　　　　　　　　　　　（2002-15-1）

130
★★★

仮登記は、登記の申請をするために登記所に対し、申請情報とあわ
せて提供しなければならない情報を提供できない場合に限り、申請
することができる。　　　　　　　　　　　　　　（1998-15-1改）

131
★★★

仮登記は、仮登記の登録義務者の承諾があるときは、当該仮登記の
登記権利者が単独で申請することができる。　　　　（2014-14-4）

132
★★★

仮登記の申請は、仮登記を命ずる処分があるときは、仮登記権利者
が単独ですることができる。　　　　　　　　　　（2004-15-2改）

133
★★★

仮登記の抹消は、登記権利者及び登記義務者が共同してしなければ
ならない。　　　　　　　　　　　　　　　　　　　（2011-14-4）

134
★★★

所有権に関する仮登記に基づく本登記は、登記上の利害関係を有す
る第三者がある場合には、当該第三者の承諾があるときに限り、申
請することができる。　　　　　　　　　　　　　　（2008-16-1）

128 **登記事項証明書の交付の請求は利害関係者に限られない**

○

登記事項証明書の交付請求は、利害関係がなくても、誰でも行うことができます。

コース9 ポイント❶ 1

129 **郵送でもオンラインでも可**

×

昔は「出頭主義」といって、実際に登記所に行く必要があったのですが、現在は郵送による申請もオンライン申請も可能です。

コース9 ポイント❷

130 **情報を提供できない場合に限られない**

×

仮登記は、本登記をするために必要な書類などがまだそろっていない場合や請求権を保全したい場合に行います。

コース9 ポイント❸ 1

131 **承諾有→単独申請可**

○

仮登記の申請は、仮登記義務者の承諾があるときは、仮登記権利者が単独ですることができます。

コース9 ポイント❸ 3

132 **処分→単独申請可**

○

仮登記の申請は、仮登記を命ずる処分があるときは、仮登記権利者が単独ですることができます。

コース9 ポイント❸ 3

133 **仮登記抹消→単独申請可**

×

仮登記の抹消は、仮登記の登記名義人が単独ですることができます。また、仮登記の登記名義人の承諾がある場合には、仮登記の利害関係人も、単独で仮登記の抹消をすることができます。

コース9 ポイント❸ 4

134 **所有権に関する仮登記の本登記→第三者の承諾必要**

○

所有権に関する仮登記に基づく本登記をする場合、登記上の利害関係を有する第三者がいるときは、その第三者の承諾があるときに限り申請することができます。

コース9 ポイント❸ 3

135
★★★

AがBに対する債務の担保のためにA所有建物に抵当権を設定し、登記をした。抵当権の消滅時効の期間は20年であるから、AのBに対する債務の弁済期から10年が経過し、その債務が消滅しても、Aは、Bに対し抵当権の消滅を主張することができない。

(1995-6-4)

136
★★★

借地人が所有するガソリンスタンド用店舗建物に抵当権を設定した場合、当該建物の従物である地下のタンクや洗車機が抵当権設定当時に存在していれば、抵当権の効力はこれらの従物に及ぶ。

(2007-7-4)

137
★★★

Aは、Bからの借入金の担保として、A所有の甲建物に第一順位の抵当権を設定し、その登記を行った。本件抵当権設定登記後にAC間の賃貸借契約が締結され、AのBに対する借入金の返済が債務不履行となった場合、Bは抵当権に基づき、AがCに対して有している賃料債権を差し押さえることができる。 (2021⑫-10-1)

138
★★★

AはBから2,000万円を借り入れて土地とその上の建物を購入し、Bを抵当権者として当該土地及び建物に2,000万円を被担保債権とする抵当権を設定し、登記した。AがBとは別にCから500万円を借り入れた場合、Bとの抵当権設定契約がCとの抵当権設定契約より先であっても、Cを抵当権者とする抵当権設定登記の方がBを抵当権者とする抵当権設定登記より先であるときは、Cを抵当権者とする抵当権が第1順位となる。

(2010-5-1)

135 ▶ 被担保債権消滅→抵当権消滅

 被担保債権が消滅すれば、その時点で抵当権も消滅します（付従性）。

コース **10** ポイント **❷ ❶**

136 ▶ 従物→抵当権設定時に存在していたら効力及ぶ

◯ 建物に抵当権を設定した場合、抵当権はその建物についているエアコンなどの従物にも、抵当権設定時に存在したのであれば及びます。本問における地下のタンクや洗車機は従物と扱われます。

コース **10** ポイント **❸ ❶**

137 ▶ 不履行があった後は、抵当権の効力は果実（賃料）にも及ぶ

◯ 抵当権は、その担保する債権について不履行があったときは、その後に生じた抵当不動産の果実に及びます。そして、賃料は法定果実なので、その払渡し又は引渡しの前に差押えをすることで行使できます。

コース **10** ポイント **❸ ❶**

138 ▶ 先に登記をしたほうが優先

◯ 抵当権の優先順位は登記の順番となります。つまり、先に登記をしたほうが優先となります。

コース **10** ポイント **❶ ❷**

139

★★★

☐☐☐

賃借地上の建物が抵当権の目的となっているときは、一定の場合を除き、敷地の賃借権にも抵当権の効力が及ぶ。 (2015-6-1)

140

★★★

☐☐☐

Aがその所有する建物を担保としてBから金銭を借り入れ、Bの抵当権設定の登記をした後、Cにその建物を期間3年で賃貸する契約をCと締結した。Aは、Cへの賃貸について、あらかじめBの同意を得なければならない。 (1993-9-1)

141

★★★

☐☐☐

Aは、Bに対する貸付金債権の担保のために、当該貸付金債権額にほぼ見合う評価額を有するB所有の更地である甲土地に抵当権を設定し、その旨の登記をした後、Bがこの土地上に乙建物を築造し、自己所有とした場合、Aは、Bに対し、乙建物の築造行為は、甲土地に対するAの抵当権を侵害する行為であるとして、乙建物の収去を求めることができる。 (2002-6-1)

142

★★★

☐☐☐

AがBに対する債務の担保のためにA所有建物に抵当権を設定し、登記をした。抵当権の登記に債務の利息に関する定めがあり、他に後順位抵当権者その他の利害関係者がいない場合でも、Bは、Aに対し、満期のきた最後の2年分を超える利息については抵当権を行うことはできない。 (1995-6-2)

143

★★★

☐☐☐

AがBに対する債務の担保のためにA所有建物に抵当権を設定し、登記をした。第三者の不法行為により建物が焼失したのでAがその損害賠償金を受領した場合、Bは、Aの受領した損害賠償金に対して物上代位をすることができる。 (1995-6-3)

144

★★★

☐☐☐

抵当不動産の被担保債権の主債務者は、抵当権消滅請求をすることはできないが、その債務について連帯保証をした者は、抵当権消滅請求をすることができる。 (2015-6-2)

139　抵当権の効力は及ぶ

建物に抵当権が設定されている場合の、建物の敷地の賃借権には、原則として建物の抵当権の効力が及びます。

コース **10** ポイント **❸ 1**

140　自由に使用、収益、処分ができる

抵当権設定者は、抵当権者の同意がなくても、自由に使用、収益、処分を行うことができます。

コース **10** ポイント **❶ 5**

141　妨害排除請求→通常の利用方法を逸脱している場合

通常の利用方法を逸脱している場合、抵当権者は妨害排除請求をすることができます。ただし、更地に建物を建てるのは通常の利用方法の範囲内です。よって、抵当権への侵害とはならず妨害排除請求はできません。

コース **10** ポイント **❶ 5**

142　最後の2年分→後順位抵当権者を守るため

利息を最後の2年分に限定しているのは、後順位抵当権者等の分を確保するためです。ということは、後順位抵当権者等がいないのであれば、最後の2年分に限定する必要もありません。

コース **10** ポイント **❸ 2**

143　物上代位→抵当権設定者に支払われる前に差押え

物上代位は、抵当権設定者に金銭が支払われる前に抵当権者が差押えをする必要があります。

コース **10** ポイント **❸ 3**

144　主債務者も保証人も請求不可

主債務者や保証人は、抵当権消滅請求をすることはできません。

コース **10** ポイント **❹ 3**

145
★★★

AはBから2,000万円を借り入れて土地とその上の建物を購入し、Bを抵当権者として当該土地及び建物に2,000万円を被担保債権とする抵当権を設定し登記した場合において、Bの抵当権設定登記後にAがDに対して当該建物を賃貸し、当該建物をDが使用している状態で抵当権が実行され当該建物が競売されたとき、Dは競落人に対して直ちに当該建物を明け渡す必要はない。　　　(2010-5-3)

146
★★★

土地及びその地上建物の所有者が同一である状態で、土地に1番抵当権が設定され、その実行により土地と地上建物の所有者が異なるに至ったときは、地上建物について法定地上権が成立する。

(2009-7-1)

147
★★★

土地に抵当権が設定された後に抵当地に建物が築造されたときは、一定の場合を除き、抵当権者は土地とともに建物を競売することができるが、その優先権は土地の代価についてのみ行使することができる。　　　(2015-6-4)

148
★★★

元本の確定前に根抵当権者から被担保債権の範囲に属する債権を取得した者は、その債権について根抵当権を行使することはできない。

(2011-4-2)

149
★★★

根抵当権者は、総額が極度額の範囲内であっても、被担保債権の範囲に属する利息の請求権については、その満期となった最後の2年分についてのみ、その根抵当権を行使することができる。

(2011-4-1)

145 ▶ 6カ月の猶予あり

◯ 6カ月の明渡猶予がありますので、直ちに明け渡す必要はありません。

コース 10 ポイント ❹ ■

146 ▶ 法定地上権は成立する

◯ 法定地上権の成立要件は次のとおりです。

> **ワンポイント解説**
> 1　抵当権設定時に土地の上に建物が存在すること
> 2　抵当権設定時に土地と建物の所有者が同一であること
> 3　土地と建物の一方又は両方に抵当権が存在すること
> 4　抵当権が実行されて土地と建物の所有者が別々になること

コース 10 ポイント ❺ ■

147 ▶ 一括競売→優先弁済は土地の代価のみ

◯ 更地に抵当権を設定し、その後に建物を築造した場合には、一括競売が可能です。なお、その際、優先弁済を受けられるのは土地の代金のみとなります。

コース 10 ポイント ❺ ②

148 ▶ 根抵当権→随伴性なし

◯ 元本の確定前においては根抵当権には随伴性がないので、被担保債権が譲渡されても根抵当権は移転しません。

コース 10 ポイント ❼ ②

149 ▶ 根抵当権→最後の2年分に限定されない

✕ 根抵当権の場合、利息は極度額の範囲内であれば、最後の2年分に限定されません。

コース 10 ポイント ❼ ②

150

★

☐☐☐

ＡがＢとの間で、ＣのＢに対する債務を担保するためにＡ所有の甲土地に抵当権を設定する場合と根抵当権を設定する場合において、抵当権を設定する場合には、被担保債権を特定しなければならないが、根抵当権を設定する場合には、ＢＣ間のあらゆる範囲の不特定の債権を極度額の限度で被担保債権とすることができる。(2014-4-1)

151

★

☐☐☐

根抵当権設定者は、元本の確定後であっても、その根抵当権の極度額を、減額することを請求することはできない。　　　　　(2011-4-4)

152

★★★

☐☐☐

根抵当権設定者は、担保すべき元本の確定すべき期日の定めがないときは、一定期間が経過した後であっても、担保すべき元本の確定を請求することはできない。　　　　　　　　　　(2011-4-3)

150 ▶ 根抵当権→包括根抵当の設定は不可

✕ 「どんな債権でもこの根抵当権で担保する」といった包括根抵当権の設定はできません。根抵当権は一定の範囲に属する不特定の債権でなければなりません。

コース **10** ポイント **❼** **❶**

151 ▶ 極度額変更→元本確定後も可

✕ 極度額の変更請求は、元本の確定後にもすることができます。なお、本肢のような根抵当権設定者による極度額の減額請求は元本の確定後にすることが可能となります。

コース **10** ポイント **❼** **❹**

152 ▶ 一定期間経過後は可

✕ 元本確定期日を定めていた場合には期日が到来したら元本が確定します。定めていない場合には、元本確定請求によって確定します。元本確定請求については以下の通りです。

ワンポイント解説

1　根抵当権設定者から元本の確定を請求する場合
　　根抵当権設定時から3年経過すれば元本確定の請求ができ、請求から2週間で確定する
2　根抵当権者から元本の確定を請求する場合
　　いつでも元本確定の請求ができ、請求時に確定する

コース **10** ポイント **❼** **❸**

153
★★★

保証人となるべき者が、主たる債務者と連絡を取らず、同人からの委託を受けないまま債権者に対して保証したとしても、その保証契約は有効に成立する。 (2010-8-1)

154
★★★

保証人となるべき者が、口頭で明確に特定の債務につき保証する旨の意思表示を債権者に対してすれば、その保証契約は有効に成立する。 (2010-8-2)

155
★★★

債務者が保証人を立てる義務を負うときは、その保証人は、行為能力者であり、かつ、弁済の資力のある者でなければならない。 (1988-9-3)

156
★★★

Aは、BのCに対する1,000万円の債務について、保証人となる契約を、Cと締結した。BのCに対する債務が条件不成就のため成立しなかった場合、Aは、Cに対して保証債務を負わない。(1994-9-2)

157
★★★

連帯保証ではない場合の保証人は、債権者から債務の履行を請求されても、まず主たる債務者に催告すべき旨を債権者に請求できる。ただし、主たる債務者が破産手続開始の決定を受けたとき、又は行方不明であるときは、この限りでない。 (2010-8-3)

153 ▶ 債権者と保証人との間の契約

○ 保証契約は、債権者と保証人との間の契約ですから、主たる債務者の依頼がなくても、債権者と保証人がよければそれで有効に締結することができます。

コース 11 ポイント ❶ **1**

154 ▶ 保証契約は書面

✕ 保証契約は書面（もしくは電磁的記録）でしなければ効力を生じません。

コース 11 ポイント ❶ **1**

155 ▶ 行為能力者で弁済の資力がある者

○ 債務者が保証人を立てる義務がある場合には、行為能力者であり、かつ、弁済の資力があることが要求されます。

コース 11 ポイント ❶ **2**

156 ▶ 主たる債務不成立→保証債務不成立

○ 主たる債務が成立しないときには、保証債務も成立しません（付従性）。

コース 11 ポイント ❷ **1**

157 ▶ 催告の抗弁権あり

○ 連帯ではない保証人には催告の抗弁権があります。しかし、主たる債務者が破産手続開始の決定を受けたり、主たる債務者が行方不明などの理由があれば話は別です。

コース 11 ポイント ❷ **3**

158

★★★

Aは、Aの所有する土地をBに売却し、Bの売買代金の支払債務について CがAとの間で保証契約を締結した場合、Cの保証債務にBと連帯して債務を負担する特約がないときには、AがCに対して保証債務の履行を請求してきても、Cは、Bに弁済の資力があり、かつ、執行が容易であることを証明することによって、Aの請求を拒むことができる。 (2003-7-2)

159

★★★

AがBに1,000万円を貸し付け、Cが連帯保証人となった。この場合、Cは、Aからの請求に対して、自分は保証人だから、まず主たる債務者であるBに対して請求するよう主張することができる。

(1998-4-2)

160

★★★

AがBに対して負う1,000万円の債務について、C及びDが連帯保証人となった場合（CD間に特約はないものとする。）、CがBから請求を受けたときに、CがAに執行の容易な財産があることを証明すれば、Bは、まずAに請求しなければならない。 (1993-4-3)

161

★★★

連帯保証人が2人いる場合、連帯保証人間に連帯の特約がなくとも、連帯保証人は各自全額につき保証責任を負う。 (2010-8-4)

162

★★★

AがBに対して負う1,000万円の債務について、C及びDが連帯保証人となった場合（CD間に特約はないものとする。）、Cが1,000万円をBに弁済したときには、Cは、Aに対して求償することができるが、Dに対して求償することはできない。 (1993-4-4)

158 ▶ 検索の抗弁権あり

主たる債務者に弁済の資力があり、執行が容易であれば、そこから支払いを受けるべきであり、保証人は弁済を拒むことができます。

コース 11 ポイント ❷ ❸

159 ▶ 連帯保証人→催告の抗弁権なし

連帯保証人に催告の抗弁権はありません。

コース 11 ポイント ❸ ❶

160 ▶ 連帯保証人→検索の抗弁権なし

連帯保証人に検索の抗弁権はありません。

コース 11 ポイント ❸ ❶

161 ▶ 連帯保証人→分別の利益なし

連帯ではない保証人には分別の利益がありますが、連帯保証人には分別の利益はありません。

コース 11 ポイント ❸ ❶

162 ▶ 求償できる

Cが全額弁済すると、Cは主たる債務者Aに対しては全額（今回は1,000万円）求償できます。また、他の連帯保証人に対しても負担割合（今回は500万円）での求償ができます。

コース 11 ポイント ❸ ❸

163

★★★

☐☐☐

Aは、Aの所有する土地をBに売却し、Bの売買代金の支払債務について CがAとの間で保証契約を締結した。Cの保証債務がBとの連帯保証債務である場合、Cに対する履行の請求による時効の完成猶予及び更新は、Bに対してもその効力を生ずる。　　(2003-7-3改)

164

★★★

☐☐☐

個人Aが建物所有者Dと居住目的の建物賃貸借契約を締結し、EがDとの間で当該賃貸借契約に基づくAの一切の債務に係る保証契約を締結した場合、当該保証契約は、Eが個人でも法人でも極度額を定めなければ効力を生じない。　　(2020⑩-2-2改)

165

★★★

☐☐☐

AとBとが共同で、Cから、C所有の土地を2,000万円で購入し、代金を連帯して負担する（連帯債務）と定め、CはA・Bに登記、引渡しをしたのに、A・Bが支払をしない場合、Cは、Aに対して2,000万円の請求をすると、それと同時には、Bに対しては、全く請求をすることができない。　　(2001-4-1)

163 ▶ 保証人に生じた事由→主たる債務者に及ばない

✕ 主たる債務者に生じた事由は原則として保証人に及びますが、保証人に生じた事由は原則として主たる債務者には及びません。

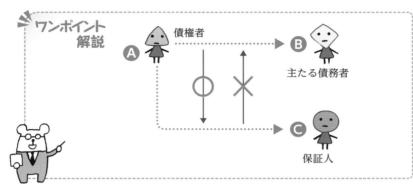

ワンポイント解説

コース 11 ポイント ❸ 2

164 ▶ 法人の場合は極度額を定める必要はない

✕ 賃貸借契約の保証契約は根保証契約となります。個人が根保証契約を締結する場合、負担の上限額（極度額）を定めなければ、当該保証契約は無効となります。法人の場合にはこの規制はないため、法人が保証人となる場合には、極度額を設定する必要はありません。

コース 11 ポイント ❷ 5

165 ▶ 全員に、同時に全額請求可能

✕ 連帯債務の場合、全員に、同時に全額請求可能です。したがって、Aに対して2,000万円の請求をしても同時にBに対して2,000万円の請求をすることができます。

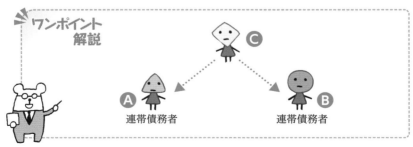

ワンポイント解説

コース 11 ポイント ❹ 1

166

★★★

A及びBは、Cの所有地を買い受ける契約をCと締結し、連帯して代金を支払う債務を負担している。Aが債務を承認して、Cの代金債権の消滅時効が更新されたときでも、Bの債務については、更新されない。 (1991-6-4)

167

★★★

A及びBは、Cとの売買契約を締結し、連帯してその代金を支払う債務を負担している。Cが死亡し、Aがその相続人としてその代金債権を承継すると、Bの代金支払債務は消滅する。 (1989-10-4改)

168

★★★

AとBとが共同で、Cから、C所有の土地を2,000万円で購入し、代金を連帯して負担する（連帯債務）と定めた場合において、AとBとが、代金の負担部分を1,000万円ずつと定めていたとき、AはCから2,000万円請求されても、1,000万円を支払えばよい。

(2001-4-2)

169

★★★

AとBとが共同で、Cから、C所有の土地を2,000万円で購入し、代金を連帯して負担する（連帯債務）と定めた場合において、BがCに2,000万円支払ったとき、Bは、Aの負担部分と定めていた1,000万円及びその支払った日以後の法定利息をAに求償することができる。 (2001-4-3)

166 ▶ 他の連帯債務者に影響なし

○ 連帯債務者の1人について消滅時効が更新したとしても、他の連帯債務者に影響を及ぼしません。

コース 11 ポイント ❹ 2

167 ▶ 混同により消滅

○ 混同により消滅します。つまり、Aが弁済したのと同じ扱いになります。

コース 11 ポイント ❹ 2

168 ▶ 負担部分は債権者には影響なし

× CはAにもBにも2,000万円の請求ができます。負担部分はAとBとの間で定めている約束なので、債権者Cには関係ありません。

コース 11 ポイント ❹ 2

169 ▶ 支払った日以後の法定利息も含めて求償可

○ Aの負担部分はAが負担するのが原則です。それをBが支払ったのだから、当然、支払った日以後の法定利息も込みで求償できます。

コース 11 ポイント ❹ 1

170
★★

不動産の共有に関し、共有物の各共有者の持分が不明な場合、持分は平等と推定される。 (2020⑫-10-1)

171
★★★

A、B及びCが、建物を共有している（持分を各3分の1とする。）。この場合、Aは、BとCの同意を得なければ、この建物に関するAの共有持分権を売却することはできない。 (2003-4-1)

172
★★★

A、B及びCが、建物を共有している（持分を各3分の1とする。）。Aが、その共有持分を放棄した場合、この建物は、BとCの共有となり、共有持分は各2分の1となる。 (2003-4-3)

173
★★★

他の共有者との協議に基づかないで、自己の持分に基づいて1人で現に共有物全部を占有する共有者に対し、他の共有者は単独で自己に対する共有物の明渡しを請求することができる。 (2011-3-4)

170　平等と推定

○　持分については、特に決めていない限り、平等であると推定されます。

コース12 ポイント❶❷

171　持分処分は単独可

✕　共有者は、単独で自己の持分を処分することができます。つまり、Aが持分を売却する際に、BやCの同意は不要です。

共有物　共有物を売却（全員の同意）

Ⓒ　Ⓑ　持分　Ⓐ　持分を売却（単独でOK）

コース12 ポイント❶❷

172　持分は他の共有者に帰属

○　共有者の1人が相続人なくして死亡した場合、又は持分を放棄した場合には、その持分は他の共有者に帰属します。

コース12 ポイント❶❷

173　他の共有者の占有中は明渡請求不可

✕　共有者の1人が占有している場合、他の共有者は当然には明渡請求をすることはできません。

コース12 ポイント❶❶

174

★★★

□□□

A、B及びCが、持分を各3分の1として甲土地を共有している。甲土地全体がDによって不法に占有されている場合、Aは単独でDに対して、甲土地の明渡しを請求できる。　　　　　　（2006-4-1）

175

★★★

□□□

A、B及びCが、持分を各3分の1として甲土地を共有している。甲土地全体がEによって不法に占有されている場合、Aは単独でEに対して、Eの不法占有によってA、B及びCに生じた損害全額の賠償を請求できる。　　　　　　　　　　　　　　　（2006-4-2）

176

★★★

□□□

A、B及びCが、持分を各3分の1とする甲土地を共有している。A、B及びCが甲土地について、Eと賃貸借契約を締結している場合、AとBが合意すれば、Cの合意はなくとも、賃貸借契約を解除することができる。　　　　　　　　　　　　　　　（2007-4-2）

177

★★★

□□□

A、B及びCが、建物を共有している場合（持分を各3分の1とする。）、Aは、BとCの同意を得なければ、この建物に物理的損傷及び改変などの変更を加えることはできない。　　　　　　（2003-4-2）

178

★★★

□□□

各共有者は、いつでも共有物の分割を請求することができるが、5年を超えない期間内であれば、分割をしない旨の契約をすることができる。　　　　　　　　　　　　　　　　　　　　　（2011-3-1）

179

★★★

□□□

A、B及びCが、持分を各3分の1として甲土地を共有している。共有物たる甲土地の分割について共有者間に協議が調わず、裁判所に分割請求がなされた場合、裁判所は、甲土地全体をAの所有とし、AからB及びCに対し持分の価格を賠償させる方法により分割することができる。　　　　　　　　　　　　　　　　（2006-4-3改）

| 174 | 不法占拠者へは単独で明渡請求可 |

不法占有している人に対して「出て行け」と単独で請求することができます。

コース**12** ポイント **❶** **3**

| 175 | 自分の持分割合のみ請求可 |

不法占有者へ損害賠償請求する場合には、自分の持分の割合だけしか請求できません。したがって、AはAの持分の割合のみで請求でき、B・Cの持分の割合については請求できません。

コース**12** ポイント **❶** **3**

| 176 | 管理行為→過半数の同意が必要 |

賃貸借契約を解除することは共有物の管理行為です。共有物の管理行為を行うには、持分価格の過半数の同意が必要です。

コース**12** ポイント **❶** **3**

| 177 | 変更行為→全員の同意が必要 |

共有物の変更行為を行うには、全員の同意が必要です。

コース**12** ポイント **❶** **3**

| 178 | 5年を超えない期間内であれば可 |

いつでも自由に共有関係を解消することができるのが原則です。ただし、5年を超えない期間内なら共有物を分割しないという特約をすることも可能です。特約の更新も可能ですが、それも5年を超えない期間という制限があります。

コース**12** ポイント **❶** **4**

| 179 | 分割方法として可 |

分割の方法として、誰か1人のものとして、残りの人には金銭で支払うという方法があります。

コース**12** ポイント **❶** **5**

180
★★★

集会において、管理者の選任を行う場合、規約に別段の定めがない限り、区分所有者及び議決権の各過半数で決する。　　　（2022-13-3）

181
★★★

共用部分の保存行為については、各区分所有者は、いかなる場合でも自ら単独で行うことができる。　　　（1997-13-1）

182
★★★

各共有者の共用部分の持分は、規約に別段の定めがある場合を除いて、その有する専有部分の床面積の割合によるが、この床面積は壁その他の区画の中心線で囲まれた部分の水平投影面積である。

（2021⑩-13-4）

183
★★★

敷地利用権が数人で有する所有権その他の権利である場合には、区分所有者は、規約で別段の定めがあるときを除き、その有する専有部分とその専有部分に係る敷地利用権とを分離して処分することができる。　　　（2010-13-3）

184
★★★

規約の設定、変更又は廃止を行う場合は、区分所有者の過半数による集会の決議によってなされなければならない。　　　（2018-13-1）

180 管理者の選任・解任は普通決議

○ 管理組合には「管理者」を置くことができます。この管理者は集会の決議によって選任・解任をします。なお、選任の際も解任の際も普通決議（＝区分所有者及び議決権の各過半数）で行います。

コース **13** ポイント ❸ **3**

181 保存行為→単独可（規約で別段の定めも可）

× 共用部分の保存行為は原則として単独でできます。しかし、規約で別段の定めがあるのであれば、それに従うので、いかなる場合でも単独でできるわけではありません。

コース **13** ポイント ❶ **4**

182 「中心線」→「内側線」

× 各区分所有者の共用部分の持分は、規約に別段の定めがある場合を除いて、その有する専有部分の床面積の割合によります。この場合、床面積は壁その他の区画の内側線で囲まれた部分の水平投影面積によります。

コース **13** ポイント ❶ **3**

183 原則として分離して処分することはできない

× 敷地利用権が数人で有する所有権その他の権利である場合には、区分所有者は、規約で分離処分を許す旨の別段の定めがなければ、その専有部分とその専有部分に係る敷地利用権とを分離して処分することができません。本肢は、原則と例外が逆になっています。

コース **13** ポイント ❶ **5**

184 区分所有者及び議決権の各4分の3以上

× 規約の設定・変更・廃止は、区分所有者及び議決権の各4分の3以上の多数の集会の決議によって行います。

コース **13** ポイント ❷ **2**

185
★★★

規約の保管場所は、各区分所有者に通知するとともに、建物内の見やすい場所に掲示しなければならない。　　　　　　(2007-15-4)

186
★★★

規約は、管理者が保管しなければならない。ただし、管理者がないときは、建物を使用している区分所有者又はその代理人で規約又は集会の決議で定めるものが保管しなければならない。　　(2007-15-1)

187
★★★

規約を保管する者は、利害関係人の請求があったときは、正当な理由がある場合を除いて、規約の閲覧を拒んではならず、閲覧を拒絶した場合は20万円以下の過料に処される。　　　　　　(2018-13-2)

188
★★★

他の区分所有者から区分所有権を譲り受け、建物の専有部分の全部を所有することとなった者は、公正証書による規約の設定を行うことができる。　　　　　　　　　　　　　　　(2009-13-4)

185 保管場所の掲示は必要だが通知の必要はなし

× 規約の保管場所は建物内の見やすい場所（＝エントランスなど）に掲示しなければなりませんが、規約の保管場所を通知する必要はありません。

コース **13** ポイント **❷ 2**

186 規約は原則として管理者が保管

○ 規約は管理者が保管しますが、管理者がない場合には、建物を使用している区分所有者又はその代理人で、規約または集会の決議で定める者が保管します。

コース **13** ポイント **❷ 2**

187 規約の閲覧は拒んではならない

○ 規約を保管する者は、利害関係人の請求があったときは、正当な理由がある場合を除いて、規約の閲覧を拒んではなりません。

コース **13** ポイント **❷ 2**

188 公正証書→最初に建物の専有部分の全部を所有する者

× 最初に建物の専有部分の全部を所有する者（＝分譲業者など）は、公正証書によって、建物の共用部分を定める規約を設定することができます。

● 公正証書により規約の設定ができるもの
1 規約共用部分に関する定め
2 規約敷地に関する定め
3 専有部分と敷地利用権の分離処分を可能とする定め
4 敷地利用権の割合の定め

コース **13** ポイント **❷ 2**

189

★★★

☐☐☐

管理者は、少なくとも毎年1回集会を招集しなければならない。また、招集通知は、会日より少なくとも1週間前に、会議の目的たる事項を示し、各区分所有者に発しなければならない。ただし、この期間は、規約で伸縮することができる。　　　　　　　　（2009-13-1）

190

★★★

☐☐☐

法又は規約により集会において決議をすべき場合において、これに代わり書面による決議を行うことについて区分所有者が1人でも反対するときは、書面による決議をすることができない。

（2009-13-2）

191

★★★

☐☐☐

区分所有者の5分の1以上で議決権の5分の1以上を有するものは、管理者に対し、会議の目的たる事項を示して、集会の招集を請求することができるが、この定数は規約で減ずることはできない。

（2017-13-2）

192

★★★

☐☐☐

建替え決議を目的にする集会を招集するときは、会日より少なくとも2月前に、招集通知を発しなければならない。ただし、この期間は規約で伸長することができる。　　　　　　　　（2009-13-3）

193

★★★

☐☐☐

集会は、区分所有者の4分の3以上の同意があるときは、招集の手続を経ないで開くことができる。　　　　　　　　（2023-13-2）

189 ▶ 毎年1回、集会を招集（規約で通知時期を伸縮可）

○ 管理者は、毎年1回、集会を招集しなければなりません。集会の招集通知は、少なくとも開催日の1週間前（規約で伸縮できます）に、会議の目的たる事項を示して発しなければなりません。

コース**13** ポイント❸ ❶、❷

190 ▶ 書面による決議には全員の承諾が必要

○ 区分所有者全員の承諾があるときは、書面又は電磁的方法による決議をすることができます。全員の承諾が必要であるということは、区分所有者の1人でも反対するときには、書面による決議をすることはできません。

コース**13** ポイント❸ ❸

191 ▶ 規約で減ずることは可

✕ 区分所有者の5分の1以上で、議決権の5分の1以上を有する者は、管理者に対して集会の招集を請求することができます。この定数は規約で減ずることができます（増やすことはできません）。

コース**13** ポイント❸ ❶

192 ▶ 建替え決議は2カ月前までに招集通知

○ 建替えを目的とした集会の招集通知は例外的に2カ月前までに発しなければなりません。また、この期間は、規約で伸長することはできますが、短縮することはできません。

コース**13** ポイント❸ ❷

193 ▶ 全員の同意→招集通知不要

✕ 区分所有者全員の同意があれば、招集の手続きを経ないで集会を開くことができます。

コース**13** ポイント❸ ❷

194
★★★

区分所有者の承諾を得て専有部分を占有する者は、会議の目的たる事項につき利害関係を有する場合には、集会に出席して議決権を行使することができる。 (2019-13-2)

195
★★★

占有者は、建物又はその敷地若しくは附属施設の使用方法につき、区分所有者が規約又は集会の決議に基づいて負う義務と同一の義務を負う。 (2018-13-4)

196
★★★

その形状又は効用の著しい変更を伴わない共用部分の変更については、規約に別段の定めがない場合は、区分所有者及び議決権の各過半数による集会の決議で決することができる。 (1998-13-2)

197
★★★

共用部分の変更（その形状又は効用の著しい変更を伴わないものを除く。）は、区分所有者及び議決権の各4分の3以上の多数による集会の決議で決するが、規約でこの区分所有者の定数及び議決権を各過半数まで減ずることができる。 (2012-13-2)

198
★★★

規約の変更が一部の区分所有者の権利に特別の影響を及ぼす場合で、その区分所有者の承諾を得られないときは、区分所有者及び議決権の各4分の3以上の多数による決議を行うことにより、規約の変更ができる。 (1995-14-4)

194　議決権はない

占有者は、会議の目的たる事項につき利害関係を有する場合には、集会に出席して意見を述べることができます。しかし、議決権はありません。

コース 13 ポイント ❸ ❸

195　占有者も同一の義務

占有者も、区分所有者と同様に、規約や集会の決議に基づいて負う義務と同一の義務を負います。

コース 13 ポイント ❷ ❷、コース 13 ポイント ❸ ❸

196　軽微変更→過半数

その形状または効用の著しい変更を伴わない変更（＝軽微変更）については、区分所有者及び議決権の各過半数の賛成で決することができます。

コース 13 ポイント ❶ 4

197　重大変更→４分の３（区分所有者の定数のみ過半数まで減可）

重大変更をするには、原則として区分所有者及び議決権の各４分の３以上の賛成が必要です。ただし、区分所有者の定数だけは規約で過半数まで減じることが可能です。議決権を減じることはできません。

コース 13 ポイント ❸ ❸

198　特別の影響を受ける区分所有者の承諾が必要

規約の設定、変更又は廃止が一部の区分所有者の権利に特別の影響を及ぼすべきときは、その者の承諾を得なければなりません。

コース 13 ポイント ❷ ❷

199

★★★

□□□

建物の価格の3分の1に相当する部分が滅失したときは、規約に別段の定め又は集会の決議がない限り、各区分所有者は、自ら単独で滅失した共用部分の復旧を行うことはできない。　　　　　　（1997-13-2）

200

★★★

□□□

区分所有建物の一部が滅失し、その滅失した部分が建物の価格の2分の1を超える場合、滅失した共用部分の復旧を集会で決議するためには、区分所有者及び議決権の各4分の3以上の多数が必要であり、規約で別段の定めをすることはできない。　　　　　　（1995-14-2）

201

★★★

□□□

区分所有法第62条第1項に規定する建替え決議は、規約で別段の定めをすれば、区分所有者及び議決権の各4分の3以上の多数により行うことができる。　　　　　　　　　　　　　　　　　　　（1997-13-4）

199 ▶ **小規模滅失→単独で復旧可**

✕ 小規模（＝建物の価格の2分の1以下）滅失の場合には、各区分所有者が単独で復旧できます。ちなみに、集会で復旧決議をする場合には区分所有者及び議決権の各過半数の賛成が必要です。

 覚えよう！

● **復旧と建替え**

小規模滅失 （建物価格の 1/2 以下）	単独で復旧可 →区分所有者及び議決権の各過半数の賛成による （復旧決議がある場合には単独復旧は不可）
大規模滅失 （建物価格の 1/2 超）	区分所有者及び議決権の各 3/4 以上の決議 （決議賛成者以外の区分所有者から買取請求可能）
建替え	区分所有者及び議決権の各 4/5 以上の決議 （賛成した区分所有者から売渡請求可能）

コース **13** ポイント ❸ **5**

200 ▶ **大規模滅失→4分の3以上**

◯ 大規模（＝建物の価格の2分の1を超える）滅失の復旧の場合、区分所有者及び議決権の各4分の3以上の賛成が必要です。この数字は規約で変更することはできません。

コース **13** ポイント ❸ **5**

201 ▶ **建替え→5分の4以上**

✕ 建替え決議は区分所有者及び議決権の各5分の4以上の賛成が必要です。これについては規約で別段の定めをすることはできません。

● **過半数以外の決議（主なもの）**

4分の3以上	共用部分の重大変更	
	規約の設定・変更・廃止	
	管理組合法人の設立・解散	
	義務違反者に対する専有部分の使用禁止請求訴訟	
	義務違反者に対する区分所有権の競売請求訴訟	
	義務違反者（占有者）に対する引渡請求訴訟	
	大規模滅失の場合の復旧	
5分の4以上	建替え	

コース **13** ポイント ❸ **5**

202
★★★
AがBからBの所有する建物を賃借している。Aは、Bの負担すべき必要費を支出したときは、直ちに、Bに対しその償還を請求することができる。
(1991-13-2)

203
★★★
AがBからBの所有する建物を賃借している。Aは、有益費を支出したときは、賃貸借終了の際、その価格の増加が現存する場合に限り、自らの選択によりその費した金額又は増加額の償還を請求することができる。
(1991-13-3)

204
★★
賃貸人Aから賃借人Bが借りたA所有の甲土地の上に、Bが乙建物を所有する場合、AB間で賃料の支払時期について特約がないとき、Bは、当月末日までに、翌月分の賃料を支払わなければならない。
(2014-7-4)

205
★★★
AがB所有の建物について賃貸借契約を締結し、引渡しを受けた。AがBの承諾なく当該建物をCに転貸しても、この転貸がBに対する背信的行為と認めるに足りない特段の事情があるときは、BはAの無断転貸を理由に賃貸借契約を解除することはできない。
(2006-10-1)

206
★★★
A所有の甲土地の賃借人であるDが、甲土地上に登記ある建物を有する場合に、Aから甲土地を購入したEは、所有権移転登記を備えていないときであっても、Dに対して、自らが賃貸人であることを主張することができる。
(2012-6-2)

202　必要費→直ちに請求可

○ 賃貸借契約では、賃借人が賃貸人の負担に属する**必要費**を支出した場合、**直ちに**償還請求できます。

コース 14 ポイント ❶ 3

203　有益費→賃貸借契約終了時に請求可（貸主が選択）

✕ 有益費については、**賃貸借終了時に**賃借人が賃貸人に請求できます。その際、賃貸人は賃借人の支出した額または価値増加額のうちいずれかを選択できます。選択権は賃貸人にあります。

コース 14 ポイント ❶ 3

204　賃料→後払いが原則

✕ 賃料は、原則として、毎月末に支払わなければならないとされており、後払いが原則です。当月末日に当月分を支払うこととなります。

コース 14 ポイント ❶ 4

205　背信的行為と認めるに足りない特段の事情があるとき→解除不可

○ 賃借人が賃貸人に無断で賃借物を転貸した場合、賃貸人は契約を解除できます。しかし、賃貸人に対する**背信的行為**と認めるに足りない特段の事情があるときは解除できません。

コース 14 ポイント ❷ 1

206　賃貸人であると主張するためには所有権の登記が必要

✕ 他人に賃貸中の土地の譲受人は、所有権の移転登記をしなければ、自らが賃貸人であることも主張（賃料を請求すること等）できません。したがって、いまだ所有権移転登記を備えていないEは、Dに対し、土地の所有権を対抗できず、賃貸人であることも主張できません。

コース 14 ポイント ❶ 2

207

★★★

□□□

AがBに甲建物を月額10万円で賃貸し、BがAの承諾を得て甲建物をCに適法に月額15万円で転貸している場合において、BがAに対して甲建物の賃料を支払期日になっても支払わない場合、AはCに対して、賃料10万円をAに直接支払うよう請求することができる。

(2016-8-2)

208

★★★

□□□

賃借人は、賃借物を受け取った後にこれに生じた損傷がある場合、通常の使用及び収益によって生じた損耗も含めてその損傷を原状に復する義務を負う。

(2020⑩-4-1)

209

★★★

□□□

Aは、B所有の甲建物（床面積100㎡）につき、居住を目的として、期間2年、賃料月額10万円と定めた賃貸借契約をBと締結してその日に引渡しを受けた。AがBに対して敷金を差し入れている場合、本件契約が期間満了で終了するに当たり、Bは甲建物の返還を受けるまでは、Aに対して敷金を返還する必要はない。

(2022-12-4)

210

★★★

□□□

建物の賃貸借契約が期間満了により終了した場合、賃借人は、未払賃料債務があるときには、賃貸人に対し、敷金をその債務の弁済に充てるよう請求することができる。

(2020⑩-4-4改)

207 ▶ 安い方を請求可

◯

賃貸人は、賃借料と転借料のうち、安いほうの金額の支払いを転借人に請求することができます。賃借料のほうが安い（10万円）のでその額までとなります。

転借人には安いほうの10万円を請求することができます。

`コース14` `ポイント②③`

208 ▶ 通常損耗については原状回復義務を負わない

✕

賃借人は、原則として、賃貸借が終了したときは、その損傷を原状に復する義務を負います。しかし、通常の使用及び収益によって生じた賃借物の損耗並びに賃借物の経年変化はこの対象となっていません。

`コース14` `ポイント①④`

209 ▶ 明渡しが先履行

◯

敷金の返還債務と目的物の明渡しは、同時履行ではなく、明渡しが先となります。そのため、建物の返還を受けるまでは、敷金を返還する必要はありません。

`コース14` `ポイント③②`

210 ▶ 賃貸人からの主張は可、賃借人からの主張は不可

✕

賃貸人のほうから敷金から充当することを主張することは可能ですが、賃借人から主張することはできません。

`コース14` `ポイント③①`

211

★★★

借主Ａは、Ｂ所有の建物について貸主Ｂとの間で賃貸借契約を締結し、敷金として賃料２カ月分に相当する金額をＢに対して支払ったが、当該敷金についてＢによる賃料債権への充当はされていない。賃貸借契約期間中にＡがＤに対して賃借権を譲渡した場合で、Ｂがこの賃借権譲渡を承諾したとき、敷金に関する権利義務は当然にＤに承継される。 (2003-11-3)

212

★★★

Ａは、自己所有の甲建物（居住用）をＢに賃貸し、引渡しも終わり、敷金50万円を受領した。Ａが甲建物をＣに譲渡し、所有権移転登記を経た場合、Ｂの承諾がなくとも、敷金が存在する限度において、敷金返還債務はＡからＣに承継される。 (2008-10-2)

211　賃借人変更→敷金承継不可

✕　賃借人が変わった（＝賃借権の譲渡）場合には、敷金は承継されません。

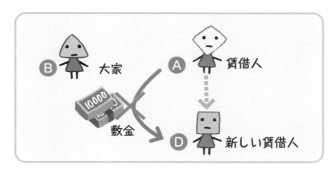

コース 14　ポイント 3 3

212　賃貸人変更→敷金承継可

◯　賃貸人が変わった（＝オーナーチェンジ）場合には、敷金は承継されます。

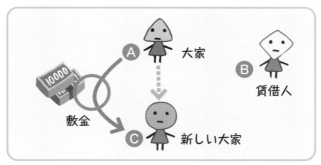

コース 14　ポイント 3 3

213
★★★
□□□

建物の賃貸借契約（定期建物賃貸借契約及び一時使用目的の建物の賃貸借契約を除く。）に関して、期間を1年未満とする建物の賃貸借契約は、期間を1年とするものとみなされる。　　　　(2023-12-1)

214
★★★
□□□

AがBとの間で、A所有の甲建物について、期間3年、賃料月額10万円と定めた賃貸借契約を締結した場合において、AがBに対し、賃貸借契約の期間満了の6か月前までに更新しない旨の通知をしなかったときは、AとBは、期間3年、賃料月額10万円の条件で賃貸借契約を更新したものとみなされる。　　　　(2015-11-1)

215
★★★
□□□

期間の定めのある建物賃貸借において、賃貸人が、期間満了の10月前に更新しない旨の通知を出した場合で、その通知に借地借家法第28条に定める正当事由があるときは、期間満了後、賃借人が使用を継続していることについて、賃貸人が異議を述べなくても、契約は期間満了により終了する。　　　　(2002-14-2)

213　1年未満→期間の定めのないものとみなされる

×　1年未満の場合、建物の賃貸借契約では期間の定めがないものとみなされます。

コース15 ポイント❶ 2

214　法定更新→期間は定めのないものとなる

×　期間満了の1年前から6カ月前までの間に、賃貸人が更新拒絶の通知をしないと、自動的に更新することになります（法定更新）。法定更新の場合、従前の契約と同一内容で更新されますが、期間だけは期間の定めのない契約となります。

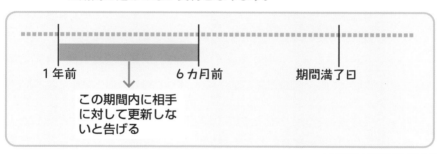

1年前　　　6カ月前　　　期間満了日

この期間内に相手に対して更新しないと告げる

コース15 ポイント❶ 3

215　賃借人使用継続＋賃貸人異議なし＝更新

×　更新拒絶の通知をしたとしても、期間満了後、賃借人が使用を続け、賃貸人が異議を述べない場合は更新となってしまいます。

コース15 ポイント❶ 3

216
★★★
☐☐☐

期間の定めのない契約において、賃貸人が、解約の申入れをした場合で、その通知に借地借家法第28条に定める正当事由があるときは、解約の申入れの日から３月を経過した日に、契約は終了する。

217
★★★
☐☐☐

ＡがＢとの間で、Ａ所有の甲建物について、期間３年、賃料月額10万円と定めた賃貸借契約を締結したところ、Ｃが、ＡＢ間の賃貸借契約締結前に、Ａと甲建物の賃貸借契約を締結していた場合、ＡがＢに甲建物を引き渡しても、Ｃは、甲建物の賃借権をＢに対抗することができる。

（2015-11-3）

218
★★★
☐☐☐

賃貸人Ａと賃借人Ｂとの間で居住用建物の賃貸借契約を締結した。「Ａは、Ｂが建物に造作を付加することに同意するが、Ｂは、賃貸借の終了時に、Ａに対してその造作の買取りを請求しない」旨の特約は有効である。

（1999-14-1）

219
★★★
☐☐☐

ＡとＢとの間で、Ａが所有する甲建物をＢが５年間賃借する旨の契約を締結した場合において、ＣがＢから甲建物を適法に賃貸された転借人で、期間満了によってＡＢ間及びＢＣ間の賃貸借契約が終了したとき、Ａの同意を得て甲建物に付加した造作について、ＢはＡに対する買取請求権を有するが、ＣはＡに対する買取請求権を有しない。

（2018-12-4）

216 ▶ **賃貸人からの解約申入れ→6カ月**

✕ 　期間の定めのない場合、賃貸人から正当事由ある解約申入れが行われると、それから6カ月経過したときに契約は終了します。3カ月ではありません。

コース15 ポイント❶3

217 ▶ **引渡しで対抗力**

✕ 　民法では、対抗するためには賃借権の登記が必要でした。しかし、借地借家法では、建物の引渡しがあれば、賃借人は第三者に建物の賃借権を対抗できます。

コース15 ポイント❶4

218 ▶ **造作買取請求権を認めない特約は有効**

◯ 　造作買取請求権を認めないとする特約は有効となります。

コース15 ポイント❶5

219 ▶ **造作買取請求権→転借人も行使可能**

✕ 　転借人も造作買取請求権を行使することができます。

コース15 ポイント❶8

220

★★★

建物の賃貸借契約（定期建物賃貸借契約及び一時使用目的の建物の賃貸借契約を除く。）に関して、当事者間において、一定の期間は建物の賃料を減額しない旨の特約がある場合、現行賃料が不相当になったなどの事情が生じたとしても、この特約は有効である。

(2023-12-2)

221

★★★

賃貸人Ａ（個人）と賃借人Ｂ（個人）との間の居住用建物の賃貸借契約に関して、Ｂが家賃減額の請求をしたが、家賃の減額幅についてＡＢ間に協議が調わず裁判になったときは、Ａは、その裁判が確定するまでの期間は、Ａが相当と認める金額の家賃を支払うようにＢに請求できる。

(2001-13-1)

222

★★★

賃貸人Ａ（個人）と賃借人Ｂ（個人）との間の居住用建物の賃貸借契約に関して、Ｂが家賃減額の請求をしたが、家賃の減額幅についてＡＢ間に協議が調わず裁判になったときは、その請求にかかる一定額の減額を正当とする裁判が確定した時点以降分の家賃が減額される。

(2001-13-2)

220 ▶ 減額しない特約→減額請求あり

増額しないという特約がある場合にはその特約により増額できませんが、減額できないという特約をしても、この特約にかかわらず減額請求ができます。

コース **15** ポイント ❶ **6**

221 ▶ 相当と認める額の借賃の支払いを請求可

建物の借賃の減額について当事者間に協議が調わない場合、その請求を受けた者（賃貸人）は、減額を正当とする裁判が確定するまでは、相当と認める額の借賃の支払いを請求することができます。

コース **15** ポイント ❶ **6**

222 ▶ 「裁判が確定した時点」ではなく「減額請求した時点」

借賃の減額の請求をした後、減額を正当とする裁判が確定した場合、裁判が確定した時点以降分だけでなく、減額の請求をしてから裁判が確定するまでの分の借賃も減額されます。

コース **15** ポイント ❶ **6**

223

ＡはＢに対し甲建物を賃貸し、Ｂは、Ａの承諾を得たうえで、甲建物の一部をＣに対し転貸している。賃貸人Ａは、ＡＢ間の賃貸借契約が期間の満了によって終了するときは、転借人Ｃに対しその旨の通知をしなければ、賃貸借契約の終了をＣに対し対抗することができない。　　　　　　　　　　　　　　　　　　　　　　　　(2004-13-2)

224

ＡがＢに甲建物を月額10万円で賃貸し、ＢがＡの承諾を得て甲建物をＣに適法に月額15万円で転貸している。ＡがＢとの間で甲建物の賃貸借契約を合意解除した場合、ＡはＣに対して、Ｂとの合意解除に基づいて、当然には甲建物の明渡しを求めることができない。　　　　　　　　　　　　　　　　　　　　　　　　(2016-8-4)

225

ＡがＢ所有の建物について賃貸借契約を締結し、引渡しを受けた。ＡがＢの承諾を受けてＤに対して当該建物を転貸している場合には、ＡＢ間の賃貸借契約がＡの債務不履行を理由に解除され、ＢがＤに対して目的物の返還を請求しても、ＡＤ間の転貸借契約は原則として終了しない。　　　　　　　　　　　　　　　　　　　　　　　(2006-10-2)

223 期間満了→通知＋6カ月

◯ 賃貸借契約が**期間の満了**により終了した場合、賃貸人は転借人に通知をしなければ転借人に対抗することはできません。

覚えよう！

終了

賃貸人　　　　　　　　賃借人　　　　　　　　転借人

↓

- 期間満了　　　→　　賃貸人から転借人に通知＋6カ月で退去
- 合意解除　　　→　　転借人は出て行く必要なし
- 債務不履行解除　→　転借人は出て行かなければならない！

（転借人に支払いの機会を与える必要なし）

コース **15** ポイント ❶ **7**

224 合意解除→転借人に対抗不可

◯ 賃貸借契約が合意解除された場合、転貸借は終了しません。

コース **15** ポイント ❶ **7**

225 債務不履行解除→転貸借も終了

✕ 賃貸借契約が債務不履行解除の場合、賃貸人の転借人に対する明渡請求によって転貸借も終了します。

コース **15** ポイント ❶ **7**

226
★★★
☐☐☐

AがBに甲建物を月額10万円で賃貸し、BがAの承諾を得て甲建物をCに適法に月額15万円で転貸している。Aは、Bの賃料の不払いを理由に甲建物の賃貸借契約を解除するには、Cに対して、賃料支払の催告をして甲建物の賃料を支払う機会を与えなければならない。 (2016-8-1)

227
★★★
☐☐☐

定期借家契約（契約期間が2年で、更新がないこととする旨を定める建物賃貸借契約）を書面によって締結する場合、公正証書によってしなければ、効力を生じない。 (2003-14-2改)

228
★★★
☐☐☐

定期建物賃貸借契約を書面によって締結する場合において、当該契約に係る賃貸借は契約の更新がなく、期間の満了によって終了することを書面によって説明するとき、当該契約書と同じ書面内に記載して説明すれば足りる。なお、電磁的記録及び賃借人の承諾を得た電磁的方法による提供は考慮しないものとする。 (2014-12-3改)

226 賃料支払いの機会を与える必要なし

✕ 賃貸借契約が債務不履行解除の場合、賃貸人の転借人に対する明渡請求によって転貸借も終了します。その際に、転借人に賃料支払いの機会を与える必要はありません。

コース **15** ポイント **❶ 7**

227 定期借家→書面

✕ 定期借家契約を書面によって締結する場合、公正証書による必要はありません。なお、電磁的記録によって締結することもできます。

コース **15** ポイント **❷ 1**

228 別の書面であることが必要

✕ 契約の更新がない旨などにつき書面を交付して説明する場合、この書面は契約書とは別の書面であることが要求されます。

覚えよう！

● 定期借家の際の書面の交付

説明書

交付＆説明

契約書

賃貸人　　　　　　　　　　　　　　　賃借人

※説明書と契約書は別の書面である。

※上記とは別に宅建業者による重要事項説明でも、定期借家である旨を説明しなければならない（詳細は宅建業法で学びます）。

コース **15** ポイント **❷ 1**

229
★★★

定期建物賃貸借契約を締結しようとする場合、賃貸人が、当該契約に係る賃貸借は契約の更新がなく、期間の満了によって終了することを説明しなかったときは、契約の更新がない旨の定めは無効となる。 (2014-12-4)

230
★★★

定期建物賃貸借契約を締結するときは、期間を1年未満としても、期間の定めがない建物の賃貸借契約とはみなされない。 (2014-12-2)

231
★★★

賃貸借契約が定期建物賃貸借で、契約の更新がない旨を定めた場合には、当該契約の期間中、賃借人から中途解約を申し入れることはできない。 (2018-12-2)

232
★★★

期間が1年以上の定期建物賃貸借契約においては、賃貸人は、期間の満了の1年前から6か月前までの間に賃借人に対し期間満了により賃貸借が終了する旨の通知をしなければ、当該期間満了による終了を賃借人に対抗することができない。 (2008-14-3)

233
★★★

Aは、A所有の甲建物につき、Bとの間で期間を10年とする借地借家法第38条第1項の定期建物賃貸借契約を締結し、Bは甲建物をさらにCに賃貸（転貸）した。AB間の賃貸借契約に賃料の改定について特約がある場合には、経済事情の変動によってBのAに対する賃料が不相当となっても、BはAに対して借地借家法第32条第1項に基づく賃料の減額請求をすることはできない。 (2013-11-4)

LEC東京リーガルマインド 2025年版 宅建士 合格のトリセツ
頻出一問一答式 過去問題集

229　普通の借家契約となる

○ 定期建物賃貸借契約において、更新がない旨などを説明しなかった場合には、更新がないという定めは無効となり、普通の借家契約となります。

[コース]15 [ポイント]❷ ❶

230　定期借家→1年未満も可

○ 定期建物賃貸借契約の場合、期間の制限はありません。1年未満の期間であってもそのまま適用します。

[コース]15 [ポイント]❷ ❶

231　定期借家→中途解約も可

× 定期建物賃貸借契約では、居住用で床面積200㎡未満の場合、転勤や療養などやむを得ない事情がある場合に限り、賃借人は中途解約をすることができます。

[コース]15 [ポイント]❷ ❶

232　1年前から6カ月前までの間に通知

○ 1年以上の定期借家契約の場合は、期間満了の1年前から6カ月前までの間に、期間満了で終了するという通知をしなければなりません。この通知を忘れると、賃貸人は、賃借人に対して、定期借家契約期間満了の時に当該賃貸借契約が終了したことを対抗できません。

[コース]15 [ポイント]❷ ❶

233　定期借家→減額しない特約も有効

○ 定期建物賃貸借契約では、借賃増減請求の特約は、増額しない特約も減額しない特約もそのまま有効となります。

覚えよう！

● 借賃増減請求

	増額しない特約	減額しない特約
通常の賃貸借	有効	効力を生じない
定期建物賃貸借	有効	有効

[コース]15 [ポイント]❷ ❶

234

★★★

ゴルフ場経営を目的とする土地賃貸借契約については、対象となる全ての土地について地代等の増減額請求に関する借地借家法第11条の規定が適用される。 (2013-12-1)

235

★★★

借地権の存続期間は、契約で25年と定めようと、35年と定めようと、いずれの場合も30年となる。 (1993-11-1)

236

★★★

Ａ所有の甲土地につき、令和７年７月１日にＢとの間で居住の用に供する建物の所有を目的として存続期間30年の約定で賃貸借契約が締結された場合、ＡとＢとが期間満了に当たり本件契約を最初に更新するときに、更新後の存続期間を15年と定めても、20年となる。 (2020⑩-11-4)

---

234 ▶ 借地の規定→建物を建てる目的の場合に適用

✕ 借地借家法の借地の規定は、建物を建てる目的で土地を借りる場合に適用されます。ゴルフ場にするために借りた場合などには適用されません。

コース16 ポイント❶ ■

---

235 ▶ 最低30年

✕ 最初に借地権設定契約をするとき、借地権の存続期間は最低30年となります。30年未満の期間を設定した場合も30年となります。他方、35年と定めた場合は30年より長い期間なので35年となります。

暗記ポイント 総まとめ

- 30年以上 → 定めた期間
- 30年未満 → 30年
- 定めなし → 30年

コース16 ポイント❶ ❷

---

236 ▶ 最初の更新は20年、2度目以降は10年

○ 更新する場合の存続期間は、最初の更新のときは最低20年、その次からは最低10年となります。

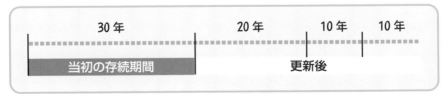

| 30年 | 20年 | 10年 | 10年 |

当初の存続期間 　　　　　　　更新後

コース16 ポイント❶ ❷

237

★★★

☐☐☐

Ａは、建物所有を目的として、Ｂが所有する土地を期間30年の約定で賃借しているが、期間満了前に建物が滅失し、Ａが再築しない場合、期間満了の際にＡが契約の更新の請求をしても、当該契約は更新されない。　　　　　　　　　　　　　　　　　　　　（1992-10-2改）

238

★★★

☐☐☐

借地権の当初の存続期間中に借地上の建物の滅失があった場合で、借地権者が借地権設定者の承諾を得ないで残存期間を超えて存続すべき建物を築造したときは、借地権設定者は地上権の消滅の請求又は土地の賃貸借の解約の申入れをすることができる。　　（2009-11-1）

239

★★★

☐☐☐

建物の所有を目的とする土地の賃貸借契約において、借地権の登記がなくても、その土地上の建物に借地人が自己を所有者と記載した表示の登記をしていれば、借地権を第三者に対抗することができる。　　　　　　　　　　　　　　　　　　　　　　　（2012-11-1）

240

★★★

☐☐☐

建物の所有を目的とする土地の賃貸借契約において、建物が全焼した場合でも、借地権者は、その土地上に滅失建物を特定するために必要な事項等を掲示すれば、借地権を第三者に対抗することができる場合がある。　　　　　　　　　　　　　　　　　　　（2012-11-2）

237 　請求による更新→建物がある場合

〇　請求による更新は**建物がある場合のみ**となります。

コース16 ポイント❶ 2

238 　延長しない

✕　承諾を得ていないので20年延長することはありませんが、**当初の存続期間中**なので、無断築造したとしても、延長しないだけで契約期間はそのままとなります。地上権の消滅請求や土地の賃貸借の解約申入れができるのは**更新後**の場合のみです。

覚えよう！

● 借地上の建物の滅失

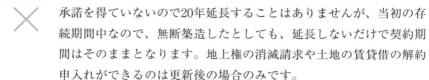

建物滅失の時期	借地権設定者の 再築承諾	存続期間の延長
当初の存続期間中 （借地権は消滅しない）	あり	延長する*1
	なし	延長しない
更新後 （借地権者は解約申入れが可能）	あり	延長する*1
	なし	築造不可*2

＊1　承諾日と築造日のうち、早いほうから20年間延長する
＊2　無断築造すると、借地権設定者から解約申入れができる

コース16 ポイント❶ 6

239 　対抗力→土地上の建物の借地人名義の登記

〇　借地権の登記がなくても、その土地の上にある**建物の借地人名義の登記**で第三者に対抗することができます。この登記は**表示の登記**で足ります。

コース16 ポイント❶ 3

240 　掲示で2年経過するまでは対抗可

〇　滅失した建物に対抗力があれば、掲示することにより**滅失から2年経過するまで**対抗力を保持することができます。

コース16 ポイント❶ 3

241

★★★
□□□

ＡはＢとの間で、令和７年４月に、ＢがＣから借りている土地上の
Ｂ所有の建物について賃貸借契約（期間２年）を締結し引渡しを受
け、債務不履行をすることなく占有使用を継続している場合、Ｂが、
Ｃの承諾を得ることなくＡに対して借地上の建物を賃貸し、それに
伴い敷地であるその借地の利用を許容しているときでも、Ｃとの関
係において、借地の無断転貸借とはならない。　　　（2006-14-1改）

242

★★★
□□□

Ａが、Ｂに、Ａ所有の甲地を建物の所有を目的として賃貸し、Ｂが
その土地上に乙建物を新築し、所有している。Ｂが、乙建物をＥに
譲渡しようとする場合において、Ｅが甲地の賃借権を取得してもＡ
に不利となるおそれがないにもかかわらず、Ａがその賃借権の譲渡
を承諾しないときは、Ｂは、裁判所にＡの承諾に代わる許可をする
よう申し立てることができる。　　　　　　　　　（2003-13-3）

243

★★★
□□□

Ａが、Ｂの所有地を賃借して木造の家屋を所有し、これに居住して
いる。Ａに対する競売事件でＡの家屋を競落したＣは、Ｂが土地の
賃借権の譲渡により不利となるおそれがないにもかかわらず譲渡を
承諾しないとき、家屋代金支払後借地借家法に定める期間内に限り、
裁判所に対して、Ｂの承諾に代わる許可の申立てをすることができ
る。　　　　　　　　　　　　　　　　　　　　　（1997-11-3）

241　借地上の建物の賃貸→借地権設定者の承諾不要

◯　借地上の建物を賃貸する場合には、借地の転貸借にはならず、借地権設定者の承諾は必要ありません。

● 借地上の建物について

（建物）B

（土地）C

賃借（Cの承諾不要）

譲渡（Cの承諾*必要*）

A

`コース` **16** `ポイント` ❶ 5

242　譲渡→借地権者（売主）が申立て

◯　借地権設定者（賃貸人）の承諾がない場合、借地権者（賃借人）は、裁判所から承諾に代わる許可をもらえば、借地権の譲渡が認められます。そして裁判所に申し立てるのは、譲渡のときは建物の売主である借地権者です。

`コース` **16** `ポイント` ❶ 5

243　競落→競落人が申立て

◯　裁判所に申し立てるのは、競売のときは建物の買主である競落人です。

`コース` **16** `ポイント` ❶ 5

244
★★★
□□□

AがBとの間で、A所有の甲土地につき建物所有目的で期間を50年とする賃貸借契約を締結する場合に関して、本件契約に建物買取請求権を排除する旨の特約が定められていない場合、本件契約が終了したときは、その終了事由のいかんにかかわらず、BはAに対してBが甲土地上に所有している建物を時価で買い取るべきことを請求することができる。 (2023-11-3)

245
★★★
□□□

甲土地につき、期間を60年と定めて賃貸借契約を締結しようとした。賃貸借契約が居住の用に供する建物の所有を目的とする場合、契約の更新がないことを書面又は電磁的記録で定めればその特約は有効である。

(2019-11-3改)

246
★★★
□□□

存続期間を10年以上20年未満とする短期の事業用定期借地権の設定を目的とする契約は、公正証書によらなくとも、書面又は電磁的記録によって適法に締結することができる。 (2010-11-2)

244 債務不履行解除→建物買取請求不可

 債務不履行解除の場合、建物買取請求権は認められません。

コース16 ポイント❶ 4

245 定期借地権で可能

 定期借地権は存続期間50年以上とする借地権です。書面又は電磁的記録でする必要があります。定期借地権は、更新がないという特徴があります。

コース16 ポイント❷ 1

246 事業用定期借地権→公正証書

 事業用定期借地権とは、専ら事業の用に供する建物（事業用建築物）の所有を目的とし、存続期間を10年以上50年未満とする借地権です。事業用定期借地権は、公正証書によらなければ契約をすることができません。

コース16 ポイント❷ 2

247
★★★
☐☐☐

事業の用に供する建物の所有を目的とする場合であれば、従業員の社宅として従業員の居住の用に供するときであっても、事業用定期借地権を設定することができる。 (2010-11-1)

247 ▶ 事業用定期借地権→居住用不可

✕ 事業用定期借地権は、居住用建物の所有を目的とする契約を行うことは一切ダメです。「居住用建物賃貸事業のため」とあってもダメです。

暗記ポイント **総まとめ**

	存続期間	目的	更新	契約方法
定期借地権	50年以上	制約なし	なし	書面（電磁的記録）
事業用定期借地権	10年以上50年未満	事業用（居住用不可）	なし	公正証書
建物譲渡特約付借地権	30年以上	制約なし	なし	定めなし

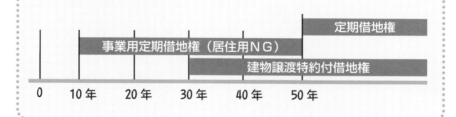

定期借地権

事業用定期借地権（居住用NG）

建物譲渡特約付借地権

0　10年　20年　30年　40年　50年

コース **16** ポイント **2** **2**

248
★★★
□□□

Aが、その過失によってB所有の建物を取り壊し、Bに対して不法行為による損害賠償債務を負うこととなった。Aの損害賠償債務は、BからAへ履行の請求があった時から履行遅滞となり、Bは、その時以後の遅延損害金を請求することができる。　（2000-8-4）

249
★★★
□□□

不法行為による損害賠償債務の不履行に基づく遅延損害金債権は、当該債権が発生した時から10年間行使しないことにより、時効によって消滅する。　（2014-8-2）

250
★★★
□□□

Aが故意又は過失によりBの権利を侵害し、これによってBに損害が生じた。Aの加害行為がBからの不法行為に対して自らの利益を防衛するためにやむを得ず行ったものであっても、Aは不法行為責任を負わなければならないが、Bからの損害賠償請求に対しては過失相殺をすることができる。　（2008-11-2）

251
★★
□□□

Aが故意又は過失によりBの権利を侵害し、これによってBに損害が生じた。Aの加害行為によりBが即死した場合には、BにはAに対する慰謝料請求権が発生したと考える余地はないので、Bに相続人がいても、その相続人がBの慰謝料請求権を相続することはない。　（2008-11-1）

248 ▶ 損害発生時から遅滞

加害者が負う損害賠償債務の履行遅滞は**不法行為（損害発生）**の時
から始まります。

コース **17** ポイント **❶ 1**

249 ▶ 3年・5年・20年

損害賠償請求権は被害者又はその法定代理人が損害及び加害者を知
った時から**3年**（人の生命又は身体を害する不法行為の場合は**5年**）
で時効により消滅します。また、不法行為の時から**20年**で時効に
より消滅します。

コース **17** ポイント **❶ 1**

250 ▶ 正当防衛は不法行為として扱わない

他人からの不法行為に対して、自らの利益を防衛するためやむを得
ず行なったもの（正当防衛）であれば、不法行為責任を負いません。
したがって、過失相殺もされません。

コース **17** ポイント **❶ 1**

251 ▶ 即死でも慰謝料請求権は発生

即死の場合でも、慰謝料請求権は発生し、それが相続されます。

コース **17** ポイント **❶ 1**

252 ★★

Ａは、令和７年10月１日、Ａ所有の甲土地につき、Ｂとの間で、代金1,000万円、支払期日を同年12月１日とする売買契約を締結した場合、同年10月10日、ＢがＡの自動車事故によって被害を受け、Ａに対して不法行為に基づく損害賠償債権を取得したときには、Ｂは売買代金債務と当該損害賠償債権を対当額で相殺することができる。

(2018-9-3改)

253 ★★★

ＡがＣに雇用されており、ＡがＣの事業の執行につきＢに加害行為を行った場合には、ＣがＢに対する損害賠償責任を負うのであって、ＣはＡに対して求償することもできない。

(2008-11-3)

254 ★★★

ＡがＢから賃借する甲建物に、運送会社Ｃに雇用されているＤが居眠り運転するトラックが突っ込んで甲建物の一部が損壊した場合において、Ｃは、使用者責任に基づき、Ｂに対して本件事故から生じた損害を賠償したとき、Ｄに対して求償することができるが、その範囲が信義則上相当と認められる限度に制限される場合がある。

(2016-7-ウ)

255 ★★★

Ａが、その過失によってＢ所有の建物を取り壊し、Ｂに対して不法行為による損害賠償債務を負うこととなった。不法行為がＡの過失とＣの過失による共同不法行為であった場合、Ａの過失がＣより軽微なときでも、Ｂは、Ａに対して損害の全額について賠償を請求することができる。

(2000-8-2)

252 ▶ 被害者からの相殺主張は可

◯

損害賠償請求権を相殺することはできます。被害者からの相殺主張は可能です。ちなみに、①悪意による不法行為に基づく損害賠償の債務、②人の生命又は身体の侵害による損害賠償の債務の場合には、①と②の債務者（加害者）は相殺をもって債権者（被害者）に対抗できません。

コース **17** ポイント **❶ 1**

253 ▶ Aも損害賠償責任を負うし、Aに求償することも可能

✕

使用者責任が生じる場合、使用者（C）と被用者である加害者（A）とは、連帯債務とほぼ同様の関係性となります。したがって、AもCも損害賠償責任を負います。また、CがBに損害を賠償した場合、信義則上相当と認められる限度でAに求償することも可能です。

コース **17** ポイント **❶ 2**

254 ▶ 信義則上相当と認められる限度

◯

使用者が損害賠償をした場合、使用者は被用者に対して求償をすることができます。ただし、求償は、信義則上相当と認められる範囲内に限られます。

コース **17** ポイント **❶ 2**

255 ▶ 共同不法行為→連帯債務とほぼ同じ扱い

◯

共同不法行為の場合、加害者のAとCは連帯債務と同様の扱いとなります。したがって、Bは、AとCの全員に、全額の請求が可能です。

コース **17** ポイント **❶ 3**

256

★★★

☐☐☐

Aは、所有する家屋を囲う塀の設置工事を業者Bに請け負わせたが、Bの工事によりこの塀は瑕疵がある状態となった。Aがその後この塀を含む家屋全部をCに賃貸し、Cが占有使用しているときに、この瑕疵により塀が崩れ、脇に駐車中のD所有の車を破損させた。A、B及びCは、この瑕疵があることを過失なく知らない。この場合、Cは、損害の発生を防止するのに必要な注意をしていれば、Dに対する損害賠償責任を免れることができる。　　　　　　　(2005-11-3)

257

★★★

☐☐☐

Aは、所有する家屋を囲う塀の設置工事を業者Bに請け負わせたが、Bの工事によりこの塀は瑕疵がある状態となった。Aがその後この塀を含む家屋全部をCに賃貸し、Cが占有使用しているときに、この瑕疵により塀が崩れ、脇に駐車中のD所有の車を破損させた。A、B及びCは、この瑕疵があることを過失なく知らない。この場合、Aは、損害の発生を防止するのに必要な注意をしていれば、Dに対する損害賠償責任を免れることができる。　　　　　　　(2005-11-1)

LEC東京リーガルマインド　2025年版 宅建士 合格のトリセツ
頻出一問一答式 過去問題集

256　占有者→損害発生の防止に必要な注意を払っていれば免責

◯ 占有者Ｃは、損害発生の防止に必要な注意を払っていれば損害賠償責任を免れます。

コース 17 ポイント ❶ 4

257　所有者→無過失責任

✕ 所有者Ａは無過失責任なので、必要な注意を払っていたとしても損害賠償責任を免れることができません。

コース 17 ポイント ❶ 4

258
★★★
☐☐☐

土地の所有者は、隣地の竹木の枝が境界線を越える場合、その竹木の所有者にその枝を切除させることができるが、その枝を切除するよう催告したにもかかわらず相当の期間内切除しなかったときであっても、自らその枝を切り取ることはできない。　　　　(2023-2-2)

259
★★★
☐☐☐

土地の所有者は、隣地から木の根が境界線を越えて伸びてきたときは、自らこれを切断できる。　　　　(2004-7-4)

260
★★★
☐☐☐

Aが購入した甲土地が共有物の分割によって公道に通じない土地となっていた場合には、Aは公道に至るために他の分割者の所有地を、償金を支払うことなく通行することができる。　　　　(2020⑩-1-1)

261
★★★
☐☐☐

他の土地に囲まれて公道に通じない土地の所有者は、公道に出るためにその土地を囲んでいる他の土地を自由に選んで通行することができる。　　　　(2023-2-4)

262
★★★
☐☐☐

譲渡制限特約のある債権の譲渡を受けた第三者が、その特約の存在を知らなかったとしても、知らなかったことにつき重大な過失があっても、債務者は履行を拒むことはできない。　　　　(2018-7-1改)

258	原則として隣地の木の枝は自分で切ることができない

×

①竹木の所有者に枝を切除するよう催告したにもかかわらず、竹木の所有者が相当の期間内に切除しないとき、②竹木の所有者を知ることができず、又はその所在を知ることができないとき、③急迫の事情があるときであれば、例外的に木の枝を切ることができます。

コース 17 ポイント ❷ 3

259	木の根は自分で切ることも可能

○

木の根は自分で切ることができます。

コース 17 ポイント ❷ 3

260	償金は不要

○

他の土地に囲まれて公道に通じていない土地の所有者は、公道に出る目的でその土地を囲んでいる他の土地を通行できます。原則として償金を支払う必要がありますが、今回のように分割によって生じた場合、償金を支払うことなく通行可能となります。

コース 17 ポイント ❷ 2

261	自由に選べるわけではない

×

他の土地に囲まれて公道に通じていない土地の所有者は、公道に出る目的でその土地を囲んでいる他の土地を通行できます。どこを通ってもよいというのではなく、最も損害の少ない場所と方法で通行しなければなりません。

コース 17 ポイント ❷ 2

262	悪意・重過失有→履行を拒める

×

債権の譲渡制限特約のある債権の譲渡自体は有効ですが、譲渡を受けた第三者が悪意又は善意重過失の場合、債務者は履行を拒むことができます。

コース 17 ポイント ❸ 4

263 ★★★

ＡがＢに対して1,000万円の代金債権を有しており、Ａがこの代金債権をＣに譲渡した場合において、ＡがＢに対する代金債権をＤに対しても譲渡し、Ｃに対する債権譲渡もＤに対する債権譲渡も確定日付のある証書でＢに通知したとき、ＣとＤの優劣は、確定日付の先後ではなく、確定日付のある通知がＢに到着した日時の先後で決まる。
(2011-5-4)

264 ★★★

Ａを注文者、Ｂを請負人として甲建物の請負契約が締結された場合において、Ｂが仕事を完成しない間は、Ａは、いつでもＢに対して損害を賠償して本件契約を解除することができる。 (2019-8-4)

265 ★★★

ＡとＢとの間で令和７年７月１日に締結された委任契約において、委任者Ａが受任者Ｂに対して報酬を支払うこととされていた場合、Ｂは、契約の本旨に従い、自己の財産に対するのと同一の注意をもって委任事務を処理しなければならない。 (2020⑩-5-2)

266 ★★★

委任契約は、委任者又は受任者のいずれからも、いつでもその解除をすることができる。ただし、相手方に不利な時期に委任契約の解除をしたときは、相手方に対して損害賠償責任を負う場合がある。
(2006-9-1)

263　通知の到達が早いほう

◯　確定日付のある証書での通知で判断します。両方確定日付のある通知があった場合は、その通知の到達が早いほうを優先します。確定日付の先後ではないので注意しましょう。

コース17 ポイント❸ 3

264　仕事の完成前はいつでも解除可

◯　注文者は、仕事の完成前であれば、請負人が受ける損害を賠償して、請負契約を解除することができます。

コース17 ポイント❹ 3

265　善管注意義務がある

✕　受任者には善良な管理者としての注意義務（善管注意義務）があります。これは、自己に対するものと同一の注意ではないということに注意してください。より重い注意義務をもって行うことが求められます。

コース17 ポイント❺ 2

266　委任契約はいつでも解除可

◯　委任者・受任者のいずれも、特別の理由なくとも自由に解除することができます。ただし、相手方に不利な時期に解除したときは、原則として、解除した者は相手方に対して損害賠償義務を負います。

コース17 ポイント❺ 4

相続人が、被相続人の妻Aと子Bのみである場合（被相続人の遺言はないものとする。）、相続の承認又は放棄をすべき３ヵ月の期間の始期は、AとBとで異なることがある。

(1998-10-1)

たしか「相続開始を知った時から３カ月」だったよね？

 そうだね。

異なることってあるのかな？

 「知った時」が違えば異なるんじゃない？

どういうこと？

 例えば、妻Aは同居しているから夫の死は死亡当日に知った。でも、子供は一人暮らしをしていてなかなか連絡がつかずに２カ月後に知った。そうなると、「知った時」が違うのだから、始期も異なるよね！

なるほど！

＋αで考えよう！

● 配偶者居住権

　夫婦で夫Ａの家に暮らしていたところ、夫Ａが亡くなってしまいました。そして、妻Ｂと元妻との子Ｃが相続人だった場合で考えてみましょう。

【相続財産】
ＡとＢが暮らしていた家2,000万円
現金2,000万円

　相続分はＢもＣも２分の１です。したがって、Ｂがその家に住み続けたいと思って家を相続すると、現金は全て子Ｃのものとなってしまいます。これではＢは生活できません。

　そこで、この家を「所有権」と「居住権」にわけることとしました。そうすれば、妻Ｂは居住権のみを相続して生涯無償でその家に住み続けられることができ、なおかつ現金もいくらか相続することが可能です。子Ｃも、妻Ｂが生きている間は無償で住まわせなければなりませんが、所有権を持っているので、Ｂの死後は自由に使えます。

　この制度が配偶者居住権です。ただし、どのような場合でも適用できるわけではなく、適用するには以下の要件を満たす必要があります。

　①被相続人の財産に属した建物に相続開始時に居住していたこと
　②配偶者居住権を遺産分割か遺贈によって取得したこと

Ａが居住用の甲建物を所有する目的で、期間30年と定めてＢから乙土地を賃借した場合に関して、ＡＢ間の賃貸借契約を公正証書で行えば、当該契約の更新がなく期間満了により終了し、終了時にはＡが甲建物を収去すべき旨を有効に規定することができる。

(2016-11-3)

期間30年だから、普通の借地で大丈夫でしょ？

でも、普通の借地だと、更新なしというのは無理でしょう？

じゃ、事業用定期借地権使えば大丈夫でしょ。ほら、問題文にも「公正証書で行う」って書いてあるし！

いやいや、事業用定期借地権は居住用ではダメだったじゃん

そっか。なら、定期借地権なら居住用でも平気でしょう？

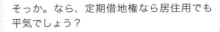

それだと、期間が50年以上必要だよ！

じゃ、方法ないじゃん!!

そう！　だからこの問題の解答は×になるんだよ！

誤り

「比較」で 覚えよう！

●民法と借地借家法

		民法上の賃貸借	借地借家法	
			借家 （建物の賃借権。一時 使用を除く。）	借地 （建物所有を目的と する地上権・賃借権）
期間	最　短	制限なし	制限なし （定期建物賃貸借を 除き、1年未満は期 間の定めなしとみな される。）	30年
	最　長	50年	制限なし	制限なし
	期間の 定めな し	可	可	不可（30年となる）
期間の定め がない場合 の解約申入 れ		当事者はいつでも解 約申入れができ、 土地1年 建物3カ月 動産1日 の経過で終了する。	• 賃貸人からの解約 　申入れ 　正当事由必要 　6カ月経過で終了 • 賃借人からの解約 　申入れ 　正当事由不要 　3カ月経過で終了	
不動産賃借 権の対抗要 件		賃借権の登記	建物の引渡しでもよ い	借地上の建物の借地 権者名義の登記でも よい

MEMO

MEMO

第2編・宅建業法

本試験での出題数：20問　得点目標：18点

論　点	問題番号
宅建業の意味	問題 267 ～問題 278
事務所	問題 279 ～問題 292
免許	問題 293 ～問題 320
事務所以外の場所	問題 321 ～問題 330
宅地建物取引士	問題 331 ～問題 347
営業保証金	問題 348 ～問題 362
弁済業務保証金	問題 363 ～問題 380
媒介・代理	問題 381 ～問題 397
広告等の規制	問題 398 ～問題 404
重要事項の説明	問題 405 ～問題 432
37 条書面	問題 433 ～問題 439
業務上の規制	問題 440 ～問題 447
自ら売主制限	問題 448 ～問題 472
住宅瑕疵担保履行法	問題 473 ～問題 480
報酬額の制限	問題 481 ～問題 489
監督・罰則	問題 490 ～問題 498

ぺこり

267
★★★
☐☐☐
宅地建物取引業法上、宅地には、現に建物の敷地に供されている土地に限らず、将来的に建物の敷地に供する目的で取引の対象とされる土地も含まれる。 (2020⑫-44-ア)

268
★★★
☐☐☐
宅地建物取引業法上、農地は、都市計画法に規定する用途地域内に存するものであっても、宅地には該当しない。 (2020⑫-44-イ)

269
★★★
☐☐☐
建物の敷地に供せられる土地は、都市計画法に規定する用途地域の内外を問わず宅地であるが、道路、公園、河川等の公共施設の用に供せられている土地は、用途地域内であれば宅地とされる。
(2019-42-1)

270
★★★
☐☐☐
宅地建物取引業とは、宅地又は建物の売買等をする行為で業として行うものをいうが、建物の一部の売買の代理を業として行う行為は、宅地建物取引業に当たらない。 (2019-26-2)

267　宅地に該当する

○

現在、建物が建っている土地だけではなく、建物を建てる目的で取引される土地も宅建業法では「宅地」に該当します。

> **覚えよう！**
> **1** 現在、建物が建っている土地
> **2** 建物を建てる目的で取引される土地
> **3** 用途地域内の土地

コース **1**　ポイント **❶** **3**

268　宅地に該当する

×

用途地域内の土地は「宅地」に該当します。用途地域内であれば農地であっても宅地です。

コース **1**　ポイント **❶** **3**

269　用途地域内でも道路・公園・河川・広場・水路は宅地ではない

×

用途地域内の土地であっても、現在、道路・公園・河川・広場・水路であるものは「宅地」に該当しません。

コース **1**　ポイント **❶** **3**

270　マンションの一室→建物

×

倉庫やマンションの一室も建物として扱います。

コース **1**　ポイント **❶** **4**

271
★
☐☐☐

Dが共有会員制のリゾートクラブ会員権（宿泊施設等のリゾート施設の全部又は一部の所有権を会員が共有するもの）の売買の媒介を不特定多数の者に反復継続して行う場合、Dは免許を受ける必要はない。　　　　　　　　　　　　　　　　　　　　　　　　(2005-30-3)

272
★★★
☐☐☐

Aの所有するオフィスビルを賃借しているBが、不特定多数の者に反復継続して転貸する場合、AとBは免許を受ける必要はない。
　　　　　　　　　　　　　　　　　　　　　　　　(2005-30-1)

273
★★★
☐☐☐

Cが、甲県の所有する宅地の売却の代理を甲県から依頼され、当該宅地を10区画に区画割りして、多数の公益法人に対して売却する場合、Cは、免許を必要としない。　　　　　　　(1997-31-3)

LEC東京リーガルマインド　2025年版 宅建士 合格のトリセツ
頻出一問一答式 過去問題集

---

271 リゾートクラブ会員権は建物として扱う

 リゾートクラブ会員権（宿泊施設等のリゾート施設の全部又は一部の所有権を会員が共有するもの）は、建物として扱います。したがって、本問では建物の取引を業として行っているため、免許が必要となります。

コース**1** ポイント**❶ 4**

---

272 自ら貸借は取引ではない

 自ら貸借は取引ではありませんので免許は不要です。自ら転貸の場合も同様です。

	自 ら	代 理	媒 介
売 買	●	●	●
交 換	●	●	●
貸 借	✕	●	●

●：取引にあたる　✕：取引にあたらない

コース**1** ポイント**❶ 5**

---

273 業→不特定多数に対して反復継続

 依頼者が甲県（＝地方公共団体）であろうと、Cは宅建業を行うので免許が必要です。なお、「公益法人のみ」とはいっていますが、日本に公益法人は1万弱あるといわれているので、さすがに「特定」とするのは難しいため、不特定多数扱いをします。

- ●「不特定多数」にあたるか？
  - A 多数の友人・知人 → ● 業にあたる
  - B 公益法人に限定 → ● 業にあたる
  - C 自社の従業員に限定 → ✕ 業にあたらない
- ●「反復継続」にあたるか？
  - D 一括して売却 → ✕ 業にあたらない
  - E 分譲 → ● 業にあたる

コース**1** ポイント**❶ 6**

---

274 ★★★ ☐☐☐ 地主Bが、都市計画法の用途地域内の所有地を、駐車場用地2区画、資材置場1区画、園芸用地3区画に分割したうえで、これらを別々に売却する場合、Bは免許を受ける必要はない。　　　(2001-30-2)

275 ★★★ ☐☐☐ 農業協同組合Cが、所有宅地を10区画に分割し、倉庫の用に供する目的で、不特定多数に継続して販売する場合、Cは免許を受ける必要はない。　　　(2003-30-2)

276 ★★★ ☐☐☐ Cが、甲県住宅供給公社が行う一団の建物の分譲について、その媒介を業として行おうとする場合、Cは免許を受ける必要はない。　　　(1999-30-3)

277 ★★★ ☐☐☐ Aが、競売により取得した宅地を10区画に分割し、宅地建物取引業者に販売代理を依頼して、不特定多数の者に分譲する場合、Aは免許を受ける必要はない。　　　(2007-32-1)

278 ★★★ ☐☐☐ 信託業法第3条の免許を受けた信託会社が宅地建物取引業を営もうとする場合、免許を取得する必要はないが、その旨を国土交通大臣に届け出ることが必要である。　　　(2010-26-4)

274　宅建業に該当する

用途地域内の所有地（＝宅地）を、別々に（＝業）売却（＝取引）するのだから免許が必要です。

［コース］1　［ポイント］❶ 3

275　農業協同組合→国や地方公共団体ではない

宅地を不特定多数に継続して（＝業）販売（＝取引）をしようとしているのだから免許が必要です。農業協同組合は国や地方公共団体ではありませんので注意しましょう。

［コース］1　［ポイント］❷ 2

276　Cは免許必要

住宅供給公社は地方公共団体とみなされるので免許不要ですが、そこから依頼されたCは免許が必要です。

［コース］1　［ポイント］❶ 5

277　Aも免許必要

宅地の所有者が、宅建業者の代理により宅地を分譲する場合、その効果は依頼主である宅地の所有者に帰属します。よって、Aも売主として宅建業の免許が必要です。

［コース］1　［ポイント］❶ 6

278　信託会社→免許不要

信託会社や信託銀行が宅建業を行う場合には、宅建業の免許は不要です。しかし、その他の宅建業法のルールは適用されます。なお、一定事項を国土交通大臣に届け出なければなりません。

［コース］1　［ポイント］❷ 3

279
★★★
□□□
宅地建物取引業者は、その事務所ごとに、公衆の見やすい場所に、免許証及び国土交通省令で定める標識を掲げなければならない。

(2010-29-1)

280
★★★
□□□
宅地建物取引業者は、本店と複数の支店がある場合、支店には帳簿を備え付けず、本店に支店の分もまとめて備え付けておけばよい。

(2020⑫-41-1)

281
★★★
□□□
宅地建物取引業者は、その事務所ごとに、その業務に関する帳簿を備えなければならず、帳簿の閉鎖後5年間（当該宅地建物取引業者が自ら売主となる新築住宅に係るものにあっては10年間）当該帳簿を保存しなければならない。

(2012-40-エ)

282
★★★
□□□
宅地建物取引業者は、その事務所ごとに、その業務に関する帳簿を備え、宅地建物取引業に関し取引のあった翌月1日までに、一定の事項を記載しなければならない。

(2013-41-3)

283
★★★
□□□
宅地建物取引業者は、その事務所ごとに、その業務に関する帳簿を備え、取引の関係者から請求があったときは、閲覧に供しなければならない。

(2008-42-2)

284
★★★
□□□
宅地建物取引業者は、帳簿の記載事項を、事務所のパソコンのハードディスクに記録し、必要に応じ当該事務所においてパソコンやプリンターを用いて明確に紙面に表示する場合でも、当該記録をもって帳簿への記載に代えることができない。

(2020⑫-41-4)

279 免許証は掲示義務なし

事務所には標識を掲示しなければなりません。しかし、免許証の掲示義務はありません。

 コース2 ポイント❶ 2

280 事務所ごとに設置

帳簿は事務所ごとに設置する必要があります。主たる事務所（本店）に一括ではありません。

コース2 ポイント❶ 2

281 帳簿は5年間保存

○ 帳簿は閉鎖後5年間（当該宅建業者が自ら売主となる新築住宅に係るものにあっては10年間）保存しなければなりません。

 コース2 ポイント❶ 2

282 取引のあったつど記載

帳簿は取引のあったつど記載する必要があります。取引のあった翌月1日までではありません。

 コース2 ポイント❶ 2

283 帳簿を閲覧に供する義務なし

帳簿は閲覧させる必要はありません。

 コース2 ポイント❶ 2

284 パソコンでも可

必ずしも紙でなければならないというわけではなく、パソコンなどでの保存であってもかまいません。

 コース2 ポイント❶ 2

285
★★★

宅地建物取引業者がその事務所ごとに備える従業者名簿には、従業者の氏名、生年月日、当該事務所の従業者となった年月日及び当該事務所の従業者でなくなった年月日を記載することで足りる。

(2009-43-2)

286
★★★

宅地建物取引業者は、従業者名簿を最終の記載をした日から5年間保存しなければならない。

(2023-37-4)

287
★★★

宅地建物取引業者は、その事務所ごとに従業者名簿を備えなければならないが、取引の関係者から閲覧の請求があった場合であっても、宅地建物取引業法第45条に規定する秘密を守る義務を理由に、閲覧を拒むことができる。

(2023-37-2)

288
★★★

宅地建物取引業者は、その業務に従事する者であっても、アルバイトとして一時的に事務の補助をする者については、従業者名簿に記載する必要はない。

(2000-42-3)

289
★★★

個人である宅地建物取引業者Aは、甲県に従業者（一時的な事務補助者を除く。）14人の本店、乙県に従業者7人の支店を有するが、支店を廃止してその従業者全員を、本店で従事させようとしている。免許換えにより甲県知事の免許を受けようとするときは、甲県の事務所に成年者である専任の宅地建物取引士を5人以上置く必要がある。

(1995-39-1)

290
★★★

宅地建物取引業者A社は、その主たる事務所に従事する唯一の専任の宅地建物取引士が退職したときは、30日以内に、新たな専任の宅地建物取引士を設置しなければならない。

(2012-36-1)

LEC東京リーガルマインド　2025年版 宅建士 合格のトリセツ
頻出一問一答式 過去問題集

285 　宅地建物取引士か否か等も記載

従業者名簿には、従業者の氏名、従業者証明書番号、生年月日、主たる職務内容、宅地建物取引士であるか否かの別、事務所の従業者となった年月日、事務所の従業者でなくなったときはその年月日を記載しなければなりません。

コース 2 　ポイント 1 2

286 　従業者名簿は10年間保存

事務所ごとに一定の事項を記載した従業者名簿を備え付けなければなりません。最終の記載をした日から10年間保存する必要があります。

コース 2 　ポイント 1 2

287 　従業者名簿は閲覧に供する義務あり

取引の関係者から閲覧請求があった場合、閲覧を拒むことはできません。

コース 2 　ポイント 1 2

288 　アルバイトも記載

アルバイトであっても従業者であるので、従業者名簿に記載しなければなりません。

コース 2 　ポイント 1 2

289 　5人に1人以上の割合で専任の宅地建物取引士

事務所ごとに業務に従事する者5人に1人以上の割合で、成年者である専任の宅地建物取引士を設置する必要があります。従業員が21人の場合、専任の宅地建物取引士は最低5人必要です。

コース 2 　ポイント 1 2

290 　2週間以内に補充等の措置

規定の数を下回った際には、2週間以内に補充などの措置をとらなければなりません。

コース 2 　ポイント 1 2

291

★★★

☐☐☐

宅地建物取引業者は、その業務に従事させる者に従業者証明書を携帯させなければならないが、その者が非常勤の役員や単に一時的に事務の補助をする者である場合には携帯させなくてもよい。

(2020⑩-39-4)

292

★★★

☐☐☐

宅地建物取引業者は、その業務に従事させる者に、従業者証明書を携帯させなければならないが、その者が宅地建物取引士で宅地建物取引士証を携帯していれば、従業者証明書は携帯させなくてもよい。

(2013-41-4)

LEC東京リーガルマインド 2025年版 宅建士 合格のトリセツ
頻出一問一答式 過去問題集

291 ▶ **業務に従事する者には従業者証明書を携帯させる**

 宅建業者は、業務に従事する者には従業者証明書を携帯させなければなりません。アルバイトなど一時的に業務補助をする者であっても必要です。なお、取引の関係者から請求があったときは従業者証明書を提示する必要があります。

コース**2** ポイント**❶ 3**

292 ▶ **従業者証明書と宅地建物取引士証は別**

 従業者証明書と宅地建物取引士証は別物ですので、代用することはできません。

コース**2** ポイント**❶ 3**

293

★★★

本店及び支店1か所を有する法人Aが、甲県内の本店では建設業のみを営み、乙県内の支店では宅地建物取引業のみを営む場合、Aは乙県知事の免許を受けなければならない。 (2009-26-1)

294

★★★

宅地建物取引業を営もうとする者が、国土交通大臣又は都道府県知事から免許を受けた場合、その有効期間は、国土交通大臣から免許を受けたときは5年、都道府県知事から免許を受けたときは3年である。 (2011-26-4)

295

★★★

法人Aの役員のうちに、破産手続開始の決定がなされた後、復権を得てから5年を経過しない者がいる場合、Aは、免許を受けることができない。 (2010-27-1)

296

★★★

法人の役員のうちに宅地建物取引業法の規定に違反して、懲役の刑に処せられている者がいる場合は、免許を受けることはできないが、罰金の刑であれば、直ちに免許を受けることができる。

(2003-31-3)

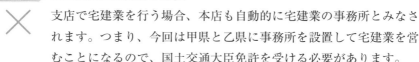

293　国土交通大臣免許が必要

✕　支店で宅建業を行う場合、本店も自動的に宅建業の事務所とみなされます。つまり、今回は甲県と乙県に事務所を設置して宅建業を営むことになるので、国土交通大臣免許を受ける必要があります。

コース3　ポイント❶ 1

294　免許の有効期間は5年

✕　宅建業を営もうとする者が、国土交通大臣又は都道府県知事から免許を受けた場合、免許の有効期間は、いずれも5年です。

コース3　ポイント❸ 2

295　復権すれば免許可

✕　破産手続開始の決定を受けた者であっても、復権すれば欠格者ではありません。よって、法人Aは免許を受けることができます。

コース3　ポイント❷ 1

296　宅建業法違反は罰金刑でも5年不可

✕　懲役・禁錮刑の場合、犯罪名にかかわらず5年間免許を取得できません。罰金刑の場合、犯罪名が宅建業法違反・暴力系の犯罪・背任罪の場合には5年間免許を取得できません。今回は宅建業法違反のため、罰金刑でも5年間免許を取得できません。

科料	犯罪名に関係なく免許を受けることが可能
拘留	
罰金	通常の犯罪＝免許可能 宅建業法違反・背任・暴力系の犯罪＝刑執行後5年間は免許不可
禁錮	犯罪名に関係なく刑執行後5年間は免許不可
懲役	

＊有罪判決を受けても、控訴・上告中は免許がもらえる

コース3　ポイント❷ 1

297
★★★

免許を受けようとする法人の代表取締役が、刑法第231条（侮辱）の罪により拘留の刑に処せられ、その刑の執行が終わった日から5年を経過していない場合、当該法人は免許を受けることができない。

(2019-43-4)

298
★★★

Ａ社の取締役が、刑法第211条（業務上過失致死傷等）の罪を犯し、懲役1年（刑の全部の執行猶予2年）の刑に処せられ、執行猶予期間は満了した。その満了の日から5年を経過していない場合、Ａ社は免許を受けることができない。

(2006-30-1)

299
★★★

Ｄ社の取締役が、刑法第159条（私文書偽造）の罪を犯し、地方裁判所で懲役2年の判決を言い渡されたが、この判決に対して高等裁判所に控訴して現在裁判が係属中である。この場合、Ｄ社は免許を受けることができない。

(2006-30-3)

300
★★★

個人Ｃは、かつて免許を受けていたとき、自己の名義をもって他人に宅地建物取引業を営ませ、その情状が特に重いとして免許を取り消されたが、免許取消しの日から5年を経過していないので、Ｃは免許を受けることができない。

(2004-31-3)

297 科料・拘留は免許欠格事由に該当しない

科料や拘留の刑に処せられたとしても、免許欠格要件にはあたらないため、免許を受けることは可能です。

コース**3** ポイント**②** **1**

298 執行猶予期間が満了すれば免許可

懲役刑に処せられて執行猶予期間中の者は欠格者となりますが、刑の全部の執行猶予期間が満了すれば役員は欠格者ではありませんから、A社は免許を受けることができます。

コース**3** ポイント**②** **1**

299 控訴・上告中は可

控訴・上告中は免許を受けることができます。

コース**3** ポイント**②** **1**

300 悪いことをしたら5年間免許不可

「自己の名義をもって他人に宅地建物取引業を営ませ」（＝業務停止処分対象行為）で、情状が特に重いとして免許が取り消された場合、免許取消しから5年間は欠格者となります。よって、Cは免許を受けることができません。

コース**3** ポイント**②** **1**

301
★★★
□□□

B社は不正の手段により免許を取得したとして甲県知事から免許を取り消されたが、B社の取締役Cは、当該取消に係る聴聞の期日及び場所の公示の日の30日前にB社の取締役を退任した。B社の免許取消の日から5年を経過していない場合、Cは免許を受けることができない。 (2006-30-2)

302
★★★
□□□

宅地建物取引業に係る営業に関し成年者と同一の行為能力を有する未成年者Dは、その法定代理人が禁錮以上の刑に処せられ、その刑の執行が終わった日から5年を経過しなければ、免許を受けることができない。 (2009-27-エ)

303
★★★
□□□

営業に関し成年者と同一の行為能力を有しない未成年者であるFの法定代理人であるGが、刑法第247条（背任）の罪により罰金の刑に処せられていた場合、その刑の執行が終わった日から5年を経過していなければ、Fは免許を受けることができない。 (2015-27-3)

304
★★★
□□□

免許を受けようとするA社の取締役が刑法第204条（傷害）の罪により懲役1年、執行猶予2年の刑に処せられた場合、刑の執行猶予の言渡しを取り消されることなく猶予期間を満了し、その日から5年を経過しなければ、A社は免許を受けることができない。 (2020⑩-43-1)

301 ▶ 会社が悪いことをして免許取消し→役員も5年不可

○　不正手段で免許を取得したことを理由に免許を取り消された場合、その聴聞の公示日前60日以内に役員であった者も欠格者となります。公示日の30日前まで役員であったCは欠格者となるため、免許を受けることはできません。

覚えよう！

会社が悪いことをした ➡ 免許不可

（悪いこと：三悪）　**1**　不正手段による免許取得

　　　　　　　　　　2　業務停止処分該当事由で情状が特に重い

　　　　　　　　　　3　業務停止処分違反

➡ 役員も欠格者になる（政令で定める使用人は欠格者とならない！）

コース**3**　ポイント**❷ 1**

302 ▶ 有する未成年者→免許可

✕　営業に関して成年者と同一の行為能力を有する未成年者に関しては、成年者として扱うため、法定代理人について、欠格事由をみる必要はありません。なお、成年者と同一の行為能力を有しない未成年者であれば、法定代理人が欠格者ではないかをみる必要があります。

コース**3**　ポイント**❷ 1**

303 ▶ 有しない未成年者→法定代理人をチェック

○　営業に関し成年者と同一の行為能力を有しない未成年者に関しては、法定代理人が欠格者ではないことが条件となります。今回は法定代理人が背任罪で罰金（＝欠格者）ですので、免許を受けることはできません。

コース**3**　ポイント**❷ 1**

304 ▶ 執行猶予期間満了→欠格者ではない→会社は免許可

✕　刑の全部の執行猶予がついている場合、執行猶予期間が満了すれば取締役は欠格者ではないので、A社は、5年を経過することなく、直ちに免許を受けられます。

コース**3**　ポイント**❷ 1**

305

★★★

□□□

宅地建物取引業者C社の政令で定める使用人Dは、刑法第234条（威力業務妨害）の罪により、懲役1年、刑の全部の執行猶予2年の刑に処せられた後、C社を退任し、新たにE社の政令で定める使用人に就任した。この場合においてE社が免許を申請しても、Dの執行猶予期間が満了していなければ、E社は免許を受けることができない。 (2015-27-2)

306

★★★

□□□

宅地建物取引業に関し不正又は不誠実な行為をするおそれが明らかな者は、宅地建物取引業法の規定に違反し罰金の刑に処せられていなくても、免許を受けることができない。 (2013-43-4)

307

★★★

□□□

宅地建物取引業者E社は乙県知事から業務停止処分についての聴聞の期日及び場所を公示されたが、その公示後聴聞が行われる前に、相当の理由なく宅地建物取引業を廃止した旨の届出をした。その届出の日から5年を経過していない場合、E社は免許を受けることができない。 (2006-30-4)

308

★★★

□□□

免許権者は、免許に条件を付することができ、免許の更新に当たっても条件を付することができる。 (2020⑫-31-3)

309

★★★

□□□

宅地建物取引業の免許の有効期間は5年であり、免許の更新の申請は、有効期間満了の日の90日前から30日前までに行わなければならない。 (2004-32-3)

305 ▶ 会社の政令で定める使用人が欠格者→会社は免許不可

◯ 会社の政令で定める使用人が欠格者である場合、免許は受けられません。

会社の中［役員／政令で定める使用人］に欠格者がいる ➡ 免許不可
➡ 他の役員や政令で定める使用人は欠格者にならない！
➡ その人を追い出せば、すぐに免許OK！

コース**3** ポイント**❷ ❶**

306 ▶ 不正または不誠実な行為をするおそれがある→免許不可

◯ 宅建業に関し不正又は不誠実な行為をするおそれが明らかな者は、宅建業法の規定に違反し罰金の刑に処せられていなくても、免許を受けることができません。

コース**3** ポイント**❷ ❶**

307 ▶ 免許取消しではなく業務停止なのでセーフ

✕ 免許取消しではなく業務停止とある点に気をつけましょう。三悪による免許取消処分であれば欠格者となってしまいますが、今回は業務停止処分のため欠格者とはなりません。

コース**3** ポイント**❷ ❶**

308 ▶ 免許に条件を付すことはOK

◯ 免許権者は、免許に条件を付けたり、条件を変更したりすることができます。免許の更新の際も同様です。

コース**3** ポイント**❸ ❶**

309 ▶ 更新申請は90日前から30日前まで

◯ 免許の有効期間は5年です。更新申請は有効期間満了の日の90日前から30日前までにしなければなりません。

コース**3** ポイント**❸ ❷**

310
★★★

宅地建物取引業者Cが、免許の更新の申請をしたにもかかわらず、従前の免許の有効期間満了の日までに、その申請について処分がなされないときは、従前の免許は、有効期間の満了後もその処分がなされるまでの間は、なお効力を有する。 (2009-26-3)

311
★★★

甲県知事の免許を受けている宅地建物取引業者A（事務所数1）が、甲県の事務所を廃止し、乙県に事務所を新設して、引き続き宅地建物取引業を営もうとする場合、Aは、甲県知事を経由して、乙県知事に免許換えの申請をしなければならない。 (1994-38-1)

312
★★★

宅地建物取引業者（甲県知事免許）が、乙県内に新たに事務所を設置して宅地建物取引業を営むため、国土交通大臣に免許換えの申請を行い、その免許を受けたときは、国土交通大臣から、免許換え前の免許（甲県知事）の有効期間が経過するまでの期間を有効期間とする免許証の交付を受けることとなる。 (2020⑫-29-1)

313
★★★

宅地建物取引業者A社（甲県知事免許）の専任の宅地建物取引士がBからCに交代した場合、A社は2週間以内に甲県知事に対して、宅地建物取引業者名簿の変更の届出を行わなければならない。 (2004-33-3)

314
★★★

宅地建物取引業者A社（甲県知事免許）の唯一の専任の宅地建物取引士であるBが退職したとき、A社は2週間以内に新たな成年者である専任の宅地建物取引士を設置し、設置後30日以内にその旨を甲県知事に届け出なければならない。 (2006-31-1)

310 ▶ 従前の免許が効力を有する

宅建業者は規定通り手続きをしたので、何の落ち度もありません。新しい免許がなされるまで、従前の免許もなお効力を有します。

コース**3**　ポイント**❸ ❷**

311 ▶ 免許換えは乙県知事に直接申請

乙県内のみに事務所を設けて宅建業を行うことになるので、乙県知事免許に免許換えをしなければなりません。その際は、乙県知事に直接申請するのであって、甲県知事を経由するわけではありません。

コース**3**　ポイント**❸ ❸**

312 ▶ 有効期間は新たに5年

免許換えをした場合、新しい免許は免許の付与された日の翌日から5年間となります。従前の免許の有効期間が経過するまでの期間ではないので注意しましょう。なお、免許換えをすると免許証番号が変わります。

コース**3**　ポイント**❸ ❸**

313 ▶ 2週間以内ではなく30日以内

宅地建物取引業者名簿に登録されている以下の内容に変更が生じた場合には、変更後30日以内に届出をしなければなりません。

 ワンポイント解説

① 商号または名称
② 事務所の名称・所在地
③ 法人業者の役員および政令で定める使用人の氏名
④ 個人業者およびその政令で定める使用人の氏名
⑤ 成年者である専任の宅地建物取引士の氏名

コース**3**　ポイント**❸ ❹**

314 ▶ 2週間以内に補充→30日以内に変更の届出

専任の宅地建物取引士に欠員が生じたら2週間以内に補充しなければなりません。そして、補充した場合には専任の宅地建物取引士の名前が変更になるので、30日以内に変更の届出も必要となります。

コース**2**　ポイント**❶ ❷**、コース**3**　ポイント**❸ ❹**

315

宅地建物取引業者D（丙県知事免許）は、建設業の許可を受けて新たに建設業を営むこととなった場合、Dは当該許可を受けた日から30日以内に、その旨を丙県知事に届け出なければならない。

(2009-28-4)

316

宅地建物取引業者の役員の住所に変更があったときは、30日以内に免許権者に変更を届け出なければならない。 (2020⑫-31-4)

317
宅地建物取引業者個人A（甲県知事免許）が死亡した場合、Aの相続人は、Aの死亡の日から30日以内に、その旨を甲県知事に届け出なければならない。

(2004-32-1)

318
宅地建物取引業者A社（甲県知事免許）について、破産手続開始の決定があったとき、A社の免許は当然にその効力を失うため、A社の破産管財人Fは、その旨を甲県知事に届け出る必要はない。

(2006-31-4)

319

G社（甲県知事免許）は、H社（国土交通大臣免許）に吸収合併され、消滅した。この場合、H社を代表する役員Iは、当該合併の日から30日以内にG社が消滅したことを国土交通大臣に届け出なければならない。

(2012-27-4)

320
宅地建物取引業者である法人Dが、宅地建物取引業者でない法人Eに吸収合併されたことにより消滅した場合、一般承継人であるEは、Dが締結した宅地又は建物の契約に基づく取引を結了する目的の範囲内において宅地建物取引業者とみなされる。

(2017-36-4)

315 兼業は変更の届出不要

宅建業以外の業務を兼業することとなった場合、届出の必要はありません。

コース**3** ポイント**❸ 4**

316 役員の住所は変更の届出不要

役員の氏名に変更があった場合には変更の届出が必要ですが、住所が変わっても変更の届出は必要ありません。

コース**3** ポイント**❸ 4**

317 死亡を知った日から30日以内

死亡の場合、死亡を知った日から30日以内に相続人が届出をしなければなりません。

コース**3** ポイント**❸ 5**

318 破産管財人が届出

宅建業者が破産した場合には、破産管財人が届出をします。

コース**3** ポイント**❸ 5**

319 消滅会社の代表役員であった者が届出

合併により消滅した場合、消滅会社（＝G社）の代表役員であった者が免許権者である甲県知事に届出をしなければなりません。

コース**3** ポイント**❸ 5**

320 取引結了目的の範囲内で宅建業者とみなされる

宅建業者が吸収合併により消滅した場合、当該宅建業者を吸収した一般承継人である存続会社は、当該宅建業者が締結した契約に基づく取引を結了する目的の範囲内においては、なお宅建業者とみなされます。

コース**3** ポイント**❸ 5**

321
★★★
☐☐☐

宅地建物取引業者Ａは、マンションを分譲するに際して案内所を設置したが、売買契約の締結をせず、かつ、契約の申込みの受付も行わない案内所であったので、当該案内所に法第50条第1項に規定する標識を掲示しなかった。Ａは宅地建物取引業法に違反する。

(2016-29-ア)

322
★★★
☐☐☐

宅地建物取引業者Ａ（甲県知事免許）が甲県に建築した一棟100戸建てのマンションを、宅地建物取引業者Ｂ（国土交通大臣免許）に販売代理を依頼し、Ｂが当該マンションの隣地（甲県内）に案内所を設置した。Ａ及びＢは当該マンションの所在する場所について、法第50条第1項に規定する標識をそれぞれ掲示しなければならない。

(2004-43-1)

323
★★★
☐☐☐

宅地建物取引業者Ｂが、宅地建物取引業者Ａに対し一団の宅地建物の分譲の販売代理を一括して依頼した場合、Ａが契約行為等を行う案内所に、Ａの標識とともに、Ｂも、自己の標識を掲げなければならない。

(1997-42-3)

---

321 ▶ **標識は必要**

◯ 案内所には、案内所を設置する業者の標識を設置する必要があります。

コース 4 ポイント ❶ ❷

---

322 ▶ **現地には売主の標識**

✕ 現地には売主（A）の標識が必要です。媒介・代理業者（B）の標識は必要ありません。

コース 4 ポイント ❶ ❷

---

323 ▶ **案内所を設置したＡが標識設置**

✕ 案内所を設置したのはＡなので、Ａが標識を設置しなければなりません。Ｂは不要です。

> **覚えよう！**
>
> - 現地　＝　売主の標識
> - 案内所　＝　案内所を設置する代理・媒介業者の標識

コース 4 ポイント ❶ ❷

324

★★★

宅地建物取引業者Ａ社（国土交通大臣免許）が行う宅地建物取引業者Ｂ社（甲県知事免許）を売主とする分譲マンション（100戸）に係る販売代理について、Ａ社が単独で当該マンションの所在する場所の隣地に案内所を設けて売買契約の締結をしようとする場合、Ａ社は、当該案内所に法第50条第１項の規定に基づく標識を掲げなければならないが、当該標識へは、Ｂ社の商号又は名称及び免許証番号も記載しなければならない。　　　　　　　　　　　　　（2012-42-エ）

325

★★★

宅地建物取引業者Ｂ社は、10戸の一団の建物の分譲の代理を案内所を設置して行う場合、当該案内所に従事する者が６名であるときは、当該案内所に少なくとも２名の専任の宅地建物取引士を設置しなければならない。　　　　　　　　　　　　　　　　　　（2012-36-2）

326

★★★

宅地建物取引業者は、事務所以外の継続約に業務を行うことができる施設を有する場所においては、契約行為等を行わない場合であっても、専任の宅地建物取引士を1人以上置くとともに国土交通省令で定める標識を掲示しなければならない。　　　　　　（2009-42-3）

327

★★★

宅地建物取引業者が一団の宅地の分譲を行う案内所において契約行為等を行う場合、当該案内所には国土交通大臣が定めた報酬の額を掲示しなければならない。　　　　　　　　　　　　　　　　　（2009-42-1）

324　売主の業者名・免許証番号を代理・媒介業者の標識に記載

○

案内所には代理・媒介業者（＝Ａ社）の標識が必要です。そして、その標識には売主の業者名と免許証番号も記載しなければなりません。

コース 4　ポイント ❶ ❷

325　専任の宅地建物取引士は１人でよい

✕

契約を締結し、又は申込みを受ける案内所であれば、最低１人の成年者である専任の宅地建物取引士を設置しなければなりません。５人に１人ではありません。

コース 4　ポイント ❶ ❷

326　専任の宅地建物取引士は必要ない

✕

契約を締結し、又は申込みを受けない案内所であれば、標識を掲示する義務はありますが、専任の宅地建物取引士の設置義務はありません。

コース 4　ポイント ❶ ❷

327　案内所に報酬額の掲示は不要

✕

案内所に報酬額の掲示の義務はありません。

	標識	成年者である専任の宅建士	従業者名簿・帳簿報酬額掲示	案内所など届出
事務所	●	５人に１人以上	●	―
案内所など（申込を行う）	●	最低１人	✕	●
案内所など（申込を行わない）	●	✕	✕	✕
現地	●	✕	✕	✕

●：必要　✕：不要

コース 4　ポイント ❶ ❷

328

★★★

宅地建物取引業者Ａ（甲県知事免許）が乙県内に建設したマンション（100戸）の販売について、Ａは、Ａから依頼を受けた宅地建物取引業者Ｃが設置した案内所においてＣと共同して契約を締結する業務を行うこととなった。この場合、Ａが当該案内所に専任の宅地建物取引士を設置すれば、Ｃは専任の宅地建物取引士を設置する必要はない。　　　　　　　　　　　　　　　　　　　　　　　　　　　（2014-28-4）

329

★★★

宅地建物取引業者Ａ（甲県知事免許）が乙県内に所在するマンション（100戸）を分譲する場合において、Ａが甲県内に案内所を設置して分譲を行うとき、Ａは甲県知事及び乙県知事に、業務を開始する日の10日前までに法第50条第２項の規定に基づく届出をしなければならない。　　　　　　　　　　　　　　　　　　　　　　（2015-44-4）

330

★★★

宅地建物取引業者Ａ（甲県知事免許）が乙県内に所在するマンション（100戸）を分譲する場合において、Ａが宅地建物取引業者Ｃに販売の代理を依頼し、Ｃが乙県内に案内所を設置して契約の締結業務を行う場合、Ａ又はＣが専任の宅地建物取引士を置けばよいが、法第50条第2項の規定に基づく届出はＣがしなければならない。　　　　　　　　　　　　　　　　　　　　　　　　　（2015-44-3）

328 いずれかの業者が宅地建物取引士を設置すればよい

複数の宅建業者が設置する案内所について、同一の物件について売主である宅建業者と媒介又は代理を行う宅建業者が、同一の場所において業務を行うときは、いずれかの宅建業者が専任の宅地建物取引士を1人以上置けば構いません。

コース 4　ポイント ❶ ❷

329 届出は甲県知事のみでよい

案内所で契約の締結または契約の申込みを受ける場合には、**業務開始10日前**までに、**免許権者**と**案内所を管轄する知事**に届出をしなければなりません。今回、甲県知事免許のAは甲県内に案内所を設置するので、甲県知事にのみ届出をすればよいということになります。

コース 4　ポイント ❶ ❸

330 案内所を設置したCが専任の宅地建物取引士を設置

案内所を設置したのはCなので、Cが専任の宅地建物取引士を置かなければなりません。なお、Cが届出をしなければならないという点は正しいです。

コース 4　ポイント ❶ ❷

331
★★★
宅地建物取引士資格試験に合格した者は、合格した日から10年以内に登録の申請をしなければ、その合格は無効となる。

(2020⑩-28-1)

332
★★★
甲県知事の登録を受けているＡは、甲県知事に対して宅地建物取引士証の交付を申請することができるが、Ａの登録及び宅地建物取引士証の有効期間は、5年である。 (1997-32-1改)

333
★★★
都道府県知事は、不正の手段によって宅地建物取引士資格試験を受けようとした者に対しては、その試験を受けることを禁止することができ、また、その禁止処分を受けた者に対し2年を上限とする期間を定めて受験を禁止することができる。 (2009-29-1)

334
★★★
宅地建物取引業に係る営業に関し、成年者と同一の行為能力を有しない未成年者で、その法定代理人が3年前に建設業法違反で過料に処せられている者は、登録を受けることができない。 (1992-36-1)

335
★★★
宅地建物取引士資格試験に合格した者で、宅地建物の取引に関し2年以上の実務経験を有するもの、又は都道府県知事がその実務経験を有するものと同等以上の能力を有すると認めたものは、法第18条第1項の登録を受けることができる。 (2008-33-2)

336
★★★
宅地建物取引士資格試験に合格した者でも、3年間以上の実務経験を有しなければ、法第18条第1項の登録を受けることができない。

(2001-31-2)

331 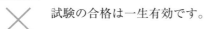 **合格は一生有効**

✕　試験の合格は一生有効です。

コース 5　ポイント ❶ 3

332 **登録は一生有効**

✕　宅地建物取引士証の有効期間は5年ですが、登録は一生有効です。

コース 5　ポイント ❶ 4

333 **2年以内→3年以内**

✕　不正受験者は、3年以内の期間を定めて受験禁止となります。

コース 5　ポイント ❶ 3

334 **成年者と同一の行為能力を有しない未成年者は登録不可**

◯　成年者と同一の行為能力を有しない未成年者は一切登録することができません。

コース 5　ポイント ❶ 5

335 **都道府県知事→国土交通大臣**

✕　都道府県知事ではなくて、国土交通大臣が実務経験を有する者と同等以上の能力を有すると認めたものです。

コース 5　ポイント ❶ 4

336 **2年以上の実務経験**

✕　実務経験は3年以上ではなく2年以上です。また、実務経験がなくても、国土交通大臣の登録実務講習を受講し修了すれば登録を受けることができます。

コース 5　ポイント ❶ 4

337
★★★

甲県内に所在する事務所の専任の宅地建物取引士は、甲県知事による法第18条第1項の登録を受けている者でなければならない。

(2001-31-3)

338
★★★

甲県知事の宅地建物取引士資格登録を受けているAが、乙県に自宅を購入し、甲県から住所を移転した場合、Aは、30日以内に、甲県知事に変更の登録を申請しなければならない。

(1998-44-2)

339
★★★

甲県知事の宅地建物取引士資格登録を受けているAが、乙県に自宅を購入し、甲県から住所を移転した場合、Aは、遅滞なく、甲県知事を経由して乙県知事に登録の移転を申請しなければならない。

(1998-44-1)

340
★★★

宅地建物取引士A（甲県知事登録）が甲県知事から事務の禁止の処分を受け、その禁止の期間が満了していないときは、Aは宅地建物取引士としてすべき事務を行うことはできないが、Aは乙県知事に対して、甲県知事を経由して登録の移転の申請をすることができる。

(2006-32-2)

341
★★★

甲県知事の宅地建物取引登録を受けている宅地建物取引士Aが、破産手続開始の決定を受けて復権を得ない者に該当することとなったときは、破産手続開始の決定を受けた日から30日以内にAの破産管財人が甲県知事にその旨を届け出なければならない。

(2003-33-1)

337 ▶ 登録の効力は全国で有効

✕ 宅地建物取引士の登録は全国で有効なので、甲県知事以外の都道府県知事に登録していても甲県で勤務することは可能です。

コース 5 ポイント ❶ 4

338 ▶ 30日以内→遅滞なく

✕ 以下の事項に変更があった場合、遅滞なく変更の登録を申請しなければなりません。

> **ワンポイント解説**
> ① 氏名　※宅建士証の書換え交付も必要
> ② 住所　※宅建士証の書換え交付も必要
> ③ 本籍
> ④ 商号または名称（宅建業者に勤務している場合）
> ⑤ 免許証番号（宅建業者に勤務している場合）

コース 5 ポイント ❷ 1

339 ▶ 住所変更では不可＆登録の移転は義務ではない

✕ 勤務先が移転した場合に登録の移転が可能であって、住所の移転では登録の移転はできません。また、登録の移転は義務ではありませんので「登録の移転を申請しなければならない」ということもありません。

コース 5 ポイント ❷ 2

340 ▶ 事務禁止期間中は登録の移転の申請はできない

✕ 事務禁止期間中は、登録の移転の申請をすることができません。

コース 5 ポイント ❷ 2

341 ▶ 破産の場合は本人が届出

✕ 宅地建物取引士が破産手続開始の決定を受けた場合、本人が30日以内に届出をします。

コース 5 ポイント ❷ 3

342
★★★
□□□

登録を受けている者が精神の機能の障害により宅地建物取引士の事務を適正に行うに当たって必要な認知、判断及び意思疎通を適切に行うことができない者となった場合、本人がその旨を登録をしている都道府県知事に届け出ることはできない。　　　(2020⑫-43-1)

343
★★★
□□□

宅地建物取引士は、勤務先を変更したとき、宅地建物取引士証の書換え交付の申請を行わなければならない。　　　　　　　　(1994-37-4)

344
★★★
□□□

甲県知事の宅地建物取引士資格登録を受けている宅地建物取引士Aが、乙県に所在する宅地建物取引業者の事務所の業務に従事するため、登録の移転とともに宅地建物取引士証の交付を受けたとき、登録移転後の新たな宅地建物取引士証の有効期間は、その交付の日から5年となる。　　　　　　　　　　　　　　(1998-30-1)

345
★★★
□□□

宅地建物取引士証の有効期間の更新の申請は、有効期間満了の90日前から30日前までにする必要がある。　　　　　(2020⑩-28-2)

346
★★★
□□□

宅地建物取引士Aが、甲県知事から宅地建物取引士証の交付を受けている場合、Aが、乙県の区域内における業務に関して乙県知事から事務禁止の処分を受けたとき、Aは、1週間以内に乙県知事に宅地建物取引士証を提出しなければならない。　　　　　　(1999-31-2)

342 **本人・法定代理人・同居の親族が届出**

本人、法定代理人、同居の親族が届出を行います。したがって、本人も届出を行うことはできます。

コース5 ポイント❷ 3

343 **勤務先変更で書換え交付の申請は不要**

宅地建物取引士証に記載されている事項のうち、住所または氏名が変更になった場合には、変更の登録の申請だけでなく、宅地建物取引士証の書換え交付の申請も必要となります。しかし、勤務先変更の場合は、書換え交付の申請は不要です。

コース5 ポイント❸ 3

344 **前の宅地建物取引士証の有効期間**

新しい宅地建物取引士証の有効期間は、前の宅地建物取引士証の有効期間となります。新たに5年ではありません。

コース5 ポイント❷ 2

345 **交付の申請前6カ月以内に行われる講習を受講して更新**

有効期間は5年間であり、更新の際には都道府県知事が指定する講習（交付の申請前6カ月以内に行われるもの）を受講しなければなりません。なお、90日前から30日前までに申請するのは宅建業者の免許の更新の場合です。紛らわしいので注意しましょう。

コース5 ポイント❸ 1

346 **「1週間以内」→「速やかに」「乙県知事」→「甲県知事」**

宅地建物取引士が事務禁止処分を受けたときは、速やかに、宅地建物取引士証をその交付を受けた都道府県知事に提出しなければなりません。したがって、Aは、速やかに、甲県知事に宅地建物取引士証を提出しなければなりません。

コース5 ポイント❸ 2

347

★★★

☐☐☐

丁県知事から宅地建物取引士証の交付を受けている宅地建物取引士が、宅地建物取引士証の亡失によりその再交付を受けた後において、亡失した宅地建物取引士証を発見したときは、速やかに、再交付された宅地建物取引士証をその交付を受けた丁県知事に返納しなければならない。

(2007-31-4)

347 ▶ 古い宅地建物取引士証を返納

 宅地建物取引士証を亡失して再交付を受け、古い宅地建物取引士証が発見された場合、古い宅地建物取引士証を交付を受けた都道府県知事に返納します。

コース **5** ポイント **❸ 1**

348
★★★
☐☐☐

宅地建物取引業者Ａ社が本店のほかに５つの支店を設置して宅地建物取引業を営もうとする場合、供託すべき営業保証金の合計額は210万円である。 (2012-33-3)

349
★★★
☐☐☐

宅地建物取引業者Ａ（甲県知事免許）は、本店について1,000万円、支店１ヵ所について500万円の営業保証金を、それぞれの事務所のもよりの供託所に供託しなければならない。 (1998-37-1)

350
★★★
☐☐☐

新たに宅地建物取引業を営もうとする者は、営業保証金を供託所に供託した後に、国土交通大臣又は都道府県知事の免許を受けなければならない。 (2001-33-2)

351
★★★
☐☐☐

宅地建物取引業者Ａ（甲県知事免許）が免許を受けた日から6か月以内に甲県知事に営業保証金を供託した旨の届出を行わないとき、甲県知事はその届出をすべき旨の催告をしなければならず、当該催告が到達した日から1か月以内にＡが届出を行わないときは、その免許を取り消すことができる。 (2023-30-ア)

352
★★★
☐☐☐

宅地建物取引業者Ａ社が地方債証券を営業保証金に充てる場合、その価額は額面金額の100分の90である。 (2012-33-1)

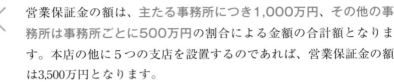

348 ▶ 「210万円」→「3,500万円」

✕ 営業保証金の額は、主たる事務所につき1,000万円、その他の事務所は事務所ごとに500万円の割合による金額の合計額となります。本店の他に5つの支店を設置するのであれば、営業保証金の額は3,500万円となります。

コース**6** ポイント**❶ 🗍**

349 ▶ 主たる事務所の最寄りの供託所

✕ 営業保証金は主たる事務所の最寄りの供託所にまとめて供託します。それぞれの事務所の最寄りの供託所ではありません。

コース**6** ポイント**❶ 🗍**

350 ▶ 免許→供託→届出→事業開始

✕ 「免許→供託→届出→事業開始」の順番です。供託した後に免許を受けるのではありません。

コース**6** ポイント**❶ 🗌**

351 ▶ 3カ月で催告→1カ月で免許取消し可

✕ 免許権者は、免許を与えた日から3カ月以内に営業保証金を供託した旨の届出がない場合には、催告をしなければなりません。また、その催告の到達後1カ月経過しても届出がない場合、免許を取り消すことができます。

コース**6** ポイント**❶ 🗌**

352 ▶ 地方債証券は100分の90

◯ 国債証券は100分の100（＝額面通り）、地方債証券と政府保証債証券は100分の90、それら以外の債券については100分の80となります。

コース**6** ポイント**❶ 🗍**

353
★★★

宅地建物取引業者Ａ（甲県知事免許）は、事業の開始後新たに事務所を設置したときは、２週間以内に政令で定める額の営業保証金を主たる事務所の最寄りの供託所に供託し、かつ、その旨を甲県知事に届け出なければならない。 (2000-44-2)

354
★★★

宅地建物取引業者が、営業保証金を金銭及び有価証券をもって供託している場合で、主たる事務所を移転したためその最寄りの供託所が変更したときは、金銭の部分に限り、移転後の主たる事務所の最寄りの供託所への営業保証金の保管替えを請求することができる。 (2014-29-4)

355
★★★

宅地建物取引業者との取引により生じた債権であっても、内装業者の内装工事代金債権については、当該内装業者は、営業継続中の宅地建物取引業者が供託している営業保証金について、その弁済を受ける権利を有しない。 (2001-33-4)

356
★★★

宅地建物取引業者Ａ（甲県知事免許）は、甲県に本店と支店を設け、営業保証金として1,000万円の金銭と額面金額500万円の国債証券を供託し、営業している。本店でＡと宅地建物取引業に関する取引をした者は、その取引により生じた債権に関し、1,000万円を限度としてＡからその債権の弁済を受ける権利を有する。 (2016-40-3)

357
★★★

宅地建物取引業者は、その免許を受けた国土交通大臣又は都道府県知事から、営業保証金の額が政令で定める額に不足することとなった旨の通知を受けたときは、供託額に不足を生じた日から２週間以内に、その不足額を供託しなければならない。 (2013-27-4)

353 「2週間以内」という規定はない

新たに事務所を設置したときは、営業保証金を供託し、届出をした後でなければ、その事務所で事業を開始することはできません。しかし、設置から2週間以内に届出をしなければならないという規定はありません。

コース 6 ポイント ❶ 3

354 有価証券が含まれていれば保管替え請求不可

有価証券が少しでも含まれている場合、保管替えの請求はできません。

コース 6 ポイント ❶ 4

355 宅建業の取引によって生じた債権のみ

営業保証金から還付を受けることができるのは、宅建業の取引によって生じた債権に限られます。内装工事代金債権は還付対象外です。

コース 6 ポイント ❶ 5

356 還付の金額は供託している営業保証金の額

営業保証金の額を限度として還付請求することができます。したがって、今回は1,500万円を限度として還付請求をすることができます。

コース 6 ポイント ❶ 5

357 不足の通知を受けた日から2週間以内

不足の通知を受けた日から2週間以内に不足額を供託する必要があります。

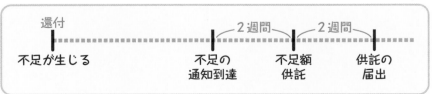

コース 6 ポイント ❶ 5

358
★★★

宅地建物取引業者Ａ（甲県知事免許）は、営業保証金が還付され、甲県知事から営業保証金が政令で定める額に不足が生じた旨の通知を受け、その不足額を供託したときは、30日以内に甲県知事にその旨を届け出なければならない。　　　　　　　　　　　（2023-30-ウ）

359
★★★

保証協会の社員となった宅地建物取引業者が、保証協会に加入する前に供託していた営業保証金を取り戻すときは、還付請求権者に対する公告をしなければならない。　　　　　　　　　　　　（2019-33-2）

360
★★★

宅地建物取引業者は、一部の事務所を廃止し営業保証金を取り戻そうとする場合には、供託した営業保証金につき還付を請求する権利を有する者に対し、6月以上の期間を定めて申し出るべき旨の公告をしなければならない。　　　　　　　　　　　　　　（2017-32-3）

361
★★★

宅地建物取引業者Ａ社（甲県知事免許）は、宅地建物取引業の廃業によりその免許が効力を失い、その後に自らを売主とする取引が結了した場合、廃業の日から10年経過していれば、還付請求権者に対して公告することなく営業保証金を取り戻すことができる。

　　　　　　　　　　　　　　　　　　　　　　　（2011-30-4）

362
★★★

宅地建物取引業者は、不正の手段により法第3条第1項の免許を受けたことを理由に免許を取り消された場合であっても、営業保証金を取り戻すことができる。　　　　　　　　　　　　（2013-27-1）

358 **供託をした日から2週間以内に免許権者に届出**

不足分の供託をした場合、その日から2週間以内に免許権者に届出をしなければなりません。

[コース]6 [ポイント]❶ 5

359 **公告なしで取戻し可**

保証協会の社員となった場合、公告をすることなく営業保証金の取戻しが可能です。

[コース]6 [ポイント]❶ 6

360 **公告が必要**

支店の廃止をする場合、超過額を取り戻すには6カ月以上の期間を定めて公告をしなければなりません。

[コース]6 [ポイント]❶ 6

361 **取戻しの原因が生じて10年経過した場合**

取戻しの原因が生じて10年経過した場合には、公告をすることなく取戻しをすることができます。廃業の日は取戻しの原因が生じた日ではありません。

[コース]6 [ポイント]❶ 6

362 **取戻しは可能**

営業保証金を供託する必要がなくなった場合、取戻しをすることができます。免許取消しの場合、宅建業をしなくなるのだから取戻しは可能です。

[コース]6 [ポイント]❶ 6

7 弁済業務保証金

363
★★★
□□□

宅地建物取引業者Ａは、宅地建物取引業を行うに当たり保証協会へ加入することが義務付けられているが、一の保証協会の社員となった後に、重ねて他の保証協会の社員となることはできない。

(2000-45-1)

364
★
□□□

保証協会は、一般財団法人でなければならない。　　　(2006-44-1)

365
★★★
□□□

宅地建物取引業者で保証協会に加入した者は、その加入の日から２週間以内に、弁済業務保証金分担金を保証協会に納付しなければならない。

(2019-33-1)

366
★★★
□□□

宅地建物取引業者が保証協会に加入しようとするときは、当該保証協会に弁済業務保証金分担金を金銭又は有価証券で納付することができるが、保証協会が弁済業務保証金を供託所に供託するときは、金銭でしなければならない。

(2011-43-1)

363 保証協会加入は任意

✕ 保証協会への加入はあくまで任意です。義務ではありません。なお、宅建業者は同時に2つの保証協会に加入することはできないという点は正しいです。

（コース）**7**（ポイント）**❶ 🔳**

364 「一般財団法人」→「一般社団法人」

✕ 保証協会は宅建業者のみが加入できる一般社団法人です。

（コース）**7**（ポイント）**❶ 🔳**

365 加入しようとする日まで

✕ 宅建業者は、保証協会に加入しようとする日までに、弁済業務保証金分担金を納付しなければなりません。

（コース）**7**（ポイント）**❶ 🔳**

366 弁済業務保証金分担金の納付は有価証券不可

✕ 逆です。弁済業務保証金分担金（宅建業者→保証協会）は金銭のみ、弁済業務保証金（保証協会→供託所）は金銭でも有価証券でも構いません。

宅建業者	弁済業務保証金分担金[納付] →	保証協会	弁済業務保証金[供託] →	供託所
	金銭のみ		金銭 or 有価証券	
	加入しようとする日まで		納付後1週間以内	

※供託した旨を保証協会が免許権者に届出（宅建業者ではない！）

（コース）**7**（ポイント）**❶ 🔳**

367
★★★

保証協会は、弁済業務保証金分担金の納付を受けたときは、その日から2週間以内に弁済業務保証金を供託しなければならない。

(2002-43-4)

368
★★★

保証協会に加入した宅地建物取引業者は、直ちに、その旨を免許を受けた国土交通大臣又は都道府県知事に報告しなければならない。

(2007-44-4)

369
★★★

保証協会に加入している宅地建物取引業者（甲県知事免許）は、甲県の区域内に新たに支店を設置する場合、その日までに当該保証協会に追加の弁済業務保証金分担金を納付しないときは、社員の地位を失う。

(2011-43-3)

370
★★★

宅地建物取引業者は、保証協会の社員の地位を失ったときは、当該地位を失った日から2週間以内に、営業保証金を主たる事務所の最寄りの供託所に供託しなければならない。

(2008-44-4)

371
★★★

保証協会の社員と宅地建物取引業に関し取引をした者は、その取引により生じた債権に関し、当該社員が納付した弁済業務保証金の額に相当する額の範囲内において弁済を受ける権利を有する。

(2022-41-エ)

372
★★★

保証協会の社員との宅地建物取引業に関する取引により生じた債権を有する者（宅地建物取引業者に該当する者を除く）は、弁済を受ける権利を実行しようとする場合、弁済を受けることができる額について保証協会の認証を受けなければならない。

(2012-43-4)

367　1週間以内に供託

 宅建業者が弁済業務保証金分担金を保証協会に納付したら、保証協会は1週間以内に弁済業務保証金を供託所に供託しなければなりません。

コース7 ポイント❶ ①

368　保証協会が行う

 宅建業者ではなく保証協会が報告を行います。

コース7 ポイント❶ ①

369　支店設置から2週間以内

 支店を新設した場合、設置した日から2週間以内に弁済業務保証金分担金を納付しなければなりません。

コース7 ポイント❶ ②

370　1週間以内に営業保証金を供託

 宅建業者は、社員の地位を失った場合、1週間以内に営業保証金を供託しなければなりません。違反した場合には業務停止処分を受けることがあります。

コース7 ポイント❶ ⑥

371　「弁済業務保証金相当額の範囲内」→「営業保証金相当額の範囲内」

 弁済業務保証金分担金の額に相当する額ではなく、その宅建業者が保証協会の社員でなかった場合に供託すべき営業保証金の額に相当する額までとなります。

コース7 ポイント❶ ③

372　保証協会の認証が必要

 還付を受ける者（宅建業者を除く）は、保証協会の認証を受けてから、供託所に還付請求をします。

コース7 ポイント❶ ③

373

★★★

☐☐☐

宅地建物取引業者で保証協会に加入しようとする者は、その加入に際して、加入前の宅地建物取引業に関する取引により生じたその者の債務に関し、保証協会から担保の提供を求められることはない。

(2007-44-3)

374

★★★

☐☐☐

保証協会は、弁済業務保証金の還付があったときは、当該還付額に相当する額の弁済業務保証金を供託しなければならない。

(2020⑩-36-4)

375

★★★

☐☐☐

保証協会は、弁済業務保証金の還付があったときは、当該還付に係る社員又は社員であった者に対し、当該還付額に相当する額の還付充当金を主たる事務所の最寄りの供託所に供託すべきことを通知しなければならない。

(2008-44-2)

376

★★★

☐☐☐

宅地建物取引業者Ａは、保証協会から還付充当金を納付すべき旨の通知を受けた場合、その日から２週間以内に、当該還付充当金を納付しなければ社員の地位を失う。

(1996-44-3)

377

★★

☐☐☐

保証協会は、弁済業務保証金から生ずる利息又は配当金、及び、弁済業務保証金準備金を弁済業務保証金の供託に充てた後に社員から納付された還付充当金は、いずれも弁済業務保証金準備金に繰り入れなければならない。

(2011-43-4)

378

★★

☐☐☐

保証協会の社員は、保証協会から特別弁済業務保証金分担金を納付すべき旨の通知を受けた場合で、その通知を受けた日から1か月以内にその通知された額の特別弁済業務保証金分担金を保証協会に納付しないときは、当該保証協会の社員の地位を失う。　(2008-44-3)

373 担保の提供を求められることがある

宅建業者が保証協会の社員となる前に行った取引による債権も還付対象です。また、保証協会から担保の提供を求められることもあります。

コース**7** ポイント**❶ ❸**

374 とりあえず保証協会が立て替える

還付により弁済業務保証金に不足が生じた場合は、保証協会は、還付された額に相当する額の弁済業務保証金を供託しなければなりません。

コース**7** ポイント**❶ ❹**

375 供託所に供託→保証協会に納付

宅建業者が直接供託所に供託するのではなく、宅建業者は保証協会に還付充当金を納付します。

コース**7** ポイント**❶ ❹**

376 通知を受けた日から２週間以内

保証協会から還付充当金の納付の通知を受けた日から２週間以内に納付しなければなりません。

コース**7** ポイント**❶ ❹**

377 弁済業務保証金準備金を用意しておく

保証協会は、いざという時のために、弁済業務保証金準備金を用意しておかなければなりません。そのお金は利息や配当金などを用いて積み立てることとなります。

コース**7** ポイント**❶ ❺**

378 特別弁済業務保証金分担金は１カ月以内に納付

保証協会の社員である宅建業者は、保証協会から特別弁済業務保証金分担金を納付すべき通知を受けた場合、１カ月以内に納付しないときは社員の地位を失います。

コース**7** ポイント**❶ ❺**

379

★★★

☐☐☐

宅地建物取引業者Ａが保証協会の社員の地位を失い、弁済業務保証金分担金の返還を受けようとする場合、Ａは、一定期間以内に保証協会の認証を受けるため申し出るべき旨の公告をしなければならない。

(1996-44-4)

380

★★★

☐☐☐

保証協会に加入している宅地建物取引業者Ａが、その一部の事務所を廃止したため、保証協会が弁済業務保証金分担金をＡに返還しようとするときは、保証協会は、弁済業務保証金の還付請求権者に対し、一定期間内に認証を受けるため申し出るべき旨の公告を行う必要はない。

(2005-45-3)

379 ▶ 公告は保証協会が行う

✕ 弁済業務保証金分担金の返還にあたって公告を行うのは宅建業者A ではなく保証協会です。

コース 7 ポイント ❶ 7

380 ▶ 一部の事務所を廃止→公告不要

◯ 一部の事務所を廃止した場合、保証協会は公告をすることなく、直ちに返還することができます。

暗記ポイント **総まとめ**

● 一部の事務所の廃止　営業保証金　　＝　公告必要
　　　　　　　　　　　　弁済業務保証金　＝　公告不要

コース 7 ポイント ❶ 7

8 媒介・代理

381
★★★
☐☐☐

宅地建物取引業者Aが、BからB所有の既存のマンションの売却に係る媒介を依頼され、AがBとの間で有効期間を6月とする専任媒介契約を締結した場合、その媒介契約は無効となる。　(2019-31-イ)

382
★★★
☐☐☐

宅地建物取引業者Aは、BからB所有の宅地の売却について媒介の依頼を受けた。Aは、Bとの間で有効期間を2か月とする専任媒介契約を締結する際、「Bが媒介契約を更新する旨を申し出ない場合は、有効期間満了により自動更新するものとする」旨の特約を定めることができる。　(2007-39-4)

383
★★★
☐☐☐

宅地建物取引業者Aが、Bから自己所有の宅地の売買の媒介を依頼された場合において、Aは、Bとの間で一般媒介契約（専任媒介契約でない媒介契約）を締結する際、Bから媒介契約の有効期間を6月とする旨の申出があったとしても、当該媒介契約において3月を超える有効期間を定めてはならない。　(2010-33-3)

381 ▶ 最長で3カ月（3カ月超の場合は3カ月に短縮）

専任媒介契約は有効期間が最大**3カ月**となります。それより長い期間を設定しても**3カ月に短縮**されます。特約が無効となるのであり、媒介契約が無効となるのではありません。

	一般媒介契約	専任媒介契約	専属専任媒介契約
他の業者への依頼	可	不可	不可
自己発見取引	可	可	不可
有効期間	制限なし	3カ月以内（超えたら3カ月に短縮） 自動更新不可（依頼者からの申出必要）	
業務処理状況報告		2週間に1回以上 （休業日含む）	1週間に1回以上 （休業日含む）
指定流通機構への 登録期間		契約締結日から7日以内 （休業日除く）	契約締結日から5日以内 （休業日除く）
売買・交換の申込が あった旨の報告	遅滞なく		

コース **8** ポイント **❶ 3**

382 ▶ 自動更新不可

更新には**依頼者からの申出が必要**です。自動更新はできません。

コース **8** ポイント **❶ 3**

383 ▶ 一般媒介契約は有効期間に制限なし

一般媒介契約に有効期間の制限はありません。したがって、6カ月とする契約も有効です。

コース **8** ポイント **❶ 3**

384 ★★★

宅地建物取引業者Aが、Bの所有する宅地の売却の依頼を受け、Bと専属専任媒介契約を締結した場合、当該契約に「Aは、Bに対し業務の処理状況を10日ごとに報告しなければならない」旨の特約を定めたとき、その特約は有効である。 (1998-45-4)

385 ★★★

宅地建物取引業者A社が宅地建物取引業者でないBと専属専任媒介契約を締結した場合、A社は、Bに当該媒介業務の処理状況の報告を電子メールで行うことはできない。 (2012-29-2)

386 ★★★

宅地建物取引業者Aが、BからB所有の中古住宅の売却の依頼を受け、専任媒介契約（専属専任媒介契約ではないものとする。）を締結した場合、Aは、当該中古住宅について法で規定されている事項を、契約締結の日から休業日数を含め7日以内に指定流通機構へ登録する義務がある。 (2023-40-3)

387 ★★★

宅地建物取引業者A社が、Bから自己所有の宅地の売買の媒介を依頼された場合、A社は、Bとの間で締結した媒介契約が専任媒介契約であるか否かにかかわらず、所定の事項を指定流通機構に登録しなければならない。 (2011-31-1)

388 ★★★

宅地建物取引業者Aは、Cが所有する乙アパートの売却に係る媒介の依頼を受け、Cと専任媒介契約を締結した。このとき、Aは、乙アパートの所在、規模、形質、売買すべき価額、依頼者の氏名、都市計画法その他の法令に基づく制限で主要なものを指定流通機構に登録しなければならない。 (2015-28-イ)

384 ▶ 依頼者に不利な特約は無効

特約を定める場合、依頼者に不利な特約は無効、依頼者に有利な特約は有効というのが原則です。本来であれば、業務処理状況は専属専任媒介契約の場合1週間に1回以上報告しなければならないのに、10日ごとになってしまうと依頼者に不利となってしまいますので、この特約は無効となります。

コース**8** ポイント**❶** **4**

385 ▶ 業務処理状況の報告は電子メール可

業務処理状況の報告は口頭でも電子メールでも問題ありません。

コース**8** ポイント**❶** **4**

386 ▶ 休業日は除く

専任媒介契約の場合、指定流通機構への登録は7日以内（専属専任媒介契約の場合は5日以内）ですが、**休業日は除く**こととなっています。

コース**8** ポイント**❶** **5**

387 ▶ 一般媒介契約では指定流通機構への登録は義務ではない

一般媒介契約の場合、指定流通機構への登録は義務ではありませんが、任意で登録することは可能です。

コース**8** ポイント**❶** **5**

388 ▶ 依頼者の氏名は登録事項ではない

専任媒介契約なので指定流通機構への登録はしなければなりません。その際、宅地または建物の所在・規模・形質・売買すべき価格や法令上の制限などの一定事項については登録をしなければなりませんが、依頼者の氏名は登録事項ではありません。

コース**8** ポイント**❶** **5**

389 ★★★ ☐☐☐ 宅地建物取引業者Ａが、Ｂ所有の宅地の売却の媒介の依頼を受け、Ｂと専任媒介契約を締結した場合、Ａは、媒介により、売買契約を成立させたが、Ｂから媒介報酬を受領するまでは、指定流通機構への当該契約成立の通知をしなくてもよい。　(2003-43-1)

390 ★★★ ☐☐☐ 宅地建物取引業者Ａが、Ｂ所有の宅地の売却の媒介の依頼を受け、Ｂと専任媒介契約を締結した場合、Ｂから指定流通機構には登録しなくてもよい旨の承諾を得ていれば、Ａは当該宅地に関する所定の事項について、指定流通機構に登録しなくてもよい。　(2003-43-2)

391 ★★★ ☐☐☐ 宅地建物取引業者Ａがマンションの貸借の媒介を行った。Ａは、貸主から媒介の依頼を受けて承諾したが、媒介契約書を作成せず、貸主に交付しなかった。Ａは宅地建物取引業法に違反する。

(1995-48-1)

392 ★★★ ☐☐☐ 宅地建物取引業者Ａが、Ｂ所有建物の売買の媒介の依頼を受け、Ｂと一般媒介契約を締結した。この場合、Ａは、遅滞なく、法第34条の2の規定により依頼者に交付すべき書面を作成し、宅地建物取引士をして記名させ、Ｂに交付しなければならない。

(2000-36-1改)

393 ★★★ ☐☐☐ 宅地建物取引業者Ａは、Ｂが所有する甲宅地の売却に係る媒介の依頼を受け、Ｂと専任媒介契約を締結した。このとき、Ａは、法第34条の2第1項に規定する書面を作成した場合、当該書面に記名押印し、Ｂに交付のうえ、宅地建物取引士をしてその内容を説明させなければならない。

(2015-28-ア改)

389　遅滞なく登録番号・取引価格・契約成立年月日を通知

 契約が成立した場合、遅滞なく、登録番号・取引価格・契約成立年月日を通知しなければなりません。

コース8　ポイント❶ 5

390　義務なので登録必要

 専任媒介契約の場合、指定流通機構への登録は義務ですのでしなければなりません。依頼者から登録しなくてもよい旨の承諾を得ていても、義務である以上は登録しなければなりません。

コース8　ポイント❶ 5

391　貸借で媒介契約書は不要

 貸借の場合、媒介契約書の作成（又は電磁的方法による提供）は不要です。

コース8　ポイント❷ 1

392　宅建業者の記名押印

 媒介契約書面に宅地建物取引士の記名は必要ありません。なお、宅建業者の記名押印が必要となります。

コース8　ポイント❷ 1

393　媒介契約書の説明は不要

媒介契約書面の交付の際には、特に説明を必要としていません。宅建業者の記名押印をして、その書面を依頼者に渡すことで足ります。

コース8　ポイント❷ 1

394

★★★

☐☐☐

宅地建物取引業者Ａが、Ｂから自己所有の宅地の売却の媒介を依頼された。Ａが、Ｂとの間に一般媒介契約を締結したときは、当該宅地に関する所定の事項を必ずしも指定流通機構へ登録しなくてもよいため、当該媒介契約の内容を記載した書面を作成する場合であっても、当該書面に、指定流通機構への登録に関する事項を記載する必要はない。

(2008-35-ア改)

395

★★★

☐☐☐

宅地建物取引業者Ａが、ＢからＢ所有の宅地の売却に係る媒介を依頼され、ＡがＢと一般媒介契約を締結した場合、当該一般媒介契約が国土交通大臣が定める標準媒介契約約款に基づくものであるか否かの別を、法第34条の２第１項に規定する書面を作成するときの当該書面に記載する必要はない。

(2016-27-1改)

396

★★★

☐☐☐

宅地建物取引業者Ａは、ＢからＢ所有の宅地の売却について媒介の依頼を受けた。ＡがＢとの間で一般媒介契約を締結した場合、ＡがＢに対し当該宅地の価額又は評価額について意見を述べるときは、その根拠を明らかにしなければならないが、根拠の明示は口頭でも書面を用いてもよい。

(2021⑫-33-エ)

397

★★★

☐☐☐

宅地建物取引業者Ａが、ＢからＢ所有の中古住宅の売却の依頼を受け、専任媒介契約（専属専任媒介契約ではないものとする。）を締結した場合、Ａは、Ｂが他の宅地建物取引業者の媒介又は代理によって売買の契約を成立させたときの措置を法第34条の2第１項の規定に基づく書面に記載しなければならない。

(2023-40-4)

394 ▶ 省略不可

指定流通機構への登録に関する事項については、媒介契約書面への記載事項のため、省略はできません。一般媒介契約の場合、指定流通機構への登録は義務ではありませんが、それでも記載の省略は不可です。

コース **8** ポイント **❷** **2**

395 ▶ 省略不可

国土交通大臣が定める標準媒介契約約款に基づくか否かは記載必須です。基づかないのであれば「基づかない」という旨を記載しなければなりません。記載しなかった場合には業務停止処分を受けることがあります。

コース **8** ポイント **❷** **2**

396 ▶ 根拠を明らかにする（口頭でも可）

宅建業者は、目的物の価額又は評価額について意見を述べるときは、その根拠を明らかにしなければなりません。ただし、根拠を述べる方法に制約はなく、口頭であっても構いません。

コース **8** ポイント **❷** **2**

397 ▶ 違反の場合の措置は記載しなければならない

媒介契約書面には、媒介契約に違反した場合の措置を記載しなければなりません。専任媒介契約において、他の宅地建物取引業者にも媒介または代理を依頼することは媒介契約違反となります。したがって、その際の措置を記載しなければなりません。

コース **8** ポイント **❷** **2**

9 広告等の規制

398
★★★
□□□
宅地建物取引業者Ａは、一団の宅地の販売について、数回に分けて広告をするときは、最初に行う広告以外は、取引態様の別を明示する必要はない。 (2014-30-4)

399
★★★
□□□
宅地建物取引業者が宅地の売買に関する広告をインターネットで行った場合において、当該宅地の売買契約成立後に継続して広告を掲載していたとしても、当該広告の掲載を始めた時点で当該宅地に関する売買契約が成立していなかったときは、法第32条に規定する誇大広告等の禁止に違反しない。 (2018-26-1)

400
★★★
□□□
宅地建物取引業者Ａは、実在しない宅地について広告又は虚偽の表示を行ってはならないが、実在する宅地については、実際に販売する意思がなくても、当該宅地の広告の表示に誤りがなければ、その広告を行うことができる。 (2007-38-1)

401
★★★
□□□
宅地建物取引業者Ａが県知事からその業務の全部の停止を命ぜられた期間中であっても、当該停止処分が行われる前に印刷した広告の配布活動のみは認められている。 (2002-32-2)

402
★★★
□□□
販売する宅地又は建物の広告に関し、著しく事実に相違する表示をした場合、監督処分の対象となるだけでなく、懲役若しくは罰金に処せられ、又はこれを併科されることもある。 (2023-31-4)

398 ▶ **取引態様の明示は必要**

✕　広告をする場合には、広告のつど、取引態様の別を明示しなければなりません。

〔コース〕**9**　〔ポイント〕**❶** **1**

399 ▶ **契約成立→速やかに削除**

✕　インターネット広告で、契約成立後に広告掲載を継続していた場合、誇大広告等の禁止に違反します。契約が成立したら、速やかに当該広告をインターネットから削除しなければなりません。

〔コース〕**9**　〔ポイント〕**❶** **3**

400 ▶ **おとり広告は禁止**

✕　おとり広告を行うことは禁止されています。実際に販売する意思がないのであれば、広告をしてはいけません。

〔コース〕**9**　〔ポイント〕**❶** **3**

401 ▶ **業務停止は広告も禁止**

✕　業務停止処分の期間中は、広告をすることも契約を締結することもできません。

〔コース〕**16**　〔ポイント〕**❶** **1**

402 ▶ **誇大広告→監督処分＆罰則**

◯　誇大広告をすると、監督処分の対象となり、さらに罰則もあります。

〔コース〕**9**　〔ポイント〕**❶** **4**

403

★★★

☐☐☐

これから建築工事を行う予定である建築確認申請中の建物については、当該建物の売買の媒介に関する広告をしてはならないが、貸借の媒介に関する広告はすることができる。　　　　　　　（2023-31-3）

404

★★★

☐☐☐

宅地建物取引業者Aは、宅地の貸借の媒介に際し、当該宅地が都市計画法第29条の許可の申請中であることを知りつつ、賃貸借契約を成立させた。Aは、宅地建物取引業法に違反しない。（2019-35-4）

403 ▶ 必要な許可・確認が下りてから

× 必要な許可・確認が下りる前には、広告をすることができません。申請中ということは、まだ建築確認は下りていないということなので、売買、貸借ともに広告をすることはできません。

コース**9** ポイント**❶** **4**

404 ▶ 貸借の契約は許可・確認が下りる前でも可

○ 必要な許可・確認が下りる前ですが、貸借の契約だけは例外的に認められています。

● 建築確認（建物）・開発許可（宅地）の前に広告・契約ができるか

	売 買	交 換	貸 借
広 告	×	×	×
契 約	×	×	○

○：できる ×：できない

コース**9** ポイント**❶** **4**

重要事項の説明

405
★★★

宅地建物取引士は、重要事項説明をする場合、取引の相手方から請求されなければ、宅地建物取引士証を相手方に提示する必要はない。

(2023-42-ア)

406
★★★

宅地建物取引業者は、宅地又は建物の売買について売主となる場合、買主が宅地建物取引業者であっても、重要事項説明は行わなければならないが、35条書面の交付、又は、これに代わる電磁的方法による提供は省略してよい。

(2013-30-1改)

407
★★★

重要事項の説明及び書面の交付は、取引の相手方の自宅又は勤務する場所等、宅地建物取引業者の事務所以外の場所において行うことができる。

(2015-29-2)

408
★★★

宅地建物取引業者が建物の貸借の媒介を行う場合、宅地建物取引士は、テレビ会議等のITを活用して重要事項の説明を行うときは、相手方の承諾があれば宅地建物取引士証の提示を省略することができる。

(2018-39-4)

409
★★★

重要事項の説明を行う宅地建物取引士は専任の宅地建物取引士でなくてもよいが、書面に記名する宅地建物取引士は専任の宅地建物取引士でなければならない。

(2015-29-4改)

410
★★★

売主及び買主が宅地建物取引業者ではない場合、当該取引の媒介業者は、売主及び買主に重要事項説明書を交付し、説明を行わなければならない。

(2023-42-イ)

405 相手方から請求がなくても提示

× 重要事項の説明の際には、相手方からの請求がなくても宅地建物取引士証を提示しなければなりません。

コース 10 ポイント ❶ 🔢

406 業者間でも書面交付は必要

× 相手方が宅建業者の場合、重要事項の説明をする必要はありませんが、重要事項説明書面の交付、又は、これに代わる電磁的方法による提供は必要です。

コース 10 ポイント ❶ 🔢

407 重要事項の説明はどこで行ってもよい

○ 重要事項の説明はどこで行っても構いません。

コース 10 ポイント ❶ 🔢

408 重要事項の説明の前に必ず提示

× 重要事項の説明は、テレビ会議等のITを活用できます。その際にも、宅地建物取引士証の提示を省略することはできません。

コース 10 ポイント ❶ 🔢

409 専任の宅地建物取引士でなくてもよい

× 重要事項の説明も書面への記名も、宅地建物取引士であればよく、専任の宅地建物取引士である必要はありません。

コース 10 ポイント ❶ 🔢

410 売主には必要なし

× 重要事項の説明は、これからその土地や建物を買おうとする人に対してするものです。ですから、売主には必要ありません。

コース 10 ポイント ❶ 🔢

※ 411 ～ 432 について、説明の相手方は宅地建物取引業者ではないものとします。

411
★★★

宅地の売買の媒介を行う場合、登記された抵当権について、引渡しまでに抹消される場合は説明しなくてよい。　　　　　　(2019-39-2)

412
★★★

建物の売買の媒介を行う場合、飲用水、電気及びガスの供給並びに排水のための施設が整備されていないときは、その整備の見通し及びその整備についての特別の負担に関する事項を説明しなければならない。　　　　　　(2012-30-2)

413
★★★

建物の売買の媒介だけでなく建物の貸借の媒介を行う場合においても、損害賠償額の予定又は違約金に関する事項について、説明しなければならない。　　　　　　(2020⑩-31-1)

414
★★★

重要事項説明では、代金、交換差金又は借賃の額を説明しなければならないが、それ以外に授受される金銭の額については説明しなくてよい。　　　　　　(2019-41-4)

415
★★★

建物の売買又は貸借の媒介を行う場合、当該建物が津波防災地域づくりに関する法律第53条第１項により指定された津波災害警戒区域内にあるときは、その旨を、売買の場合は説明しなければならないが、貸借の場合は説明しなくてよい。　　　　　　(2019-39-4)

416
★★★

宅地建物取引業者は、市町村が取引の対象となる宅地又は建物の位置を含む水害ハザードマップを作成している場合、売買又は交換の媒介のときは重要事項説明の際に水害ハザードマップを提示しなければならないが、貸借の媒介のときはその必要はない。

(2021⑩-33-3)

411　登記については説明必要

登記された権利の種類・内容については、重要事項として説明しなければなりません。抵当権については、たとえ抹消予定であっても、説明の段階で登記されているのであれば説明しなければなりません。

コース **10** ポイント **❷ 1**

412　整備の見通しまで説明必要

上下水道・電気・ガスの整備状況については説明しなければなりません。整備されていない場合には、その整備の見通しや、特別の負担に関する事項についても説明しなければなりません。

コース **10** ポイント **❷ 1**

413　貸借の媒介でも説明必要

損害賠償額の予定や違約金については、重要事項として説明が必要です。売買・交換・貸借いずれの取引の場合も説明が必要です。

コース **10** ポイント **❷ 1**

414　代金や借賃の額は説明不要

代金以外に授受される金銭（＝敷金や手付金など）の額・目的については説明が必要です。一方、代金や借賃の額については、重要事項では説明する必要はありません。

コース **10** ポイント **❷ 1**

415　貸借でも説明必要

津波災害警戒区域内にある場合には、その旨を売買・交換・貸借いずれの場合も重要事項として説明しなければなりません。

コース **10** ポイント **❷ 1**

416　水害ハザードマップは貸借でも提示必要

ハザードマップは売買・交換・貸借いずれの取引の場合でも提示が必要となります。

コース **10** ポイント **❷ 1**

417 ★★★

建物の貸借の媒介を行う場合、当該建物が建築工事の完了前であるときは、必要に応じ当該建物に係る図面を交付した上で、当該建築工事の完了時における当該建物の主要構造部、内装及び外装の構造又は仕上げ並びに設備の設置及び構造について説明しなければならない。 (2016-36-エ)

418 ★★★

建物の売買の媒介を行う場合、当該建物が既存の住宅であるときは、建物状況調査を実施しているかどうかを説明しなければならないが、実施している場合その結果の概要を説明する必要はない。 (2020⑩-31-3)

419 ★★★

昭和60年10月1日に新築の工事に着手し、完成した建物の売買の媒介を行う場合、当該建物が指定確認検査機関による耐震診断を受けたものであっても、その内容は説明する必要はない。 (2011-32-2)

420 ★★★

当該建物が既存の建物である場合、石綿使用の有無の調査結果の記録がないときは、石綿使用の有無の調査を自ら実施し、その結果について説明しなければならない。 (2019-28-3)

421 ★★★

建物の貸借の媒介を行う場合、私道に関する負担について、説明しなければならない。 (2017-33-3)

417　完成時の形状・構造は説明必要

○　未完成物件の場合、完了時の形状・構造について、重要事項として説明しなければなりません。

コース **10** ポイント **❷ ❶**

418　結果の概要も説明必要

×　建物状況調査を実施している場合、その結果の概要を説明する必要があります。なお、実施していない場合はその旨を告げれば足りるので、宅建業者が建物状況調査を実施する必要はありません。

コース **10** ポイント **❷ ❷**

419　新築工事着手が昭和56年6月1日以降なので不要

○　昭和56年6月1日以降に新築工事に着手した建物を除いて、耐震診断を受けている場合には、その結果を説明しなければなりません。なお、耐震診断については、調査結果がある場合にはその内容を説明する必要がありますが、宅建業者が耐震診断を実施する必要まではありません。

コース **10** ポイント **❷ ❷**

420　自ら調査を実施する必要はない

×　石綿使用についての調査結果の記録がある場合には、その内容を説明しなければなりません。

コース **10** ポイント **❷ ❷**

421　建物の貸借の媒介で私道負担は説明不要

×　売買の場合は私道負担について説明が必要です。貸借の媒介の場合、土地の貸借であれば必要ですが、建物の貸借の場合には説明不要です。

コース **10** ポイント **❷ ❸**

422 ★★★ ☐☐☐ 宅地建物取引業者が建物の貸借の媒介を行う場合、当該建物が住宅の品質確保の促進等に関する法律第5条第1項に規定する住宅性能評価を受けた新築住宅であるときは、その旨を説明しなければならない。 (2019-28-1)

423 ★★★ ☐☐☐ 建物の売買においては、その建物の契約不適合を担保すべき責任の履行に関し保証保険契約の締結などの措置を講ずるかどうか、また、講ずる場合はその概要を重要事項説明書に記載しなければならない。 (2018-35-3)

424 ★★★ ☐☐☐ 貸借の媒介を行う場合、敷金その他いかなる名義をもって授受されるかを問わず、契約終了時において精算することとされている金銭の精算に関する事項を説明しなければならない。 (2020⑩-44-2)

425 ★★★ ☐☐☐ 建物の貸借の媒介を行う場合、当該貸借の契約が借地借家法第38条第1項の規定に基づく定期建物賃貸借契約であるときは、宅地建物取引業者Aは、その旨を説明しなければならない。 (2009-33-3)

426 ★★★ ☐☐☐ 宅地建物取引業者が建物の貸借の媒介を行う場合、台所、浴室、便所その他の当該建物の設備の整備の状況について説明しなければならない。 (2018-39-3)

427 ★★★ ☐☐☐ 区分所有建物の売買の媒介を行う場合、建物の区分所有等に関する法律第2条第3項に規定する専有部分の用途その他の利用の制限に関する規約の定めがあるときは、その内容を説明しなければならないが、区分所有建物の貸借の媒介を行う場合は、説明しなくてよい。 (2020⑩-31-4)

422 ▶ 貸借の媒介の場合は説明不要

住宅性能評価を受けた新築住宅の場合、売買であればその旨を説明しなければなりませんが、貸借の媒介の場合は説明不要です。

コース**10** ポイント ❷ **4**

423 ▶ 講じる場合はその概要も説明必要

契約不適合担保責任の履行に関する措置の概要については説明しなければなりません。講じるか否かのみならず、講じるのであればその概要も説明しなければなりません。なお、講じない場合は「講じない」と説明することが必要です。

コース**10** ポイント ❷ **4**

424 ▶ 敷金の精算に関する事項は説明必要

敷金の精算方法は、貸借の場合には必ず説明しなければなりません。

コース**10** ポイント ❷ **5**

425 ▶ 定期借家である場合はその旨を説明

定期建物賃貸借であれば、その旨の説明も必要です。貸主が説明したとしても、それとは別に重要事項でも説明しなければなりません。

コース**10** ポイント ❷ **5**

426 ▶ 建物の貸借の媒介の場合には説明必要

建物の貸借の媒介の場合、台所・浴室・便所などの設備の整備状況について説明しなければなりません。売買の場合には説明不要です。

コース**10** ポイント ❷ **5**

427 ▶ 貸借の媒介の場合にも説明が必要

売買の媒介、貸借の媒介ともに、専有部分の用途その他の利用の制限に関する規約の定めがある場合、その旨を説明する必要があります。

コース**10** ポイント ❷ **6**

428
★★★

宅地建物取引業者が１棟の建物に属する区分所有建物の貸借の媒介を行う場合、当該１棟の建物及びその敷地の管理がA（個人）に委託されているときには、Aの氏名及び住所を、法第35条に基づく重要事項として説明しなければならない。　　　　　　　（1999-41-3）

429
★★★

宅地建物取引業者Aが、マンションの分譲に際して、法第35条の規定に基づき重要事項の説明を行う場合において、建物の区分所有等に関する法律第２条第４項に規定する共用部分に関する規約がまだ案の段階であるとき、Aは、規約の設定を待ってから、その内容を説明しなければならない。　　　　　　　　　　　（2008-37-2）

430
★★★

区分所有建物の売買の媒介を行う場合、一棟の建物の計画的な維持修繕のための費用の積立てを行う旨の規約の定めがあるときは、その内容を説明しなければならないが、既に積み立てられている額について説明する必要はない。　　　　　　　　　　　（2020⑩-44-4）

431
★★★

宅地の売買における当該宅地の引渡しの時期について、重要事項説明において説明しなければならない。　　　　　　　　　（2023-33-2）

432
★★★

建物の売買の媒介を行う場合、天災その他不可抗力による損害の負担に関する定めがあるときは、その内容について、宅地建物取引業者ではない相手方に対して説明しなければならない。　　　（2017-33-4）

428　管理者の住所と氏名は説明必要

○　管理が委託されている場合、その委託を受けている管理会社（個人であれば管理者）の主たる事務所の所在地、商号または名称（個人であれば住所、氏名）は、売買でも貸借の媒介でも説明しなければなりません。

コース 10　ポイント 2　6

429　「案」であっても説明必要

×　共用部分に関する規約がまだ案の段階であっても、その案を説明する必要があります。

コース 10　ポイント 2　7

430　既に積み立てられている額も説明必要

×　区分所有建物の売買の場合、修繕積立金については、すでに積み立てられている額も説明しなければなりません。

コース 10　ポイント 2　7

431　原則として重説に「時期」なし

×　引渡しの時期については重要事項で説明する必要はありません。

コース 11　ポイント 1　2

432　危険負担は重説で説明不要

×　天災その他不可抗力による損害を負担（＝危険負担）する旨の定めについては、重要事項として説明をする必要はありません。

コース 11　ポイント 1　2

※ 433 〜 439 について、電磁的方法による提供は考慮しないものとします。

433
★★★
宅地建物取引業者Aが媒介により宅地の売買契約を成立させた。Aは、37条書面を作成したときは、専任の宅地建物取引士をして37条書面に記名させる必要がある。　　　　　　　　　　　　　　（2023-43-3）

434
★★★
売主A、買主Bの間の宅地の売買について宅地建物取引業者Cが媒介をした。Cは、Bに対しては37条書面を交付したが、Aに対しては37条書面の交付も、当該書面に代わる電磁的方法による措置もしなかった。Cは、宅地建物取引業法の規定に違反する。

（1996-38-4改）

435
★★★
宅地建物取引業者Aが行う媒介業務に関し、Aが建物の売買契約を成立させた場合においては、37条書面を買主に交付するに当たり、37条書面に記名した宅地建物取引士ではないAの従業員が当該書面を交付することができる。　　　　　　　　　　（2020⑫-35-ア改）

436
★★★
宅地建物取引業者は、37条書面を交付するに当たり、宅地建物取引士をして、その書面に記名の上、その内容を説明させなければならない。　　　　　　　　　　　　　　　　　　　　　（2014-40-イ改）

433 ▶ 専任である必要はない

✕ 宅地建物取引士の記名が必要ですが、記名をする宅地建物取引士は、専任である必要はありません。

コース 11 ポイント ❶ 🔳

434 ▶ 契約の両当事者に書面の交付等をする

◯ 37条書面の交付又はこれに代わる電磁的方法による措置の相手は、重要事項の説明とは異なり、契約の両当事者（売主・買主／貸主・借主／交換の両当事者）です。

コース 11 ポイント ❶ 🔳

435 ▶ 37条書面の交付は誰でもよい

◯ 37条書面は誰が交付してもかまいません。したがって、宅地建物取引士が行う必要もありません。

コース 11 ポイント ❶ 🔳

436 ▶ 37条書面の説明は不要

✕ 37条書面には宅地建物取引士の記名が必要ですが、説明は不要です。

コース 11 ポイント ❶ 🔳

437

★★★

宅地建物取引業者Aが、甲建物の売買の媒介を行う場合において、Aは、37条書面に甲建物の所在、代金の額及び引渡しの時期は記載したが、移転登記の申請の時期は記載しなかった。Aは、宅地建物取引業法に違反しない。 (2009-36-3)

438

★★★

宅地建物取引業者Aが媒介により宅地の売買契約を成立させた。Aは、天災その他不可抗力による損害の負担に関する定めがあるときは、その内容を37条書面に記載しなければならない。 (2023-43-4)

439

★★★

宅地建物取引業者が、その媒介により建物の貸借の契約を成立させた場合に、宅地建物取引業法第37条の規定に基づく契約内容を記載した書面には、「当該建物に係る租税等の公課の負担に関する定めがあるときは、その内容」を必ず記載しなければならない。 (1999-35-4)

---

437 **移転登記の申請時期→必ず記載**

✕ 以下の事項は必ず記載しなければなりません。

> **ワンポイント解説**
> A　契約当事者の氏名・住所
> B　物件
> C　既存建物であるとき建物の構造耐力上主要な部分等の状況について当事者双方が確認した事項
> D　代金・借賃の額・支払時期・方法
> E　引渡し時期
> F　移転登記申請時期
> ※CとFは貸借の場合は記載不要

〔コース〕**11** 〔ポイント〕**❶ 2**

---

438 **定めがあれば記載**

◯ 天災その他不可抗力による損害の負担（＝危険負担）についての定めがあるときは、37条書面に記載しなければなりません。

〔コース〕**11** 〔ポイント〕**❶ 2**

---

439 **貸借の媒介の場合、定めがあっても記載不要**

✕ 貸借の媒介の場合、公租公課の負担に関する定めがあった場合でも記載する必要はありません。

> **Ａ** ローン（代金・交換差金に関する貸借）のあっせんに関する定め
> **Ｂ** 契約不適合担保責任に関する定め
> **Ｃ** 租税公課の負担に関する定め

〔コース〕**11** 〔ポイント〕**❶ 2**

440
★★★
☐☐☐

宅地建物取引業者Ａ社は、営業保証金を供託している供託所及びその所在地を説明しないままに、自らが所有する宅地の売買契約が成立したので、買主（宅地建物取引業者ではないものとする）に対し、その供託所等を37条書面に記載の上、説明した。宅地建物取引業法に違反する。 (2013-36-2)

441
★★★
☐☐☐

宅地建物取引業者Ａ社は、自ら所有する宅地を売却するに当たっては、当該売却に係る売買契約が成立するまでの間に、その買主（宅地建物取引業者でないものとする）に対して、供託している営業保証金の額を説明しなければならない。 (2012-33-4改)

442
★★★
☐☐☐

宅地建物取引業者は、いかなる理由があっても、その業務上取り扱ったことについて知り得た秘密を他に漏らしてはならない。 (2019-27-ウ)

443
★★★
☐☐☐

宅地建物取引業者Ａは、売主としてマンションの売買契約を締結するに際して、買主が手付として必要な額を今すぐには用意できないと申し出たので、手付金の分割払いを買主に提案した。宅地建物取引業法に違反する。 (2023-36-イ)

440　供託所の説明は契約締結前

◯

供託所に関する説明については、契約締結前に行う必要があります。37条書面は契約締結後に交付する書面なので、そこに記載しているということは契約締結後に説明していることになってしまいます。したがって、宅建業法違反となります。

コース 12　ポイント ❶ 1

441　額については説明不要

✕

宅建業者がどこの供託所に供託しているかがわからないと、還付請求ができません。そこで、宅建業者は、契約前にお客様に供託所等に関して説明する必要があります。ただし、供託している営業保証金の額については説明する必要がありません。

コース 12　ポイント ❶ 2

442　正当な理由があれば漏らしてもよい

✕

宅建業者と従業者は、業務上知った秘密を、現役中も引退後も、正当な理由なく漏らしてはいけません。しかし、正当な理由があれば漏らしても許されます。

コース 12　ポイント ❷ 1

443　手付金の分割払いは信用供与にあたり違反

◯

手付金の分割払いは、手付について信用供与にあたります。契約締結を誘引すれば、契約締結に至らなくても法に違反します。

禁止されるもの	認められるもの
●手付金の貸付け ●手付金の後払い ●手付金の分割払い ●手付金の手形での支払い	●手付金について銀行との 　間の金銭貸借のあっせん ●手付の減額

コース 12　ポイント ❷ 2

444

★★★

☐☐☐

宅地建物取引業者Aは、建物の売買の媒介をするに当たり、買主が手付金を支払えなかったので、手付金に関し銀行との間の金銭の貸借のあっせんをして、当該建物の売買契約を締結させた。Aは、宅地建物取引業法に違反しない。 (2000-35-4)

445

★★★

☐☐☐

宅地建物取引業者A社は、その相手方等に対して契約の目的物である宅地又は建物の将来の環境等について誤解させるべき断定的判断を提供することは禁止されているが、過失によって当該断定的判断を提供してしまった場合でも免責されない。 (2004-44-2)

446

★★★

☐☐☐

宅地建物取引業者Aの従業者は、投資用マンションの販売において、相手方に事前の連絡をしないまま自宅を訪問し、その際、勧誘に先立って、業者名、自己の氏名、契約締結の勧誘が目的である旨を告げた上で勧誘を行った。この場合、宅地建物取引業法に違反する。 (2014-43-2)

447

★★★

☐☐☐

宅地建物取引業者Aの従業者は、マンション建設に必要な甲土地の買受けに当たり、甲土地の所有者に対し、電話により売買の勧誘を行った。その際、売却の意思は一切ない旨を告げられたが、その翌日、再度の勧誘を行った。この場合、宅地建物取引業法に違反する。 (2014-43-3)

444　手付金に関し、銀行との間の金銭の貸借のあっせんは可

○　手付金に関し、銀行との間の金銭の貸借のあっせんは禁止されていません。

コース**12** ポイント **❷** **2**

445　断定的判断の提供は禁止

○　断定的判断の提供は禁止されています。これに関しては、故意過失を問いません。

コース**12** ポイント **❷** **2**

446　事前のアポイントまでは不要

✕　業者名・勧誘を行う者の氏名・契約締結目的の勧誘である旨を伝えているので、勧誘することは構いません。事前のアポイントまで要求されていません。

コース**12** ポイント **❷** **2**

447　勧誘を継続してはならない

○　相手方が契約しない旨の意思表示をしているのだから、勧誘を継続してはいけません。

コース**12** ポイント **❷** **2**

448
★★★
□□□

宅地建物取引業者Ａが自ら売主として建物の売買契約を締結した。宅地建物取引業者である買主Ｄは、建物の物件の説明をＡの事務所で受けた。後日、Ａの事務所近くの喫茶店で買受けを申し込むとともに売買契約を締結した場合、Ｄは宅地建物取引業法第37条の2の規定に基づく売買契約の解除はできる。　　　　　(2002-45-3)

449
★★★
□□□

宅地建物取引業者Ａが、自ら売主として、宅地建物取引業者ではない買主Ｂから宅地の買受けの申込みを受けた場合、Ａが、売却の媒介を依頼している宅地建物取引業者Ｃの事務所でＢから買受けの申込みを受けたとき、Ｂは、申込みの日から8日以内に書面により当該申込みの撤回を申し出ても、申込みの撤回を行うことができない。

(2023-35-4)

450
★★★
□□□

宅地建物取引業者Ａが自ら売主として建物の売買契約を締結した。宅地建物取引業者でない買主Ｂは、建物の物件の説明を自宅で受ける申し出を行い、自宅でこの説明を受け、即座に買受けを申し込んだ。後日、勤務先の近くのホテルのロビーで売買契約を締結した場合、Ｂは宅地建物取引業法第37条の2の規定に基づく売買契約の解除はできない。　　　　　(2002-45-1)

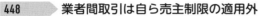

---

448 ▶ 業者間取引は自ら売主制限の適用外

✕ 自ら売主制限が適用されるのは、**売主が宅建業者で、買主が宅建業者以外の場合**のみとなります。宅建業者が自ら売主となる場合であっても、取引相手が宅建業者であれば、この規制は適用されません。

[コース]**13** [ポイント]**❶ 2**

---

449 ▶ クーリング・オフ不可

◯ Bは宅建業者Aから媒介の依頼を受けた**宅建業者Cの事務所**で買受けの申込みをしています。よって、クーリング・オフはできません。

🐧覚えよう！

1 事務所

2 専任の宅建士設置義務のある案内所

　　→モデルルームなどを指します

　　→テント張りなど、土地に定着していない場所は除きます

3 売主依頼の媒介代理業者の１・２の場所

4 買主から申し出た場合の買主の自宅・勤務先

[コース]**13** [ポイント]**❷ 2**

---

450 ▶ クーリング・オフ不可

◯ 申込みの場所と契約の場所が違う場合には、クーリング・オフできるかどうかは**申込みの場所で判断**します。買主が自ら申し出た買主の自宅で申込みをしているので、クーリング・オフはできません。

[コース]**13** [ポイント]**❷ 2**

451 ★★★ ☐☐☐

宅地建物取引業者A社が、自ら売主として宅地建物取引業者でない買主Bとの間で建物の売買契約を締結した。Bは、モデルルームにおいて買受けの申込みをし、後日、A社の事務所において売買契約を締結した。この場合、Bは、既に当該建物の引渡しを受け、かつ、その代金の全部を支払ったときであっても、A社からクーリング・オフについて何も告げられていなければ、契約の解除をすることができる。 (2012-37-1)

452 ★★★ ☐☐☐

宅地建物取引業者A社が、自ら売主として宅地建物取引業者でない買主Bとの間で締結した宅地の売買契約について、Bは、月曜日にホテルのロビーにおいて買受けの申込みをし、その際にクーリング・オフについて書面で告げられ、当該契約を締結した。Bは、翌週の火曜日までであれば、契約の解除をすることができる。 (2013-34-2)

453 ★★★ ☐☐☐

宅地建物取引業者Aが、自ら売主として、宅地建物取引業者でないBと宅地の売買契約を締結した場合、法37条の2の規定に基づくいわゆるクーリング・オフについて、AがBに告げるときに交付すべき書面には、クーリング・オフによる契約の解除は、Bが当該契約の解除を行う旨を記載した書面を発した時にその効力を生ずることが記載されていなければならない。 (2016-44-3)

LEC東京リーガルマインド 2025年版 宅建士 合格のトリセツ
頻出一問一答式 過去問題集

451 クーリング・オフ不可

買主が引渡しを受け、かつ代金全額を支払った場合にはクーリング・オフはできません。

コース 13 ポイント ❷ ❸

452 翌週月曜日まで

クーリング・オフができることを書面で告げられた日から起算して8日を経過すると、クーリング・オフはできなくなります。初日を1日目としてカウントしますので、翌週月曜日までクーリング・オフができます。

月	火	水	木	金	土	日	月	火	…
1	2	3	4	5	6	7	8		

コース 13 ポイント ❷ ❸

453 クーリング・オフの書面に記載

クーリング・オフは書面を発した時に効力が生じます。つまり、8日以内に発すればクーリング・オフは効力が生じることとなります。クーリング・オフできる旨を記載した書面には、そのことを記載する必要があります。

コース 13 ポイント ❷ ❹

454

★★★

□□□

宅地建物取引業者である売主Aが、宅地建物取引業者Bの媒介により宅地建物取引業者ではない買主Cと新築マンションの売買契約を締結した。AとCの間で、クーリング・オフによる契約の解除に関し、Cは契約の解除の書面をクーリング・オフの告知の日から起算して8日以内にAに到達させなければ契約を解除することができない旨の特約を定めた場合、当該特約は無効である。　　(2018-37-ア)

455

★★★

□□□

宅地建物取引業者Aが、自ら売主として、宅地建物取引業者ではないBとの間で宅地の売買契約を締結した。Bがクーリング・オフにより売買契約を解除した場合、当該契約の解除に伴う違約金について定めがあるときは、Aは、Bに対して違約金の支払を請求することができる。　　(2019-38-ア)

456

★★★

□□□

宅地建物取引業者Aが、自ら売主となり、宅地建物取引業者でない買主Bとの間で締結した宅地の売買契約について、Bが、自ら指定したホテルのロビーで買受けの申込みをし、その際にAからクーリング・オフについて何も告げられず、その3日後、Aのモデルルームで契約を締結した場合、Bは売買契約を解除することができる。　　(2010-38-1)

457

★★★

□□□

宅地建物取引業者Aが自ら売主となる売買契約において、宅地建物取引業者でない買主Bが、法第37条の2の規定に基づくクーリング・オフについてAより書面で告げられた日から7日目にクーリング・オフによる契約の解除の書面を発送し、9日目にAに到達した場合は、クーリング・オフによる契約の解除をすることができない。　　(2015-39-1)

454　買主に不利な特約は無効

○

クーリング・オフに関する特約で、**買主に不利なものは無効**となります。本来は8日以内に書面を発すればクーリング・オフが可能であるにもかかわらず、特約で到達していなければならないとしている点で、買主に不利なものとなっているため、本件特約は無効となります。

コース13　ポイント❷　5

455　クーリング・オフは無条件解除

×

クーリング・オフは無条件解除であり、**別途損害賠償請求や違約金の請求はできません。**なお、受領した手付金はそのまま速やかに返還しなければなりません。

コース13　ポイント❷　5

456　クーリング・オフ可

○

買主が自ら申し出た場合の自宅・勤務先で買受けの申込みをした場合は、クーリング・オフができませんが、ホテルは自宅でも勤務先でもありませんのでクーリング・オフは可能です。

コース13　ポイント❷　2

457　書面を発したのが8日以内なので解除可

×

クーリング・オフについて書面で告げられた場合は、告げられた日から起算して8日を経過すると、クーリング・オフはできなくなります。そして、クーリング・オフの効力はその書面を発した時に生じます。したがって、Bは書面で告げられた日から7日目に解除の書面を発送しているため、クーリング・オフによる契約の解除をすることができます。

コース13　ポイント❷　3

458

★★★

☐☐☐

宅地建物取引業者Aが、自ら売主として宅地建物取引業者でないBとの間で宅地（代金2,000万円）の売買契約を締結した。Aは、当事者の債務不履行を理由とする契約の解除に伴う損害賠償の予定額を300万円とし、かつ、違約金を300万円とする特約をすることができる。 (2010-40-2)

459

★★★

☐☐☐

宅地建物取引業者Aが自ら売主としてマンション（販売価額3,000万円）の売買契約を締結した場合、Aは、宅地建物取引業者であるDとの売買契約の締結に際して、当事者の債務不履行を理由とする契約の解除に伴う損害賠償の予定額の定めをしなかった場合、実際に生じた損害額1,000万円を立証により請求することができる。 (2005-43-3)

460

★★★

☐☐☐

宅地建物取引業者Aは、自ら売主となる建物（代金5,000万円）の売買に際し、あらかじめ宅地建物取引業者でない買主の承諾を得た上で、代金の30％に当たる1,500万円の手付金を受領した。Aは、宅地建物取引業法に違反しない。 (2009-40-3改)

461

★★★

☐☐☐

宅地建物取引業者Aは、自ら売主として、宅地建物取引業者でない買主Fと建築工事完了前のマンションを4,000万円で売却する契約を締結する際、100万円の手付金を受領し、さらに200万円の中間金を受領する場合であっても、手付金が代金の5％以内であれば保全措置を講ずる必要はない。 (2013-40-4)

458 ▶ 合算して2割まで

損害賠償の予定額と違約金は合算して売買代金の2割までとなります。今回の場合は合計が400万円を超えることはできません。

コース **13** ポイント **❸ 2**

459 ▶ 定めなかった場合は2割の制限なし

損害賠償の予定額を定めなかった場合には、実際に生じた損害額を請求することができます。なお、買主が宅建業者でない場合も同様です。

コース **13** ポイント **❸ 2**

460 ▶ 手付は2割まで

自ら売主制限では、手付は2割までしか受け取ることができません。今回は5,000万円の2割だから1,000万円までです。買主の承諾を得てそれを超える手付を受け取っても、超える部分は無効となりますし、受け取った時点で宅建業法違反となります。

コース **13** ポイント **❹ 2**

461 ▶ 未完成物件→5％以下かつ1,000万円以下

未完成物件の場合、手付金等の合計額が5％以下でかつ1,000万円以下であれば、保全措置を講じることなく受領することができます。4,000万円の5％（＝200万円）以下で、かつ、1,000万円以下であれば保全措置不要です。しかし、今回は合計300万円となるので、中間金を受領する際に保全措置を講じる必要があります。

コース **13** ポイント **❺ 2**

462

★★★
□□□

宅地建物取引業者Ａは自ら売主として、宅地建物取引業者でないＢ
との間で建築工事が完了した建物を5,000万円で販売する契約を締
結し、法第41条の２に規定する手付金等の保全措置を講じずに、
当該建物の引渡し前に700万円を手付金として受領した。Ａは、宅
地建物取引業法に違反しない。 (2008-41-2)

463

★★★
□□□

宅地建物取引業者Ａ社は、自ら売主として宅地建物取引業者でない
買主Ｂとの間で、中古マンション（代金2,000万円）の売買契約を
締結し、その際、代金に充当される解約手付金200万円を受領した。
引渡前に、Ａ社は、代金に充当される中間金として100万円をＢか
ら受領し、その後、本件手付金と当該中間金について法第41条の
２に定める保全措置を講じた。Ａ社は、宅地建物取引業法に違反し
ない。 (2012-34-ア)

464

★★★
□□□

宅地建物取引業者Ａは、自ら売主として宅地建物取引業者でない買
主Ｂとの間で建築工事完了前の建物を4,000万円で売却する契約を
締結し300万円の手付金を受領する場合、銀行等による連帯保証、
保険事業者による保証保険又は指定保管機関による保管により保全
措置を講じなければならない。 (2013-40-1)

465

★★★
□□□

宅地建物取引業者Ａが、自ら売主として建築工事完了前の建物を
5,000万円で売買する契約を宅地建物取引業者でない買主Ｅと締結
した。Ａは、Ｅから手付金100万円と中間金500万円を受領したが、
既に当該建物についてＡからＥへの所有権移転の登記を完了してい
たため、保全措置を講じなかった。Ａは、宅地建物取引業法に違反
しない。 (2014-33-4)

462 **完成物件→10%以下かつ1,000万円以下**

完成物件の場合、手付金等の合計額が**10%以下でかつ1,000万円以下**であれば、保全措置を講じることなく受領することができます。5,000万円の10%（＝500万円）以下で、かつ、1,000万円以下であれば受領できますが、今回は700万円と500万円を超えていますので、保全措置を講じなければ受領できません。

コース **13** ポイント **5** **2**

463 **保全措置は受領前に講じる必要あり**

中間金を受領するときに手付金と合わせると代金の10%（＝200万円）を超えてしまうので、**中間金を受領する前に**、本件手付金と中間金を合わせた300万円について保全措置を講ずる必要があります。

コース **13** ポイント **5** **2**

464 **未完成物件では手付金等寄託契約不可**

未完成物件の場合、**指定保管機関との手付金等寄託契約は使えません**。なお、「保管」と「寄託」は同じ意味と考えてください。

	銀行等との 保証委託契約	保険事業者との 保証保険契約	指定保管機関との 手付金等寄託契約
未完成物件	●	●	✕
完成物件	●	●	●

●：保全措置として可　✕：不可

コース **13** ポイント **5** **2**

465 **所有権登記あれば保全措置不要**

買主のもとに**所有権移転登記があれば**、宅建業者は保全措置を講じることなく手付金等を受領することができます。

コース **13** ポイント **5** **2**

466
★★★
□□□

宅地建物取引業者Ａが自ら売主として、Ｂ所有の甲宅地を、宅地建物取引業者でない買主Ｃに売却しようとしている。この場合において、Ａは、甲宅地の造成工事の完了後であれば、Ｂから甲宅地を取得する契約の有無にかかわらず、Ｃとの間で売買契約を締結することができる。 (2009-31-ア)

467
★★★
□□□

宅地建物取引業者Ａが自ら売主となってＩの所有する宅地について、Ｉと停止条件付で取得する売買契約を締結し、その条件が成就する前に当該物件についてＪと売買契約を締結した。Ａは宅地建物取引業法に違反する。なお、この問において、Ａ以外の者は宅地建物取引業者ではないものとする。 (2005-35-4)

468
★★★
□□□

宅地建物取引業者Ａは、自ら売主として行う中古建物の売買に際し、引き渡された建物の品質が契約の内容に適合しない場合において、宅地建物取引業者ではない買主がその不適合を通知をすべき期間を引渡しの日から２年間とする特約をした。Ａは、宅地建物取引業法に違反しない。 (2009-40-4改)

469
★★★
□□□

宅地建物取引業者Ａが、自ら売主として、宅地建物取引業者でないＢとの間で建物の売買契約を締結する場合において、「Ｂが、契約不適合担保責任を追及するためのその不適合をＡに通知する期間は、建物の引渡しの日から１年間とする」旨の特約を付した。この場合、当該特約は無効となり、ＢがＡに対して契約不適合である旨の通知をすべき期間は、当該引渡しの日から２年間となる。 (2015-34-2改)

466 他人物売買は禁止

宅建業法の自ら売主制限では、他人物売買は基本的には禁止となります。例外として、仕入れ先（今回はB）との間で契約や予約があれば、確実に手に入るので売ってもよいとしています。しかし、今回は契約も予約もしていないため、売買契約を締結することはできません。

コース13 ポイント⑥ 1

467 停止条件付き契約では不可

停止条件付契約の場合、Aは確実にその宅地を入手できるとは限りません。よって、自ら売主制限では売買契約を締結してはいけないこととなっています。

コース13 ポイント⑥ 2

468 引渡しから2年間とする特約は例外的に有効

自ら売主制限では、民法の規定よりも買主に不利な特約は無効となります。しかし、通知すべき期間について引渡しの日から2年以上となる特約は例外的に有効となります。

コース13 ポイント❼ 2

469 「引渡しから2年間」→「知った時から1年間」

今回の特約は「引渡しの日から1年間」としているので、2年以上ではないため無効となります。その場合には、民法の「買主が契約不適合を知った時から1年以内に通知」が適用されます。「引渡しから2年」ではありません。

コース13 ポイント❼ 2

470

★★★

☐☐☐

宅地建物取引業者Aが、自ら売主として、宅地建物取引業者でないBと建物の売買契約を締結した場合の契約不適合担保責任（以下単に「担保責任」という。）に関して、「BがAに対して担保責任を追及するための契約不適合である旨の通知期間は建物の引渡しの日から2年間とし、Bは、契約を解除することはできないが、損害賠償を請求することができる」旨の特約は無効である。　　（1997-41-1改）

471

★★

☐☐☐

宅地建物取引業者A社が、自ら売主として行う宅地（代金3,000万円）の売買に関して、A社は、宅地建物取引業者でない買主Cとの間で、割賦販売の契約を締結したが、Cが賦払金の支払を遅延した。A社は20日の期間を定めて書面にて支払を催告したが、Cがその期間内に賦払金を支払わなかったため、契約を解除した。A社は宅地建物取引業法に違反する。　　（2011-39-2）

472

★★

☐☐☐

宅地建物取引業者A社が、自ら売主として行う宅地（代金3,000万円）の売買に関して、A社は、宅地建物取引業者でない買主Dとの間で、割賦販売の契約を締結し、引渡しを終えたが、Dは300万円しか支払わなかったため、宅地の所有権の登記をA社名義のままにしておいた。A社は宅地建物取引業法に違反する。　　（2011-39-3）

470 ▶ 買主不利な特約は無効

◯ 自ら売主制限では、民法の規定よりも買主に不利な特約は無効となります。契約不適合である旨の通知期間について引渡しの日から2年間という特約は例外的に有効となります。しかし、解除できないとするのは買主に不利となりますので、この特約は無効となります。

コース13 ポイント❼ 2

471 ▶ 30日以上の期間を定めて書面にて催告

◯ 自ら売主制限では、30日以上の期間を定めて書面にて催告しなければ割賦販売契約に基づく売買契約を解除することはできません。

コース13 ポイント❽ 2

472 ▶ 3割支払われるまでは所有権留保可

✕ 自ら売主制限では、所有権の留保は原則禁止していますが、代金の3割の支払いを受けるまでの間は登記を移さず所有権を留保することができます。

コース13 ポイント❽ 3

473
★★★
宅地建物取引業者は、自ら売主として宅地建物取引業者である買主との間で新築住宅の売買契約を締結し、その住宅を引き渡す場合、住宅販売瑕疵担保保証金の供託又は住宅販売瑕疵担保責任保険契約の締結を行う義務を負う。 (2015-45-1)

474
★★★
宅地建物取引業者は、自ら売主として新築住宅を販売する場合だけでなく、新築住宅の売買の媒介をする場合においても、住宅販売瑕疵担保保証金の供託又は住宅販売瑕疵担保責任保険契約の締結を行う義務を負う。 (2019-45-1)

475
★★★
宅地建物取引業者Aが自ら売主として、宅地建物取引業者でない買主Bに新築住宅を販売することとなった。Aは、住宅販売瑕疵担保保証金の供託をする場合、Bに対する供託所の所在地等について記載した書面の交付（又は、Bの承諾を得て電磁的方法により提供）及び説明を、Bに新築住宅を引き渡すまでに行えばよい。 (2013-45-3改)

476
★★★
住宅販売瑕疵担保責任保険契約を締結している宅地建物取引業者は、当該住宅を引き渡した時から10年間、住宅の構造耐力上主要な部分の瑕疵によって生じた損害についてのみ保険金を請求することができる。 (2018-45-4)

477
★★★
自ら売主として新築住宅を宅地建物取引業者ではないBに引き渡した宅地建物取引業者Aが、住宅販売瑕疵担保保証金を供託する場合、その住宅の床面積が55㎡以下であるときは、新築住宅の合計戸数の算定に当たって、床面積55㎡以下の住宅2戸をもって1戸と数えることになる。 (2017-45-2)

473 ▶ 業者間では義務無し

✕ 住宅瑕疵担保履行法は、売主が宅建業者で買主が宅建業者以外の場合に適用されます。今回は買主も宅建業者ですので、住宅瑕疵担保履行法の適用はありません。

(コース)**14** (ポイント) ❶ ❷

474 ▶ 媒介の場合は義務なし

✕ 媒介をする宅建業者には資力確保を行う義務はありません。

(コース)**14** (ポイント) ❶ ❷

475 ▶ 「引き渡すまでに」→「契約締結するまでに」

✕ 供託所の説明は、契約締結するまでに書面を交付（又は、買主の承諾を得て電磁的方法により提供）して行わなければなりません。引渡し前ではありません。

(コース)**14** (ポイント) ❶ ❺

476 ▶ 雨水の浸入を防止する部分の瑕疵も保険の対象！

✕ 新築住宅の構造耐力上主要な部分と雨水の浸入を防止する部分に瑕疵があれば、売主は責任を負わなければなりません。そのために供託か保険による資力確保措置が義務付けられています。

(コース)**14** (ポイント) ❶ ❶

477 ▶ 55㎡以下は2戸で1戸

◯ 住宅の床面積が55㎡以下の場合には、2戸で1戸分とします。

(コース)**14** (ポイント) ❶ ❸

478

★★★

☐☐☐

住宅販売瑕疵担保責任保険契約は、新築住宅の買主が保険料を支払うことを約し、住宅瑕疵担保責任保険法人と締結する保険契約である。 (2014-45-3)

479

★★★

☐☐☐

自ら売主として新築住宅を宅地建物取引業者でない買主に引き渡した宅地建物取引業者は、その住宅を引き渡した日から3週間以内に、住宅販売瑕疵担保保証金の供託又は住宅販売瑕疵担保責任保険契約の締結の状況について、宅地建物取引業の免許を受けた国土交通大臣又は都道府県知事に届け出なければならない。 (2018-45-2)

480

★★★

☐☐☐

自ら売主として新築住宅を宅地建物取引業者でない買主に引き渡した宅地建物取引業者は、基準日に係る資力確保措置の状況の届出をしなければ、当該基準日以後、新たに自ら売主となる新築住宅の売買契約を締結することができない。 (2011-45-2)

478 保険料は宅建業者が支払う

保険料を支払うのは**宅建業者**です。

コース**14** ポイント**❶ 3**

479 基準日から３週間以内

新築住宅を引き渡した宅建業者は、**基準日**（毎年３月31日）から３週間以内に、保証金の供託及び保険への加入の状況を免許権者に届け出なければなりません。

コース**14** ポイント**❶ 4**

480 基準日の翌日から起算して50日経過した日以後

届出をしなかった場合、**基準日の翌日から起算して50日経過した日以後**は、自ら売主として新築住宅の売買契約ができなくなります。基準日以後ではありません。

コース**14** ポイント**❶ 4**

15 報酬額の制限

481
★★★
☐☐☐

宅地建物取引業者A（消費税課税事業者）が売主B（消費税課税事業者）からB所有の土地付建物の媒介依頼を受け、買主Cとの間で代金5,200万円（消費税額及び地方消費税額を合算した額200万円を含む。）で売買契約を成立させた場合、AがBから受領できる報酬の限度額（消費税額及び地方消費税額を含む。）は178万2,000円である。 (2004-41-1改)

482
★★★
☐☐☐

宅地建物取引業者A（消費税課税事業者）が売主B（消費税課税事業者）からB所有の土地付建物の媒介の依頼を受け、買主Cとの間で消費税額及び地方消費税額を含む代金6,600万円（うち、土地代金は4,400万円）で売買契約を成立させた場合、AがBから受領できる報酬の上限額は、204万6,000円である。 (2009-41-4改)

483
★★★
☐☐☐

宅地建物取引業者A及び宅地建物取引業者B（ともに消費税課税事業者）が受領する報酬に関し、Aは売主から代理の依頼を、Bは買主から媒介の依頼を、それぞれ受けて、代金5,000万円の宅地の売買契約を成立させた場合、Aは売主から343万2,000円、Bは買主から171万6,000円、合計で514万8,000円の報酬を受けることができる。 (2020⑩-30-1)

484
★★★
☐☐☐

宅地建物取引業者Aが貸主から代理を依頼され、宅地建物取引業者Bが借主から媒介を依頼され、共同して店舗用建物の賃貸借契約を成立させた場合、Aは貸主から、Bは借主からそれぞれ借賃の1カ月分の報酬額を受けることができる。なお、消費税及び地方消費税に関しては考慮しないものとする。 (2003-44-3)

481 ▶ 1,716,000円が限度

✕ 消費税を除いた5,000万円の3％＋6万円に消費税10％加算した1,716,000円が限度額となります。

代金額	計算式
200万円以下	代金の5％
200万円超400万円以下	代金の4％＋2万円
400万円超	代金の3％＋6万円

宅建士試験では電卓が使用できません。基本的な計算はできるようにしておいてください！

コース 15 ポイント ❷ 1

482 ▶ 2,178,000円が限度

✕ 土地代金に消費税は課税されませんので、建物代金に相当する2,200万円からのみ消費税200万円分を除きます。したがって、6,400万円の3％＋6万円に消費税10％加算した2,178,000円が上限額となります。

コース 15 ポイント ❷ 6

483 ▶ 3,432,000円が限度

✕ 5,000万円の3％＋6万円に消費税10％加算した171万6,000円の2倍である、343万2,000円がAとBの合計受領額の上限額となります。

コース 15 ポイント ❷ 5

484 ▶ 合わせて借賃の1カ月分（消費税等を除く）

✕ 借賃を基準とする場合、貸借の媒介で受領できるのは、合計で借賃の1.1カ月分（1カ月分＋消費税等）までです。それぞれ1カ月分ではありません。

コース 15 ポイント ❸ 1

485

★★★

☐☐☐

消費税課税事業者である宅地建物取引業者Ａが単独で行う居住用建物の貸借の媒介に関して、Ａが依頼者の一方から受けることができる報酬の上限額は、当該媒介の依頼者から報酬請求時までに承諾を得ている場合には、借賃の1.1か月分である。　　　（2008-43-1改）

486

★★★

☐☐☐

居住用の建物の貸借の媒介に係る報酬の額は、借賃の１月分の1.1倍に相当する額以内であるが、権利金の授受がある場合は、当該権利金の額を売買に係る代金の額とみなして算定することができる。

（2016-33-ウ改）

487

★★★

☐☐☐

宅地建物取引業者Ａ（消費税課税事業者）は、Ｂが所有する建物について、Ｂ及びＣから媒介の依頼を受け、Ｂを貸主、Ｃを借主とし、１か月分の借賃を10万円（消費税等相当額を含まない。）、ＣからＢに支払われる権利金（権利設定の対価として支払われる金銭であって返還されないものであり、消費税等相当額を含まない。）を150万円とする定期建物賃貸借契約を成立させた。建物が店舗用である場合、Ａは、Ｂ及びＣの承諾を得たときは、Ｂ及びＣの双方からそれぞれ11万円の報酬を受けることができる。　　（2018-30-1改）

488

★★

☐☐☐

土地（代金700万円。消費税等相当額を含まない。）の売買について、宅地建物取引業者Ａ（消費税課税事業者）が売主Ｄから媒介を依頼され、現地調査等の費用が通常の売買の媒介に比べ３万円（消費税等相当額を含まない。）多く要する場合、その旨をＤに対し説明した上で、ＡがＤから受け取ることができる報酬の上限額は330,000円である。　　　　　　　　　　　　　　　　　　（2018-31-3改）

489

★★★

☐☐☐

宅地建物取引業者は、依頼者の依頼によらない広告の料金に相当する額を報酬額に合算する場合は、代理又は媒介に係る報酬の限度額を超える額の報酬を依頼者から受けることができる。（2020⑫-34-4）

485　居住用建物の貸借の媒介→承諾なければ半月分＋消費税等

課税事業者が居住用建物の貸借の媒介の依頼者から受領できる報酬限度額は、依頼を受けるにあたって承諾がない限り、借賃半月分に10％加算した額です。報酬請求時までに承諾ではありません。

（コース）**15**（ポイント）**❸ 1**

486　居住用→権利金計算不可

居住用では権利金を基準とはできません。したがって、通常通り、借賃の1.1カ月分となります。

（コース）**15**（ポイント）**❸ 2**

487　それぞれ11万円（合計22万円）の受け取りは不可

権利金の授受があるので、これを売買代金とみなして計算します。すると、150万円×5％＝7万5,000円となります。双方から依頼があるので、合計15万円となります。それと1カ月分の家賃である10万円と比較すると、高いほうは15万円となります。したがって、双方から受け取ることができる報酬は15万円に消費税を加えた16万5,000円が限度となります。ちなみに、借賃を基準とした場合、合わせて借賃の1カ月分が上限となるので、選択肢の「それぞれ11万円（＝合計22万円）」を受け取ること自体ができません。

（コース）**15**（ポイント）**❸ 2**

488　空家等の特例で現地調査費も受領可

700万円×3％＋6万円で27万円、それに現地調査等の費用3万円を合わせて30万円となります。それに消費税を加えて33万円を受領できます。

（コース）**15**（ポイント）**❹ 2**

489　依頼者の依頼に基づかないので受領不可

通常の広告料金は報酬とは別に受領できませんが、依頼者の依頼によって行う広告料金は報酬とは別に受領できます。

（コース）**15**（ポイント）**❶ 2**

490
★★★
宅地建物取引業者Ａ（甲県知事免許）は、甲県知事から指示処分を受けたが、その指示処分に従わなかった。この場合、甲県知事は、Ａに対し、１年を超える期間を定めて、業務停止を命ずることができる。 (2016-26-3)

491
★★★
甲県知事の免許を受けた宅地建物取引業者Ａが乙県内で業務に関し不正又は著しく不当な行為をしても、乙県知事は、Ａの免許を取り消すことができない。 (1994-50-2)

492
★★★
甲県知事の免許を受けている宅地建物取引業者Ｅ社の取締役Ｆが、刑法第208条（暴行）の罪により罰金の刑に処せられた場合、Ｅ社の免許は取り消される。 (2005-31-4)

493
★★★
丙県知事は、宅地建物取引業者Ｃ（丙県知事免許）が免許を受けてから１年以内に事業を開始しないときは、免許を取り消さなければならない。 (2019-29-ウ)

490 **1年以内**

✕ 業務停止は1年以内の期間となります。

〔コース〕**16** 〔ポイント〕**❶** **1**

491 **免許取消し→免許権者のみ**

◯ 免許取消処分は免許権者しかできません。Aは甲県知事免許なので、免許取消しができるのは甲県知事のみです。乙県知事はできません。

〔コース〕**16** 〔ポイント〕**❶** **1**

492 **会社の役員が欠格者→会社は免許取消し**

◯ 会社の役員・政令で定める使用人の中に欠格者がいる場合、その会社の免許は取り消されます。今回、役員が欠格者（＝暴力系の犯罪で罰金刑）なので、E社の免許は取消しとなります。

〔コース〕**16** 〔ポイント〕**❶** **1**

493 **必ず免許取消し**

◯ 1年以内に事業を開始しない場合、必ず免許取消しとなります。

覚えよう！

● **必ず免許取消しになるもの**

1 免許の欠格事由に該当した場合

2 宅建業の業務を1年以上していない場合

3 免許換えの手続きを怠った場合

〔コース〕**16** 〔ポイント〕**❶** **1**

494 ★★★ ☐☐☐ 乙県知事は、宅地建物取引業者B（乙県知事免許）に対して指示処分をしようとするときは、聴聞を行わなければならず、聴聞の期日における審理は、公開により行わなければならない。 (2019-29-イ)

495 ★★ ☐☐☐ 甲県知事は、宅地建物取引業者A（甲県知事免許）に対して指示処分をした場合には、甲県の公報などにより、その旨を公告しなければならない。 (2008-45-4改)

496 ★★ ☐☐☐ 宅地建物取引業者が、宅地建物取引士をして取引の相手方に対し重要事項説明をさせる場合、当該宅地建物取引士は、取引の相手方から請求がなくても、宅地建物取引士証を相手方に提示しなければならず、提示しなかったときは、20万円以下の罰金に処せられることがある。 (2013-30-2)

497 ★★★ ☐☐☐ 甲県知事の宅地建物取引士資格登録を受けている宅地建物取引士Aは、乙県内において業務を行う際に提示した宅地建物取引士証が、不正の手段により交付を受けたものであるとしても、乙県知事から登録を消除されることはない。 (2013-42-2)

498 ★★★ ☐☐☐ 宅地建物取引業者Aの取締役が宅地建物取引業の業務に関するものではないが、脱税し、所得税法に違反したとして罰金刑に処せられた場合、Aは指示処分を受けることがある。 (2002-39-4)

494 ▶ 公開の聴聞が必要

◯ 監督処分をする前には公開の聴聞を行わなければなりません。

コース16 ポイント❶ 3

495 ▶ 指示処分では公告なし

✕ 監督処分をした際の公告は、宅建業者に対して業務停止処分と免許取消処分をした際に行います。指示処分では公告を行いません。

	業者
指示処分	✕
業務停止処分	●
免許取消処分	●

	宅建士
指示処分	✕
事務禁止処分	✕
登録消除処分	✕

●：公告必要　✕：公告不要

コース16 ポイント❶ 4

496 ▶ 10万円以下の過料

✕ 20万円以下の罰金ではなく、10万円以下の過料となります。

コース16 ポイント❷ 2

497 ▶ 登録消除は登録した知事のみ

◯ 登録を行った知事でなければ、登録消除処分はできません。ですので、乙県知事から登録消除処分を受けることはありません。

コース16 ポイント❶ 2

498 ▶ 宅建業の業務に関するものでないなら監督処分なし

✕ 法令に違反した場合、それがどのような法令であっても、宅建業の業務に関しての違反であれば、監督処分を受けることがあります。しかし、宅建業の業務に関するものでないならば、監督処分を受けることはありません。

コース16 ポイント❶ 1

「比較」で 覚えよう！

● 「変更の届出」と「変更の登録」の違い

	変更の届出（業者）	変更の登録（宅建士）
義務者	宅建業者	宅地建物取引士登録を受けている者
時　期	変更後30日以内	変更後遅滞なく
届出先	免許権者	登録先の都道府県知事
内　容	①商号または名称 ②事務所の名称・所在地 ③法人業者の役員および政令で定める使用人の氏名 ④個人業者およびその政令で定める使用人の氏名 ⑤事務所ごとに置かれる成年者である専任の宅地建物取引士の氏名	①氏名 ②住所 ③本籍 宅建業者の業務に従事している場合 当該業者の ④商号または名称 ⑤免許証番号

よく似ているものとして、宅建業者の「変更の届出」と宅建士の「変更の登録」があります。

例

● 業者の名称が変更した場合

　　　変更の届出　➡　必要

　　　変更の登録　➡　必要

● 事務所の所在地が変更した場合

　　　変更の届出　➡　必要

　　　変更の登録　➡　不要（免許換えを伴う場合を除く）

● 宅建士の名前が変更となった場合

　　　変更の届出　➡　必要（専任の宅建士の場合）

　　　変更の登録　➡　必要

● 宅建士の住所が変更となった場合

　　　変更の届出　➡　不要

　　　変更の登録　➡　必要

応用問題に チャレンジ！

> 宅地建物取引業者Ａ（甲県知事免許）は、自ら所有している物件について、直接賃借人Ｂと賃貸借契約を締結するに当たり、宅地建物取引業法第35条に規定する重要事項の説明を行わなかった。この場合、Ａは、甲県知事から業務停止を命じられることがある。
>
> （2016-26-4）

 やっぱりこれは違反でしょう。

 なんで？

 だって重要事項説明をしていないんだよ！宅建業法違反じゃん！

 でも、今回のケースは自ら貸借だよ！

 え？　何か問題ある？

 自ら貸借は取引ではないのだから、宅建業法が適用されないでしょ！

 そうか！　重要事項説明自体が必要ないんだ！

 そう！　だから業務停止は受けない！

 誤り

 ひっかけ問題か…

「比較」で 覚えよう！

●重要事項説明と37条書面

	重要事項説明	37条書面
交付時期	契約成立前	契約成立後遅滞なく
誰に？	買主（借主）に対して（宅建業者を除く）	買主・売主両当事者に対して
記名	宅地建物取引士	宅地建物取引士
説明	宅地建物取引士	不要
取引士証	必ず提示	請求があれば提示
交付しない場合	監督処分	監督処分・罰則

重要事項説明と37条書面について、書面記載内容についても気をつけましょう。

例 登記された権利

重要事項説明書 ➡ 記載しなければならない

37条書面 ➡ 記載不要

例 代金・借賃

重要事項説明書 ➡ 記載不要

37条書面 ➡ 記載しなければならない

例 天災その他不可抗力による損害の負担（危険負担）

重要事項説明書 ➡ 記載不要

37条書面 ➡ 定めがあれば記載

例 物件の引渡し時期

重要事項説明書 ➡ 記載不要

37条書面 ➡ 記載しなければならない

★重要事項説明には原則として「時期」についての記載は不要

第3編•法令上の制限

本試験での出題数：8問　得点目標：6点

論　点	問題番号
都市計画法 1	問題 499 ～問題 520
都市計画法 2	問題 521 ～問題 552
建築基準法 1	問題 553 ～問題 592
建築基準法 2	問題 593 ～問題 606
国土利用計画法	問題 607 ～問題 623
農地法	問題 624 ～問題 644
土地区画整理法	問題 645 ～問題 666
その他の法令上の制限	問題 667 ～問題 679

都市計画法1

499
★★★
☐☐☐

都市計画区域は、市町村が、市町村都市計画審議会の意見を聴くとともに、都道府県知事に協議し、その同意を得て指定する。

(2020⑫-15-3)

500
★★★
☐☐☐

都市計画区域は、一体の都市として総合的に整備し、開発し、及び保全される必要がある区域であり、2以上の都府県にまたがって指定されてもよい。

(2002-17-1)

501
★★★
☐☐☐

都道府県が都市計画区域を指定する場合には、一体の都市として総合的に整備し、開発し、及び保全する必要がある区域を市町村の行政区域に沿って指定しなければならない。

(1997-17-1改)

502
★★★
☐☐☐

都市計画区域については、無秩序な市街化を防止し、計画的な市街化を図るため、市街化区域と市街化調整区域との区分を必ず定めなければならない。

(2007-18-2)

503
★★★
☐☐☐

市街化区域は、既に市街地を形成している区域であり、市街化調整区域は、おおむね10年以内に市街化を図る予定の区域及び市街化を抑制すべき区域である。

(2002-17-3)

504
★★★
☐☐☐

市街化区域については、少なくとも用途地域を定めるものとし、市街化調整区域については、原則として用途地域を定めないものとされている。

(2010-16-1)

---

499 **市町村ではない**

都市計画区域の指定については、都道府県または国土交通大臣が指定します。

コース**1** ポイント**❷** **1**

---

500 **2以上の都府県にまたがってよい**

都市計画区域は、2以上の都府県にまたがって指定することもできます。

コース**1** ポイント**❷** **1**

---

501 **行政区域に沿う必要はない**

都市計画区域の指定は、2つ以上の市町村の区域にまたがって指定することもできます。

コース**1** ポイント**❷** **1**

---

502 **区域区分は任意**

区域区分は、必ず定めなければならないものではありません。定めるかどうかは原則として任意です。なお、都市計画区域内の区域区分が定められていない区域を、非線引き区域といいます。

コース**1** ポイント**❷** **2**

---

503 **市街化区域と市街化調整区域の定義が異なる**

市街化区域は、すでに市街地を形成している区域およびおおむね10年以内に市街化を図る予定の区域で、市街化調整区域は、市街化を抑制すべき区域です。つまり、「おおむね10年以内に市街化を図る予定の区域」も市街化区域です。

コース**1** ポイント**❷** **2**

---

504 **市街化区域には用途地域を定める**

市街化区域には、用途地域を定めます。しかし、市街化調整区域には、原則として定めません。

コース**1** ポイント**❸** **1**

505
★★★

準都市計画区域は、都市計画区域外の区域のうち、新たに住居都市、工業都市その他の都市として開発し、及び保全する必要がある区域に指定するものとされている。　　　　　　　　　　　　（2010-16-2）

506
★★★

準都市計画区域については、都市計画に、高度地区を定めることはできるが、高度利用地区を定めることはできないものとされている。　　　　　　　　　　　　　　　　　　　　　　　　（2011-16-2）

507
★★★

準住居地域は、主として住居の環境を保護するための地域である。　　　　　　　　　　　　　　　　　　　　　　　　（1991-18-4改）

508
★★★

近隣商業地域は、主として商業その他の業務の利便の増進を図りつつ、これと調和した住居の環境を保護するため定める地域とする。　　　　　　　　　　　　　　　　　　　　　（2021⑫-15-1）

509
★★★

準工業地域は、主として環境の悪化をもたらすおそれのない工業の利便の増進を図りつつ、これと調和した住居の環境を保護するため定める地域とする。　　　　　　　　　　　　　　（2021⑫-15-2）

505 開発のために準都市計画区域の指定はしない

準都市計画区域は開発のために区域の指定はしません。なお、準都市計画区域は、都市計画区域とは異なり、都市をつくる目的ではないので、市街地開発事業も実施されません。

コース **1** ポイント **❷** **❸**

506 高度地区は高さの最高限度のみ定められる

準都市計画区域においては、高度地区は高さの最高限度のみ定めることが可能です。また、準都市計画区域に高度利用地区を定めることはできません。

コース **1** ポイント **❷** **❸**

507 準住居地域→道路の沿道

準住居地域は、道路の沿道としての地域の特性にふさわしい業務の利便の増進を図りつつ、これと調和した住居の環境を保護するため定める地域です。なお、本肢は第二種住居地域の記述です。

コース **1** ポイント **❸** **❷**

508 近隣商業地域の内容ではない

近隣商業地域は「近隣の住宅地の住民に対する日用品の供給を行うことを主たる内容とする商業その他の業務の利便を増進するため定める地域」です。本肢は、準住居地域と商業地域の内容を混合させたものです。

コース **1** ポイント **❸** **❷**

509 準工業地域の内容ではない

準工業地域は「主として環境の悪化をもたらすおそれのない工業の利便を増進するため定める地域」です。本肢は、前半は正しいが、後半は準住居地域の内容と混合させたものです。

コース **1** ポイント **❸** **❷**

510
★★★
☐☐☐

高度利用地区は、土地の合理的かつ健全な高度利用と都市機能の更新とを図るため、都市計画に、建築物の高さの最低限度を定める地区とされている。

(2023-15-2)

511
★★★
☐☐☐

特定街区については、都市計画に、建築物の容積率並びに建築物の高さの最高限度及び壁面の位置の制限を定めるものとされている。

(2019-15-2)

512
★★★
☐☐☐

特別用途地区は、用途地域が定められていない土地の区域（市街化調整区域を除く。）内において、その良好な環境の形成又は保持のため当該地域の特性に応じて合理的な土地利用が行われるよう、制限すべき特定の建築物等の用途の概要を定める地区とされている。

(2019-15-4)

513
★★★
☐☐☐

高層住居誘導地区は、住居と住居以外の用途とを適正に配分し、利便性の高い高層住宅の建設を誘導するために定められる地区であり、近隣商業地域及び準工業地域においても定めることができる。

(2014-15-4)

510　高度利用地区は「高さ」ではない

高度利用地区は、用途地域内の市街地における土地の合理的かつ健全な高度利用と都市機能の更新とを図るため、建築物の容積率の最高限度および最低限度、建蔽率の最高限度、建築物の建築面積の最低限度、壁面の位置の制限を定める地区です。

暗記ポイント　**総まとめ**

● 高度地区　　　　＝　高さ
● 高度利用地区　＝　高さではない

コース 1　ポイント 4　2

511　特定街区の定義の通り

特定街区は、市街地の整備改善を図るため街区の整備または造成が行われる地区について、その街区内における建築物の容積率、建築物の高さの最高限度、壁面の位置の制限を定める街区です。

コース 1　ポイント 4　3

512　特別用途地区は用途地域内

特別用途地区は、用途地域内の一定の地区における当該地区の特性にふさわしい土地利用の増進、環境の保護等の特別の目的の実現を図るため、当該用途地域の指定を補完して定める地区です。なお、本肢は特定用途制限地域の説明です。

コース 1　ポイント 4　2

513　高層住居誘導地区は高層住宅の建設を誘導

高層住居誘導地区は、第一種住居地域・第二種住居地域・準住居地域・近隣商業地域・準工業地域で定めることができます。

コース 1　ポイント 4　2

514
★★★
□□□

風致地区内における建築物の建築については、一定の基準に従い、地方公共団体の条例で、都市の風致を維持するため必要な規制をすることができる。　　　　　　　　　　　　　　　　　　　(2018-16-2)

515
★★★
□□□

都市計画は、都市計画区域内において定められるものであるが、道路や公園などの都市施設については、特に必要があるときは当該都市計画区域外においても定めることができる。　　　　(2002-17-2)

516
★★★
□□□

地区計画は、建築物の建築形態、公共施設その他の施設の配置等からみて、一体としてそれぞれの区域の特性にふさわしい態様を備えた良好な環境の各街区を整備し、開発し、及び保全するための計画であり、用途地域が定められている土地の区域においてのみ定められる。　　　　　　　　　　　　　　　　　　(2006-18-1)

517
★★★
□□□

地区計画の区域のうち地区整備計画が定められている区域内において、建築物の建築等の行為を行った者は、一定の行為を除き、当該行為の完了した日から30日以内に、行為の種類、場所等を市町村長に届けなければならない。　　　　　　　　　(2012-16-4)

518
★★★
□□□

市町村は、都市計画を決定しようとするときは、あらかじめ、都道府県知事に協議し、その同意を得なければならない。　　(2012-16-3)

519
★★★
□□□

都市計画の決定又は変更の提案は、当該提案に係る都市計画の素案の対象となる土地について所有権又は借地権を有している者以外は行うことができない。　　　　　　　　　　　　　　　(2012-16-2)

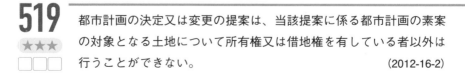

514 風致地区→条例で規制可能

◯ 風致地区内における建築物の建築については、一定の基準に従い、地方公共団体の条例で、都市の風致を維持するため必要な規制をすることができます。

コース 1 ポイント ④ 3

515 都市施設→都市計画区域内に限らない

◯ 都市計画は、都市計画区域内で定められるものです。しかし、都市計画区域外であっても、特に必要があるときは、都市施設を定めることができます。

コース 1 ポイント ⑤ 1

516 用途地域が定められている場所だけじゃない

✕ 地区計画は、用途地域が定められている土地の区域と、用途地域が定められていない土地の区域の一定の区域で定めることができます。つまり、用途地域が定められていない区域であっても、定めることは可能です。

コース 1 ポイント ⑥ 2

517 行為着手の30日前までに市町村長に届出

✕ 区域内で、土地の区画形質の変更・建築物の建築・工作物の建設を行おうとする場合、行為に着手する日の30日前までに市町村長に届出が必要です。

コース 1 ポイント ⑥ 4

518 協議のみで可

✕ 市町村が都市計画を決定しようとするときは、あらかじめ都道府県知事に協議する必要があります。ただし、同意までは必要ありません。

コース 1 ポイント ⑦ 2

519 NPO法人なども可

✕ 特定非営利活動法人（NPO法人）などは、都道府県や市町村に対して都市計画の決定や変更の提案をすることができます。したがって、所有権や借地権を有する者のみには限られません。

コース 1 ポイント ⑦ 1

520

★★★

市町村が定めた都市計画が、都道府県が定めた都市計画と抵触する
ときは、その限りにおいて、市町村が定めた都市計画が優先する。

(2015-16-4)

520 都道府県が優先

× 都道府県が決めた都市計画と市町村が決めた都市計画の内容が抵触する場合、都道府県の計画が優先されます。

コース1 ポイント 7 1

2 都市計画法2

※問521～548まで、都道府県知事とは地方自治法に基づく指定都市、中核市及び施行時特例市にあってはその長をいいます。

521
★★★

建築物の建築を行わない青空駐車場の用に供する目的で行う土地の区画形質の変更については、その規模が1ヘクタール以上のものであっても開発許可を受ける必要はない。 (1996-20-1)

522
★★★

市街化調整区域において、野球場の建設を目的とした8,000㎡の土地の区画形質の変更を行おうとする者は、あらかじめ、都道府県知事の許可を受けなければならない。 (2019-16-3)

523
★★★

市街化区域において行う開発行為で、市町村が設置する医療法に規定する診療所の建築の用に供する目的で行うものであって、当該開発行為の規模が1,500㎡であるものについては、開発許可は必要である。 (2013-16-3)

521 開発行為ではない

○ 開発行為とは、主として建築物の建築又は特定工作物の建設の用に供する目的で行う土地の区画形質の変更をいいます。今回の「青空駐車場」は建築物でも特定工作物でもないため、いくら土地の区画形質の変更をしていても開発行為ではありません。開発行為ではない以上、開発許可は不要です。

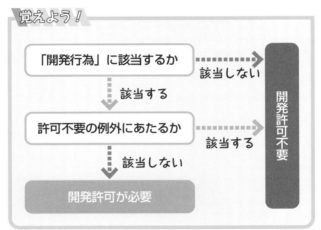

覚えよう！

「開発行為」に該当するか —該当しない→ 開発許可不要

↓該当する

許可不要の例外にあたるか —該当する→

↓該当しない

開発許可が必要

コース2 ポイント❶ ❷

522 開発行為ではない

✕ 野球場は10,000㎡未満の場合、特定工作物とはなりません。よって開発行為にあたらず、開発許可は不要です。

コース2 ポイント❶ ❷

523 許可が必要

○ 市街化区域で1,000㎡以上の開発行為は原則として許可が必要です。

コース2 ポイント❶ ❸

524
★★★

市街化調整区域において行う開発行為で、その規模が300㎡であるものについては、常に開発許可は不要である。 (2013-16-2)

525
★★★

区域区分が定められていない都市計画区域内において、20戸の分譲住宅の新築を目的として5,000㎡の土地の区画形質の変更を行おうとする場合は、都道府県知事の許可を受けなければならない。 (2010-17-1)

526
★★★

準都市計画区域において、店舗の建築を目的とした4,000㎡の土地の区画形質の変更を行おうとする者は、あらかじめ、都道府県知事の許可を受けなければならない。 (2019-16-1)

527
★★★

都市計画区域でも準都市計画区域でもない区域内における住宅団地の建設を目的とした6,000㎡の土地の区画形質の変更には、常に開発許可が不要である。 (2003-18-3)

528
★★★

市街化区域内において、農業を営む者の居住の用に供する建築物の建築の用に供する目的で行われる1,500㎡の開発行為は、開発許可を受ける必要がある。 (2012-17-ウ)

529
★★★

市街化調整区域における農産物の加工に必要な建築物の建築を目的とした500㎡の土地の区画形質の変更には、常に開発許可が不要である。 (2003-18-1)

---

524 ▶ 許可が必要

市街化調整区域には小規模開発の例外がありません。したがって、300㎡であっても開発許可が必要です。

コース**2** ポイント**❶ 3**

---

525 ▶ 許可は必要

区域区分の定められていない都市計画区域（＝非線引区域）は3,000㎡以上の開発行為は原則として許可が必要です。

コース**2** ポイント**❶ 3**

---

526 ▶ 許可は必要

準都市計画区域は3,000㎡以上の開発行為は原則として許可が必要です。

コース**2** ポイント**❶ 3**

---

527 ▶ 許可は不要

都市計画区域および準都市計画区域外の区域内であれば、10,000㎡未満は許可不要なので、6,000㎡の開発行為であれば許可は不要です。

コース**2** ポイント**❶ 3**

---

528 ▶ 農林漁業者の住居→市街化区域は原則1,000㎡以上許可必要

農林漁業者の住居は、市街化区域以外は常に許可不要ですが、市街化区域では、その規模によっては（＝1,000㎡以上）開発許可が必要となります。今回は1,500㎡なので許可が必要となります。

コース**2** ポイント**❶ 3**

---

529 ▶ 農産物の加工＝農林漁業用建築物ではない

農産物の貯蔵や加工に必要な建築物は、開発許可が不要になる農林漁業用建築物にはあたりません。よって、原則として開発許可が必要となります。

コース**2** ポイント**❶ 3**

530 ★★★

市街化区域において、社会教育法に規定する公民館の建築の用に供する目的で行われる1,500㎡の土地の区画形質の変更を行おうとする者は、都道府県知事の許可を受けなくてよい。　　　　(2020⑫-16-2)

531 ★★★

市街化調整区域において、医療法に規定する病院の建築を目的とした1,000㎡の土地の区画形質の変更を行おうとする者は、都道府県知事の許可を受けなくてよい。　　　　(2019-16-4)

532 ★★★

市街化区域内において、市街地再開発事業の施行として行う1 haの開発行為を行おうとする者は、あらかじめ、都道府県知事の許可を受けなければならない。　　　　(2022-16-1)

533 ★★★

市街化調整区域において、非常災害のため必要な応急措置として8,000㎡の土地の区画形質の変更を行おうとする者は、あらかじめ、都道府県知事の許可を受けなければならない。　　　　(2020⑫-16-1)

534 ★★★

開発許可の申請は、自己が所有している土地についてのみ行うことができる。　　　　(2001-19-2)

535 ★★★

開発行為を行おうとする者は、開発許可を受けてから開発行為に着手するまでの間に、開発行為に関係がある公共施設の管理者と協議し、その同意を得なければならない。　　　　(2004-18-4)

536 ★★★

開発許可を申請しようとする者は、あらかじめ、開発行為により設置される公共施設を管理することとなる者と協議し、その同意を得なければならない。　　　　(1991-20-1改)

530 例外的に許可も協議も不要

○ 公益上必要な建築物（＝駅舎・図書館・公民館・変電所等）の建築に必要な開発行為は、常に開発許可は不要です。

コース2 ポイント❶ 3

531 病院→公益上必要な建築物ではない

× 学校・医療施設・社会福祉施設は、公益上必要な建築物としては扱いません。したがって、許可不要とは限りません。

コース2 ポイント❶ 3

532 例外的に許可不要

× 市街地再開発事業の施行として行う開発行為では、常に開発許可は不要です。

コース2 ポイント❶ 3

533 例外的に許可不要

× 非常災害のため必要な応急措置として行われる開発行為は、常に許可不要です。

コース2 ポイント❶ 3

534 自己が所有している必要はない

× 開発許可を受けるためには、開発区域内の土地等の権利者の相当数の同意を得ていることが必要です。したがって、開発許可を申請しようとする者は、所有者等の同意を得ていればよく、その土地が自己所有でなくても構いません。

コース2 ポイント❷ 1

535 申請前に行う

× 開発行為に関係がある公共施設の管理者との協議や同意は、申請前に行います。

コース2 ポイント❷ 1

536 協議のみでよく同意は不要

× 開発行為により設置される公共施設を管理することとなる者とは協議をする必要がありますが、同意を得る必要はありません。なお、当該協議は申請前に行います。

コース2 ポイント❷ 1

537
★★★

都道府県知事は、開発許可の申請があったときは、申請があった日から21日以内に、許可又は不許可の処分をしなければならない。

(2004-18-1)

538
★★★

開発許可の申請をした場合には、遅滞なく、許可又は不許可の処分が行われるが、許可の処分の場合に限り、文書で申請者に通知される。

(1996-20-3)

539
★★

開発許可を受けようとする者が都道府県知事に提出する申請書には、開発区域内において予定される建築物の用途を記載しなければならない。

(2006-20-2)

540
★★★

都市計画法第33条に規定する開発許可の基準のうち、排水施設の構造及び能力についての基準は、主として自己の居住の用に供する住宅の建築の用に供する目的で行う開発行為に対しては適用されない。

(2011-17-3)

541
★★★

開発許可を受けた者から当該開発区域内の土地の所有権を取得した者は、都道府県知事の承認を受けることなく、当該開発許可を受けた者が有していた当該開発許可に基づく地位を承継することができる。

(2016-17-3)

542
★★★

開発許可を受けた者の相続人その他の一般承継人は、都道府県知事の承認を受けて、被承継人が有していた開発許可に基づく地位を承継することができる。

(1999-19-3)

537 遅滞なく

 申請があった場合、遅滞なく処分をしなければなりません。21日以内というように具体的な日数が定められているわけではありません。

コース**2** ポイント**2** **1**

538 不許可の場合も文書で通知

 都道府県知事は、遅滞なく、許可・不許可の処分を文書によってしなければなりません。つまり、不許可の場合であっても文書で通知されます。

コース**2** ポイント**2** **1**

539 予定建築物の用途は必要

 許可申請書には開発区域・予定建築物等の用途・設計図書・工事施行者を明記（予定建築物の高さ・構造・設備・価格etcは記載事項ではない！）します。

コース**2** ポイント**2** **1**

540 自己居住用でも適用される

 給水施設については自己居住用では適用されません。しかし、排水施設については自己居住用であっても適用されます。

コース**2** ポイント**2** **1**

541 知事の承認が必要

 開発許可を受けた者から当該開発区域内の土地の所有権を取得した者は、都道府県知事の承認を受けて、当該開発許可を受けた者が有していた当該開発許可に基づく地位を承継することができます。

コース**2** ポイント**2** **2**

542 当然に承継するため、知事の承認は不要

 開発許可を受けた者の相続人その他の一般承継人は、被相続人等が有していた許可に基づく地位を当然に承継するため、知事の承認は必要ありません。

コース**2** ポイント**2** **2**

543 ★★ ☐☐☐ 都道府県知事は、用途地域の定められていない土地の区域における開発行為について開発許可をする場合において必要があると認めるときは、当該開発区域内の土地について、建築物の敷地、構造及び設備に関する制限を定めることができる。 (2016-17-4)

544 ★★★ ☐☐☐ 開発許可を受けた者は、開発行為に関する工事を廃止したときは、遅滞なく、その旨を都道府県知事に届け出なければならない。 (2004-18-3)

545 ★★★ ☐☐☐ 開発許可を受けた開発区域内の土地であっても、当該許可に係る開発行為に同意していない土地の所有者は、その権利の行使として建築物を建築することができる。 (2008-19-1)

543 ▶ 用途地域の定められていない区域のみ可

○ 都道府県知事は、用途地域の定められていない土地の区域における開発行為について開発許可をする場合において必要があると認めるときは、当該開発区域内の土地について、建築物の建蔽率、建築物の高さ、壁面の位置その他建築物の敷地、構造及び設備に関する制限を定めることができます。

コース**2** ポイント▶**❷** **1**

544 ▶ 廃止→届出が必要

○ 工事を廃止した場合には、遅滞なく、都道府県知事に届出をしなければなりません。

コース**2** ポイント▶**❷** **2**

545 ▶ 公告前→不同意者は例外として建築可能

○ 開発許可を受けた開発区域内の土地においては、工事完了の公告があるまでの間は、原則として、建築物を建築し、又は特定工作物を建設してはなりません。ただし、工事用仮設建築物、知事が支障がないと認めた場合、開発行為に同意していない者は例外とされます。

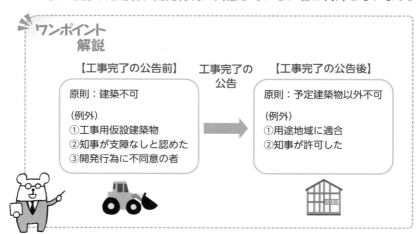

ワンポイント解説

【工事完了の公告前】　工事完了の公告　【工事完了の公告後】

原則：建築不可

（例外）
①工事用仮設建築物
②知事が支障なしと認めた
③開発行為に不同意の者

原則：予定建築物以外不可

（例外）
①用途地域に適合
②知事が許可した

コース**2** ポイント▶**❷** **3**

546
★★★

開発許可を受けた開発区域内の土地に用途地域が定められている場合には、開発行為が完了した旨の公告があった後、当該開発許可に係る予定建築物以外の建築物を都道府県知事の許可を受けずに建築することができる。 (2004-19-2)

547
★★★

開発許可を受けた開発行為により公共施設が設置されたときは、その公共施設は、工事完了の公告の日の翌日において、原則としてその公共施設の存する市町村の管理に属するものとされている。

(2020⑩-16-3)

548
★★★

市街化調整区域のうち開発許可を受けた開発区域以外の区域内において、土地の区画形質の変更を伴わずに、床面積が150㎡の住宅の全部を改築し、飲食店としようとする場合には、都道府県知事の許可を受けなければならない。 (2010-17-2)

549
★★★

田園住居地域内の農地の区域内において、土地の形質の変更を行おうとする者は、一定の場合を除き、市町村長の許可を受けなければならない。 (2018-16-1)

550
★★★

都市計画施設の区域又は市街地開発事業の施行区域内において建築物の建築をしようとする者は、一定の場合を除き、都道府県知事（市の区域内にあっては、当該市の長）の許可を受けなければならない。

(2017-16-ア)

東京リーガルマインド　2025年版 宅建士 合格のトリセツ
頻出一問一答式 過去問題集

546 公告後→用途地域が定められている場合は例外として建築可能

開発許可を受けた開発区域内においては、工事完了の公告があった後は、都道府県知事が許可したとき、又は、用途地域等が定められているときであれば、当該開発許可に係る予定建築物以外の建築物を新築することができます。

コース **2** ポイント **2 3**

547 公共施設は原則として市町村が管理

開発許可を受けた開発行為により公共施設が設置されたときは、その公共施設は、工事完了の公告の日の翌日において、原則としてその公共施設の存する市町村の管理に属するものとされます。

コース **2** ポイント **2 3**

548 市街化調整区域は許可必要

市街化調整区域は、建物の新築、改築、用途変更をしてほしくない場所です。開発許可が不要となる場所であっても、建築物の新築、改築、用途変更や第一種特定工作物の新設について知事の許可を必要とします。

コース **2** ポイント **2 4**

549 市町村長の許可を受けなければならない

田園住居地域内の農地の区域内において、土地の形質の変更、建築物の建築その他工作物の建設又は土石その他の政令で定める物件の堆積を行おうとする者は、原則として市町村長の許可を受けなければなりません。

コース **2** ポイント **2 5**

550 都道府県知事等の許可が必要

都市計画施設の区域又は市街地開発事業の施行区域内において建築物の建築をしようとする者は、原則として、都道府県知事等の許可を受けなければなりません。

コース **2** ポイント **3 2**

551 ★★★ ☐☐☐ 市街地開発事業等予定区域に関する都市計画において定められた区域内において、非常災害のため必要な応急措置として行う建築物の建築であれば、都道府県知事（市の区域内にあっては、当該市の長）の許可を受ける必要はない。 (2012-16-1)

552 ★★★ ☐☐☐ 都市計画事業の認可の告示後、事業地内において行われる建築物の建築については、都市計画事業の施行の障害となるおそれがあるものであっても、非常災害の応急措置として行うものであれば、都道府県知事の許可を受ける必要はない。 (1998-17-4)

551 ▶ 非常災害のため必要な応急措置であれば許可不要

◯ 市街地開発事業等予定区域に関する都市計画において定められた区域内において、非常災害のため必要な応急措置として行う建築物の建築であれば、許可は必要ありません。

コース**2** ポイント▶**❸ 2**

552 ▶ 事業地内は非常災害の応急措置であっても許可が必要

✕ 事業地内で建築物の建築を行おうとする者は、都道府県知事等の許可を受けなければなりません。事業地内は非常災害の応急措置であっても許可が必要となります。

コース**2** ポイント▶**❸ 2**

3 建築基準法1

※問 555 ～ 557 について、特定行政庁の許可は考慮しないものとします。

553
★★★

文化財保護法の規定によって重要文化財に指定された建築物であっても、建築基準法は適用される。　　　　　　　　　　　(2002-21-3)

554
★★★

建築基準法の改正により、現に存する建築物が改正後の建築基準法の規定に適合しなくなった場合、当該建築物は違反建築物となり、速やかに改正後の建築基準法の規定に適合させなければならない。

(2012-18-1)

555
★★★

老人ホームは、工業専用地域以外のすべての用途地域内において建築することができる。　　　　　　　　　　　　　　　(2000-23-2)

556
★★★

第一種低層住居専用地域内においては、高等学校を建築することはできるが、高等専門学校を建築することはできない。　(2010-19-4)

553 重要文化財に指定された建築物は適用なし

✕ 文化財保護法の規定によって国宝、重要文化財等として指定され、又は仮指定された建築物には、建築基準法は適用されません。

コース3 ポイント❶ 3

554 既存不適格建築物となり、違反建築物とはならない

✕ 建築基準法の改正により、現に存する建築基準法の規定に適合しなくなった場合、その建築物に対しては、改正された建築基準法の規定は適用されません。これを既存不適格建築物といいます。

コース3 ポイント❶ 3

555 工業専用以外で建築可

◯ 老人ホームは工業専用地域以外のすべてで建築可能です。

	住 居 系								商 業 系		工 業 系		
	1低	2低	田園住居	1中高	2中高	1住	2住	準住居	近隣商業	商業	準工業	工業	工業専用
住宅・図書館・老人ホーム	●	●	●	●	●	●	●	●	●	●	●	●	✕

コース3 ポイント❷ ❶

556 高校は建築可、高専は建築不可

◯ 高等学校（小学校・中学校と同様の規制）は第一種低層住居専用地域で建築可能です。しかし、高等専門学校（大学と同様の規制）は、第一種低層住居専用地域では、特定行政庁の許可がない限り建築はできません。

	住 居 系								商 業 系		工 業 系		
	1低	2低	田園住居	1中高	2中高	1住	2住	準住居	近隣商業	商業	準工業	工業	工業専用
小中高	●	●	●	●	●	●	●	●	●	●	●	✕	✕
高専・大学・病院	✕	✕	✕	●	●	●	●	●	●	●	●	✕	✕

コース3 ポイント❷ ❶

557
★★★
□□□

店舗の用途に供する建築物で当該用途に供する部分の床面積の合計が10,000㎡を超えるものは、原則として工業地域内では建築することができない。 (2014-18-1)

558
★★★
□□□

建築物の敷地が第一種住居地域と近隣商業地域にわたる場合、当該敷地の過半が近隣商業地域であるときは、その用途について特定行政庁の許可を受けなくても、カラオケボックスを建築することができる。 (2004-20-1)

559
★★★
□□□

商業地域内で、かつ、防火地域内にある耐火建築物については、建築面積の敷地面積に対する割合の制限を受けない。 (2001-21-4)

560
★★★
□□□

容積率を算定する上では、共同住宅の共用の廊下及び階段部分は、当該共同住宅の延べ面積の3分の1を限度として、当該共同住宅の延べ面積に算入しない。 (2008-20-3)

561
★★★
□□□

建築物の敷地が、都市計画により定められた建築物の容積率の限度が異なる地域にまたがる場合、建築物が一方の地域内のみに建築される場合であっても、その容積率の限度は、それぞれの地域に属する敷地の部分の割合に応じて按分計算により算出された数値となる。 (2004-20-3)

562
★★★
□□□

建築物の前面道路の幅員により制限される容積率について、前面道路が2つ以上ある場合には、これらの前面道路の幅員の最小の数値（12m未満の場合に限る。）を用いて算定する。 (2017-19-4)

557 ○ **工業地域では建築不可**

10,000㎡超の床面積の店舗（大規模集客施設）は工業地域には建築することができません。近隣商業・商業・準工業のみ可能です。

コース**3** ポイント**❷ ❶**

558 ○ **過半の属する地域に合わせる**

用途規制で、複数の地域にまたがる場合、敷地の過半の属する地域（今回は近隣商業地域）の規制に合わせます。

コース**3** ポイント**❷ ❷**

559 ○ **建蔽率の制限なし**

建蔽率制限の数値が10分の8とされている地域内で、かつ、防火地域内にある耐火建築物等には建蔽率の制限は適用されません。なお、商業地域の建蔽率は10分の8です。

コース**3** ポイント**❸ ❸**

560 × **3分の1→全て算入しない**

共同住宅・老人ホーム等の共用廊下及び階段の用に供する部分は延べ面積に算入しません。3分の1に限らず、全て算入しません。

コース**3** ポイント**❹ ❷**

561 ○ **割合で按分計算**

容積率で、複数の地域にまたがる場合、割合で考えますので、按分計算をして求めることとなります。

コース**3** ポイント**❹ ❹**

562 × **前面道路の幅員の大きい（広い）ほうの数値を用いる**

前面道路の幅員が12m未満の建築物の容積率は、当該前面道路の幅員をもとに計算をした数値以下でなければなりません。その際、複数の道路に面している場合、広いほうの幅員を用いることができます。

コース**3** ポイント**❹ ❸**

563 ★★★ ☐☐☐ 容積率の算定に当たり、建築物の延べ面積の3分の1を限度として、地下室の床面積を建築物の延べ面積に算入しないとする特例は、住宅以外の用途に供する部分を有する建築物には適用されない。

(1999-21-1)

564 ★★★ ☐☐☐ 道路斜線制限（建築基準法第56条第1項第1号の制限をいう。）は用途地域の指定のない区域内については、適用されない。

(1993-23-1)

565 ★★★ ☐☐☐ 第一種低層住居専用地域及び第二種低層住居専用地域内における建築物については、建築基準法第56条第1項第2号の規定による隣地斜線制限が適用される。

(2006-22-2)

566 ★★★ ☐☐☐ 田園住居地域内の建築物に対しては、建築基準法第56条第1項第3号の規定（北側斜線制限）は適用されない。

(2020⑫-18-4)

563 適用される

建物の地階にある住居部分の床面積は、その建物の住宅部分の床面積の3分の1までは延べ面積に算入しません。これは、店舗兼用住宅のような、住宅以外の用途に供する部分を有する建築物にも適用されます。

コース**3** ポイント**④ ②**

564 全ての場所で適用

道路斜線制限は、用途地域及び用途地域の指定のない区域で適用されます。

覚えよう！

● 斜線制限の対象区域

	道路斜線制限	隣地斜線制限	北側斜線制限
第一種低層 第二種低層 田園住居	○	×	○
第一種中高層 第二種中高層	○	○	○
その他	○	○	×
用途地域指定の ない区域	○	○	×

○：適用される　×：適用されない

コース**3** ポイント**⑤ ①**

565 低層系では適用なし

隣地斜線制限は第一種低層住居専用地域、第二種低層住居専用地域と田園住居地域では適用されません。

コース**3** ポイント**⑤ ①**

566 住居専用＋田園住居で適用

北側斜線制限は第一種低層住居専用地域、第二種低層住居専用地域、田園住居地域、第一種中高層住居専用地域及び第二種中高層住居専用地域内に限り適用されます。

コース**3** ポイント**⑤ ①**

567
★★★

建築物が第二種低層住居専用地域と第一種住居地域にわたる場合、当該建築物の敷地の過半が第一種住居地域であるときは、北側斜線制限が適用されることはない。 (2004-20-2)

568
★★★

建築基準法第56条の2第1項の規定による日影規制の対象区域は地方公共団体が条例で指定することとされているが、商業地域、工業地域及び工業専用地域においては、日影規制の対象区域として指定することができない。 (2006-22-4)

569
★★★

第一種中高層住居専用地域又は第二種中高層住居専用地域において、日影規制の対象となるのは、軒の高さが7m又は高さが10mを超える建築物である。 (1995-24-2)

570
★★

同一の敷地内に2以上の建築物がある場合においては、これらの建築物を一の建築物とみなして、日影規制が適用される。 (1995-24-3)

571
★★★

道路法による道路は、すべて建築基準法上の道路に該当する。 (2000-24-1)

572
★★★

建築基準法第3章の規定が適用されるに至った際、現に建築物が立ち並んでいる幅員4m未満の道路法による道路は、特定行政庁の指定がなくとも建築基準法上の道路とみなされる。 (2006-21-1)

573
★★★

建築物の敷地は、必ず幅員4m以上の道路に2m以上接しなければならない。 (2000-24-2)

567 それぞれで考える

× 斜線制限で、複数の地域にまたがる場合、その部分ごとに考えますので、第二種低層住居専用地域の部分には北側斜線制限が適用されます。

コース3 ポイント❺ ❶

568 商業地域・工業地域・工業専用地域は指定対象外

○ 日影規制は、商業地域・工業地域・工業専用地域には、対象区域として指定することができません。

コース3 ポイント❺ ❷

569 高さ10mを超える建物が対象

× 第一種中高層住居専用地域又は第二種中高層住居専用地域において、日影規制の対象となるのは、高さが10mを超える建築物です。

コース3 ポイント❺ ❷

570 2以上の建築物を1つの建築物とみなす

○ 同一の敷地内に2以上の建築物がある場合、これらの建築物を1つの建築物とみなして日影規制が適用されます。

コース3 ポイント❺ ❷

571 全てというわけではない

× 道路法の道路のうち、幅員4m以上の道路を建築基準法では原則として道路と定義しているので、道路法による道路がすべて建築基準法による道路とはなりません。

コース3 ポイント❻ ❶

572 特定行政庁の指定が必要

× 現に建物が立ち並んでいる幅員4m未満の道は、特定行政庁の指定があれば道路とみなされます。

コース3 ポイント❻ ❷

573 必ず→原則として

× 原則として幅員4m以上の道路に2m以上接している必要があります。しかし、周囲に空地がありその空地が一定の基準を満たしている場合など、例外も存在しますので「必ず」ではありません。

コース3 ポイント❻ ❶

574 ★★★
地方公共団体は、土地の状況等により必要な場合は、建築物の敷地と道路との関係について建築基準法に規定された制限を、条例で緩和することができる。 (2000-24-3)

575 ★★★
地盤面下に設ける建築物については、道路内に建築することができる。 (2015-18-3)

576 ★★★
公衆便所及び巡査派出所については、特定行政庁の許可を得ないで、道路に突き出して建築することができる。 (2020⑩-18-1)

577 ★★★
第一種低層住居専用地域内においては、高さが10mを超える建築物を建築できる場合はない。 (2001-21-2)

578 ★★★
準防火地域内において建築物の屋上に看板を設ける場合は、その主要な部分を不燃材料で造り、又は覆わなければならない。 (2014-17-4)

579 ★★★
防火地域内においては、3階建て、延べ面積が200㎡の住宅は耐火建築物等又は準耐火建築物等としなければならない。 (2011-18-2)

580 ★★★
準防火地域内においては、延べ面積が1,200㎡の建築物は耐火建築物等としなければならない。 (2004-21-1)

574 緩和はできない

地方公共団体は、特殊建築物などの一定の建築物について、これらの建築物の特殊性を考慮して、条例で接道義務について必要な制限を付加することができますが、緩和することはできません。

コース3 ポイント⑥ ❶

575 地下は建築可能

地下については道路内の通行の妨げにはならないので建築可能です。

コース3 ポイント⑥ ❸

576 許可が必要

公衆便所、巡査派出所その他これらに類する公益上必要な建築物で特定行政庁が通行上支障がないと認めて建築審査会の同意を得て許可したものは、例外的に道路に突き出して建築することができます。

コース3 ポイント⑥ ❸

577 10mか12m

第一種低層住居専用地域、第二種低層住居専用地域、田園住居地域では、建築物の高さは、10mまたは12mのうち、都市計画で定められた高さの限度が原則となります。

コース1 ポイント❸ ❸

578 準防火地域にこの規制はない

この規制は防火地域のみであり、準防火地域にはこの規制はありません。

コース3 ポイント❼ ❷

579 3階以上または100㎡超は耐火建築物等

防火地域で、3階以上、または延べ面積が100㎡超であれば、準耐火建築物等は認められず、耐火建築物等としなければなりません。

コース3 ポイント❼ ❷

580 4階以上または1,500㎡超は耐火建築物等

準防火地域で、4階以上、または延べ面積が1,500㎡超であれば、耐火建築物等としなければなりません。

コース3 ポイント❼ ❸

581
★★★
防火地域にある建築物で、外壁が耐火構造のものについては、その外壁を隣地境界線に接して設けることができる。 (2016-18-1)

582
★★★
建築物が防火地域及び準防火地域にわたる場合、その全部について準防火地域内の建築物に関する規定を適用する。 (2023-17-3)

583
★★★
建築物が防火地域及び準防火地域にわたる場合、建築物が防火地域外で防火壁により区画されているときは、その防火壁外の部分については、準防火地域の規制に適合させればよい。 (2004-20-4)

584
★★★
用途地域に関する都市計画において建築物の敷地面積の最低限度を定める場合においては、その最低限度は200平方メートルを超えてはならない。 (2012-19-3)

585
★★★
第二種低層住居専用地域内の土地においては、都市計画において建築物の外壁又はこれに代わる柱の面から敷地境界線までの距離の限度を2m又は1.5mとして定めることができる。 (2007-22-2)

586
★★★
石綿以外の物質で居室内において衛生上の支障を生ずるおそれがあるものとして政令で定める物質は、ホルムアルデヒドのみである。 (2013-17-ウ)

581 隣地境界線に接して設けても可

◯ 防火地域で、外壁が耐火構造であれば、その外壁は隣地境界線に接して設けることができます。

コース**3** ポイント**7 1**

582 厳しいほうに合わせる

✕ 防火地域と準防火地域にまたがる場合、原則として厳しいほうの規制に合わせますので、防火地域の規制によることとなります。

コース**3** ポイント**7 4**

583 防火壁で区切られた外の部分は準防火

◯ 防火地域と準防火地域にまたがる場合、原則として厳しいほうの規制に合わせますので、防火地域の規制によることとなりますが、建築物が準防火地域において防火壁で区画されているときは、その防火壁外の部分は準防火地域の規制によります。

コース**3** ポイント**7 4**

584 敷地面積の最低限度は200㎡まで

◯ 用途地域内においては、建築物の敷地面積の最低限度を都市計画に定めることができます。その場合、その最低限度は200㎡を超えてはなりません。

コース**1** ポイント**3 3**

585 1.5mまたは1m

✕ 第二種低層住居専用地域内において、外壁の後退距離の限度を都市計画において定める場合、その限度は1.5m又は1mとされています。

コース**1** ポイント**3 3**

586 クロルピリホスもある

✕ 居室を有する建築物では、石綿等に加え、クロルピリホスを建築材料に添加・使用しないこと、ホルムアルデヒドの発散による衛生上の支障がないように、建築材料および換気設備について一定の技術的基準に適合することなどが定められています。

コース**3** ポイント**8 8**

587

★★★

☐☐☐

住宅の地上階における居住のための居室には、採光のための窓その他の開口部を設け、その採光に有効な部分の面積は、その居室の床面積に対して原則7分の1以上としなければならない。

(2014-17-1改)

588

★★★

☐☐☐

高さ25mの建築物には、周囲の状況によって安全上支障がない場合を除き、有効に避雷設備を設けなければならない。　(2020⑫-17-3)

589

★★★

☐☐☐

高さ30mの建築物には、非常用の昇降機を設けなければならない。

(2020⑩-17-4)

590

★★★

☐☐☐

居室の天井の高さは、一室で天井の高さの異なる部分がある場合、室の床面から天井の最も低い部分までの高さを2.1m以上としなければならない。　(2020⑩-17-2)

591

★★★

☐☐☐

4階建ての事務所の用途に供する建築物の2階以上の階にあるバルコニーその他これに類するものの周囲には、安全上必要な高さが1.1m以上の手すり壁、さく又は金網を設けなければならない。

(2018-18-3)

587 ▶ 採光は原則7分の1以上

◯ 住宅の居住のための居室には、窓その他の開口部を設けなければなりません。その採光に有効な部分の面積は床面積に対して原則7分の1以上で、一定の条件のもと10分の1までの範囲内で緩和することができます。換気に有効な部分の面積は床面積に対して20分の1以上です。

> **覚えよう！**
>
> 採光 → 7分の1以上（原則）
> 換気 → 20分の1以上

コース3 ポイント8 2

588 ▶ 20m超

◯ 避雷設備は20mを超える建築物の場合に原則として必要となります。

コース3 ポイント8 3

589 ▶ 31m超

✕ 非常用昇降機設備は31mを超える建築物の場合に原則として必要となります。

コース3 ポイント8 4

590 ▶ 平均が2.1m以上

✕ 居室の天井の高さは2.1m以上でなければなりません。一室で天井の高さの異なる部分がある場合は、その平均の高さによります。

コース3 ポイント8 6

591 ▶ 2階以上のバルコニーには1.1m以上の手すり等が必要

◯ 2階以上の階にあるバルコニーその他これに類するものの周囲には、安全上必要な高さが1.1m以上の手すり壁、さく又は金網を設けなければなりません。

コース3 ポイント8 5

592
★★★
□□□

延べ面積が1,000㎡を超える準耐火建築物は、防火上有効な構造の防火壁又は防火床によって有効に区画し、かつ、各区画の床面積の合計をそれぞれ1,000㎡以内としなければならない。 (2020⑩-17-3)

592 耐火建築物・準耐火建築物では区画不要

耐火建築物・準耐火建築物など以外で延べ面積が1,000㎡超の場合、防火上有効な構造の防火壁または防火床によって区画しなければなりません。この建物は準耐火建築物ですので、区画する必要はありません。

コース**3** ポイント**8** **7**

4 建築基準法2

593
★★★

準都市計画区域（都道府県知事が都道府県都市計画審議会の意見を聴いて指定する区域を除く。）内に建築する木造の建築物で、2の階数を有するものは、建築確認を必要としない。 　　　(2009-18-ア)

594
★★★

映画館の用途に供する建築物で、その用途に供する部分の床面積の合計が300㎡であるものの改築をしようとする場合、建築確認が必要である。 　　　(2015-17-4)

595
★★★

階数が2で延べ面積が200㎡の鉄骨造の共同住宅の大規模の修繕をしようとする場合、建築主は、当該工事に着手する前に、確認済証の交付を受けなければならない。 　　　(2020⑩-17-1)

596
★★★

事務所の用途に供する建築物を、飲食店（その床面積の合計250㎡）に用途変更する場合、建築主事等又は指定確認検査機関の確認を受けなければならない。 　　　(2012-18-2改)

593 準都市計画区域内の新築は確認必要

✕ 準都市計画区域内で新築をする場合、規模に関係なく原則として建築確認を受けなければなりません。

		新築	増改築・移転	大規模修繕 大規模模様替え
全国	特殊建築物 （200㎡超）	●	▲	●
	大規模建築物	●	▲	●
都市計画区域 準都市計画区域		●	▲	✕
防火地域 準防火地域		●	●	✕

● : 必要　✕ : 不要　▲ : 10㎡超なら必要

コース 4　ポイント ❶ 2

594 200㎡超の特殊建築物の改築は確認必要

◯ 300㎡の映画館（＝特殊建築物）の改築をしようとする場合、建築確認が必要です。

コース 4　ポイント ❶ 2

595 大規模建築物の大規模修繕は確認必要

◯ 鉄骨造で階数2の共同住宅（＝大規模建築物）の大規模修繕をしようとする場合、建築確認（確認済証の交付）が必要です。

コース 4　ポイント ❶ 2

596 用途変更→原則として確認必要

◯ 特殊建築物以外のものから200㎡超の特殊建築物に用途変更する場合、建築確認を受ける必要があります。

コース 4　ポイント ❶ 2

597

★★★

床面積の合計が500㎡の映画館の用途に供する建築物を演芸場に用途変更する場合、建築主事等又は指定確認検査機関の確認を受ける必要はない。 (2021⑫-17-2改)

598

★★★

防火地域内において建築物を増築する場合で、その増築に係る部分の床面積の合計が100㎡以内であるときは、建築確認は不要である。 (2009-18-イ)

599

★

建築確認を申請しようとする建築主は、あらかじめ、当該確認に係る建築物の所在地を管轄する消防長又は消防署長の同意を得ておかなければならない。 (2002-21-1)

600

★

用途が共同住宅である3階建て、延べ面積600㎡、高さ10mの建築物の工事を行う場合において、2階の床及びこれを支持するはりに鉄筋を配置する工事を終えたときは、中間検査を受ける必要がある。 (2010-18-4)

601

★★★

新築工事が完了した場合は、建築主は、指定確認検査機関による完了検査の引受けがあった場合を除き、建築主事等の検査を申請しなければならない。 (1996-23-3改)

602

★★★

木造3階建て（延べ面積300㎡）の住宅を新築する場合、建築主は、検査済証の交付を受けた後でなければ、建築主事等に完了検査の申請をし、それが受理された日から7日を経過したときでも、仮に、当該住宅を使用し、又は使用させてはならない。 (1996-23-4改)

597 類似の用途変更の場合には建築確認不要

○ 特殊建築物であっても、類似の用途変更の場合には、建築確認を受ける必要はありません。映画館を演芸場にすることは類似の用途変更にあたります。したがって、建築確認は不要です。

コース**4** ポイント**❶** **2**

598 防火地域で増築→10㎡以内でも確認必要

× 防火・準防火地域で増築・改築・移転を行う場合は、床面積に関わらず建築確認が必要です。

コース**4** ポイント**❶** **2**

599 建築主ではなく、建築主事等や指定確認検査機関

× 建築主事等や指定確認検査機関は、建築確認をする場合、原則としてその確認する建築物の工事施工地または所在地を管轄する消防長または消防署長の同意を得なければなりません。

コース**4** ポイント**❶** **3**

600 中間検査が必要

○ ある程度大規模な工事（＝3階以上の共同住宅等）の場合、工事途中でもチェックを入れます。それを中間検査といいます。

コース**4** ポイント**❶** **3**

601 工事完了後に確認検査の申請をする

○ 建築確認を必要とする新築を行ってこれが完了した場合、建築主は、建築主事等又は指定確認検査機関に完了検査を申請しなければなりません。

コース**4** ポイント**❶** **3**

602 7日経過したときは使用可能

× 階数が3階以上の木造建築物を新築する建築主は、原則として、検査済証の交付を受けた後でなければ、その建築物を使用し、又は使用させてはなりません。ただし、完了検査の申請をし、それが受理された日から7日を経過したときは、検査済証の交付を受ける前でも、建築物を仮に使用し、又は使用させることができます。

コース**4** ポイント**❶** **3**

603

★★★

建築協定においては、建築協定区域内における建築物の用途に関する基準を定めることができない。　　　　　　　　　　　（2003-21-2）

604

★★★

建築協定は、特定行政庁の認可を受ければ、その認可の公告の日以後新たに当該建築協定区域内の土地の所有者となった者に対しても、その効力が及ぶ。　　　　　　　　　　　　　　　　（1993-24-4）

605

★★★

建築協定は、当該建築協定区域内の土地の所有者が1人の場合でも、定めることができる。　　　　　　　　　　　　　　（1993-24-2）

606

★★★

建築協定区域内の土地の所有者等は、特定行政庁から認可を受けた建築協定を変更又は廃止しようとする場合においては、土地所有者等の過半数の合意をもってその旨を定め、特定行政庁の認可を受けなければならない。　　　　　　　　　　　　　　（2012-19-4）

LEC東京リーガルマインド　2025年版 宅建士 合格のトリセツ
頻出一問一答式 過去問題集

603　建築協定→用途も定められる

× 建築協定は建築物の敷地や位置や構造だけではなく、用途について
も定めることができます。

コース4 ポイント❷ 1

604　新たに所有者や借地権者になった者にも及ぶ

○ 建築協定は、認可の公告のあった日以後に所有者や借地権者になっ
た者に対しても効力が及びます。

コース4 ポイント❷ 1

605　1人協定も可能

○ 土地の所有者が1人の場合でも建築協定を定めることは可能です。
その場合、認可の日から3年以内に協定区域内の土地に2以上の土
地所有者・借地権者が存することになった場合に効力が発生します。

コース4 ポイント❷ 1

606　変更の場合は全員の合意

× 建築協定を廃止する場合は土地の所有者等の過半数の合意で構いま
せんが、変更する場合は土地の所有者等の全員の合意が必要です。

覚えよう！

- **締結：土地の所有者など**全員の合意
- **変更：土地の所有者など**全員の合意
- **廃止：土地の所有者など**の過半数の合意

コース4 ポイント❷ 1

5 国土利用計画法

607
★★★
□□□

市街化区域を除く都市計画区域内において、Aが所有する7,000㎡の土地をBが相続により取得した場合、Bは事後届出を行う必要がある。 (2023-22-2)

608
★★★
□□□

個人Bが所有する都市計画区域外の11,000㎡の土地について、個人CがBとの間で対価を支払って地上権設定契約を締結した場合、Cは事後届出を行う必要がある。 (2020⑫-22-4)

609
★★★
□□□

宅地建物取引業者Aが所有する市街化区域内の1,500㎡の土地について、宅地建物取引業者Bが購入する契約を締結した場合、Bは、その契約を締結した日から起算して2週間以内に事後届出を行わなければならない。 (2008-17-1)

610
★★★
□□□

宅地建物取引業者であるAとBが、市街化調整区域内の6,000㎡の土地について、Bを権利取得者とする売買契約を締結した場合には、Bは国土利用計画法第23条の事後届出を行う必要はない。 (2007-17-1)

607 ▶ 相続は事後届出不要

✗ 相続・時効取得・贈与などは事後届出不要です。

コース **5** ポイント **❷ 1**

608 ▶ 地上権・賃借権は対価の支払いある場合に届出

○ 地上権や賃借権を設定する契約は、権利金などの対価を支払う場合には、「土地売買等の契約」に該当します。したがって、規定の面積以上の取引を行う場合には届出が必要となります。今回は、都市計画区域外で10,000㎡以上の取引を行っているため、届出が必要です。

コース **5** ポイント **❷ 1**

609 ▶ 事後届出は不要

✗ 市街化区域では、売買等をした土地の面積が2,000㎡以上の場合に、届出が必要です。今回は1,500㎡なので届出は不要です。

市街化区域	2,000㎡未満
市街化調整区域	5,000㎡未満
非線引き区域	5,000㎡未満
準都市計画区域	10,000㎡未満
都市計画区域外	10,000㎡未満

コース **5** ポイント **❷ 2**

610 ▶ 事後届出が必要

✗ 市街化調整区域で面積が5,000㎡以上の土地を購入しているので、権利取得者は事後届出が必要となります。

コース **5** ポイント **❷ 2**

611 ★★★

Dが所有する都市計画法第5条の2に規定する準都市計画区域内に所在する面積7,000㎡の土地について、Eに売却する契約を締結した場合、Eは国土利用計画法第23条の事後届出をする必要がある。

(2004-16-3)

612 ★★★

Dが所有する市街化調整区域内の土地5,000㎡とEが所有する都市計画区域外の土地12,000㎡を交換した場合、D及びEは国土利用計画法第23条に規定する都道府県知事への事後届出を行う必要はない。

(2011-15-4)

613 ★★★

都市計画区域外において、国から一団の土地である6,000㎡と5,000㎡の土地を購入した者は、事後届出を行う必要はない。

(2023-22-1)

614 ★★★

市街化調整区域に所在する農地法第3条第1項の許可を受けた面積6,000㎡の農地を購入したAは、事後届出を行わなければならない。

(2015-21-3)

615 ★★★

市街化区域において、Cが所有する3,000㎡の土地をDが購入する契約を締結した場合、C及びDは事後届出を行わなければならない。

(2023-22-3)

616 ★★★

国土利用計画法によれば、同法第23条の届出に当たっては、土地売買等の対価の額についても都道府県知事（地方自治法に基づく指定都市にあっては、当該指定都市の長）に届け出なければならない。

(2014-22-1)

LEC東京リーガルマインド 2025年版 宅建士 合格のトリセツ
頻出一問一答式 過去問題集

611 ▶ 事後届出は不要

準都市計画区域は10,000㎡以上が届出対象面積なので、7,000㎡であれば届出は不要です。

コース**5** ポイント▶❷ **2**

612 ▶ Ｄ・Ｅいずれも事後届出が必要

交換の場合も同様に、面積で判断します。ＥはＤから市街化調整区域内の土地5,000㎡を手に入れたことになり、ＤはＥから都市計画区域外の土地12,000㎡を手に入れたことになります。それぞれ、届出対象面積以上なので、ＤもＥも事後届出が必要です。

コース**5** ポイント▶❷ **2**

613 ▶ 例外として事後届出は不要

当事者の一方もしくは双方が国・地方公共団体（都道府県・市町村）の場合、届出は不要です。

コース**5** ポイント▶❷ **2**

614 ▶ 例外として事後届出は不要

農地法第３条の許可を受けている場合、届出は不要です。

コース**5** ポイント▶❷ **2**

615 ▶ 届出義務は買主

事後届出を行う義務があるのは、権利取得者（＝買主、今回ではＤ）であって、Ｃは届出をする必要はありません。

コース**5** ポイント▶❷ **3**

616 ▶ 額も届出は必要

事後届出（法23条の届出）の場合には売買価額については審査されませんが、届出をすることは必要です。

コース**5** ポイント▶❷ **3**

617

★★★

☐☐☐

個人Ｄが所有する市街化調整区域内の6,000㎡の土地について、宅地建物取引業者Ｅが購入する契約を締結した場合、Ｅは、その契約を締結した日から起算して２週間以内に国土利用計画法第23条に基づく都道府県知事への事後届出を行わなければならない。

(2008-17-3)

618

★★★

☐☐☐

事後届出が必要な土地売買等の契約を締結したにもかかわらず、所定の期間内にこの届出をしなかった者は、６月以下の懲役又は100万円以下の罰金に処せられる。 (2006-17-4)

619

★★★

☐☐☐

都道府県知事は、国土利用計画法第23条の事後届出に係る土地の利用目的及び対価の額について、届出をした宅地建物取引業者に対し勧告することができ、都道府県知事から勧告を受けた当該業者が勧告に従わなかった場合、その旨及びその勧告の内容を公表することができる。 (2020⑫-22-1)

620

★★★

☐☐☐

事後届出に係る土地の利用目的について、乙県知事から勧告を受けたＨが勧告に従わなかった場合、乙県知事は、当該届出に係る土地売買の契約を無効にすることができる。 (2005-17-4)

621

★★★

☐☐☐

事後届出に係る土地の利用目的について、丁県知事から勧告を受けた宅地建物取引業者Ｅが勧告に従わなかった場合、丁県知事は、その旨及びその勧告の内容を公表しなければならない。 (2010-15-4)

622

★★★

☐☐☐

事後届出に係る土地の利用目的について勧告を受けた場合において、その勧告を受けた者がその勧告に従わなかったときは、その旨及びその勧告の内容を公表されるとともに、罰金に処せられることがある。 (1999-16-4)

617　利用目的・額を知事に届出

○　権利取得者は、土地の利用目的や額などについて、契約を締結した日から起算して2週間以内に、市町村長を経由して都道府県知事に届出をします。

コース5　ポイント❷❸

618　届出しない場合は懲役・罰金

○　届出をしない場合には、罰則がありますが、契約自体は有効です。

コース5　ポイント❷❸

619　額について勧告されることはない

×　事後届出の場合、額については審査されないため、額について勧告されることはありません。

コース5　ポイント❷❸

620　勧告に従わなくても契約は有効

×　勧告に従わなかったとしても、契約は有効です。

コース5　ポイント❷❸

621　「公表しなければならない」→「公表できる」

×　買主が勧告に従わない場合、都道府県知事は、勧告の内容と勧告に従わなかった旨を公表することができます。義務ではなく任意です。なお、罰則の適用はなく、契約は有効です。

コース5　ポイント❷❸

622　勧告に従わなくても罰則の適用はない

×　都道府県知事は、土地の利用目的について勧告した場合において、その勧告を受けた者がその勧告に従わないときは、その旨及びその勧告の内容を公表することができます。しかし、勧告に従わなかったとしても、罰則が適用されることはありません。

コース5　ポイント❷❸

623

★★

□□□

Ａが所有する監視区域内の土地（面積10,000㎡）をＢが購入する契約を締結した場合、Ａ及びＢは事後届出を行わなければならない。

(2016-15-2)

623 **監視区域→事前届出**

✕ 注視区域と監視区域では、事前届出制がとられています。

コース **5** ポイント **③ 1**

624
★★★
□□□
山林を開墾し現に農地として耕作している土地であっても、土地登記簿上の地目が山林であれば、農地法の適用を受ける農地とはならない。 (2014-21-4)

625
★★
□□□
耕作する目的で原野の所有権を取得し、その取得後、造成して農地にする場合には、農地法第3条第1項の許可を受ける必要がある。 (2007-25-3)

626
★★★
□□□
市街化調整区域内の農地を駐車場に転用するに当たって、当該農地がすでに利用されておらず遊休化している場合には、農地法第4条第1項の許可を受ける必要はない。 (2007-25-4)

627
★★★
□□□
金融機関からの資金借入れのために農地に抵当権を設定する場合、農地法第3条第1項の許可が必要である。 (2019-21-2)

628
★★★
□□□
農業者が住宅の改築に必要な資金を銀行から借りるため、市街化区域外の農地に抵当権の設定が行われ、その後、返済が滞ったため当該抵当権に基づき競売が行われ第三者が当該農地を取得する場合であっても、農地法第3条第1項又は第5条第1項の許可を受ける必要がある。 (2015-22-4)

629
★★★
□□□
市町村が農地を農地以外のものにするため所有権を取得する場合、農地法第5条の許可を得る必要はない。 (2003-23-1)

624 現況で判断

登記簿上の地目ではなく現況で判断します。

コース6 ポイント❶ 1

625 原野の取得なので許可不要

✕

原野を農地にするのだから、農地法の許可は必要ありません。

コース6 ポイント❶ 1

626 遊休化していても農地として扱う

✕

遊休化していても農地として扱いますので、第4条の許可が必要です。

コース6 ポイント❶ 1

627 抵当権設定では許可不要

✕

抵当権を設定する場合、第3条の許可は必要ありません。

コース6 ポイント❶ 2

628 競売は許可必要

◯

競売が行われ第三者が農地を取得する場合、許可が必要となります。

コース6 ポイント❶ 2

629 市町村は許可必要

原則として市町村は許可が必要です。

コース6 ポイント❶ 4

630

★★★

□□□

国又は都道府県が市街化調整区域内の農地（1ヘクタール）を取得して学校を建設する場合、都道府県知事等との協議が成立しても農地法第5条第1項の許可を受ける必要がある。 (2013-21-3改)

631

★★★

□□□

農地を相続した場合、その相続人は、農地法第3条第1項の許可を受ける必要はないが、遅滞なく、農業委員会にその旨を届け出なければならない。 (2010-22-1)

632

★★★

□□□

農業者が相続により取得した市街化調整区域内の農地を自己の住宅用地として転用する場合には、農地法第4条第1項の許可を受ける必要はない。 (2007-25-1)

633

★★★

□□□

採草放牧地の所有者がその土地に500㎡の農業用施設を建設する場合、農地法第4条の許可を受けなければならない。 (2002-23-2)

634

★★★

□□□

農業者が、自ら農業用倉庫として利用する目的で自己の所有する農地を転用する場合には、転用する農地の面積の規模にかかわらず、農地法第4条第1項の許可を受ける必要がある。 (2006-25-4)

635

★★★

□□□

農業者が、自らの養畜の事業のための畜舎を建設する目的で、市街化調整区域内にある150㎡の農地を購入する場合は、農地法第5条第1項の許可を受ける必要がある。 (2011-22-3)

636

★★★

□□□

農業者が、住宅を建設するために農地法第4条第1項の許可を受けた農地をその後住宅建設の工事着工前に宅地として売却する場合、改めて農地法第5条第1項の許可を受ける必要はない。 (2006-25-2)

630 協議成立で許可とみなす

✕ 国又は都道府県等が、農地を農地以外のものにするため取得する場合、国又は都道府県等と都道府県知事等との協議が成立することをもって、農地法第5条1項の許可があったものとみなします。

 コース6 ポイント❶ ■

631 相続は3条許可が不要

◯ 相続も遺産の分割も、第3条の許可は不要です。

 コース6 ポイント❶ ②

632 転用する場合は4条許可が必要

✕ 農地を農地以外に変える場合には第4条の許可が必要となります。なお、相続で取得した場合、第3条の許可は不要です。

 コース6 ポイント❶ ③

633 採草放牧地の転用の場合、4条許可が不要

✕ 採草放牧地を農地以外のものとしても、農地法4条の許可は必要ありません。

 コース6 ポイント❶ ③

634 2アール未満であれば4条許可が不要

✕ 2アール未満の農業用施設に転用する場合には4条の許可は不要です。

 コース6 ポイント❶ ③

635 5条許可が必要

◯ 農地を農業用施設に供する場合に許可が不要となるのは、第4条の場合です。第5条の場合、原則通り許可が必要です。

コース6 ポイント❶ ④

636 改めて5条許可が必要

✕ 第4条許可を受けた農地を転用目的で権利移動する場合、改めて第5条許可を受ける必要があります。

 コース6 ポイント❶ ④

637 ★★★ ☐☐☐ 砂利採取法による認可を受けた採取計画に従って砂利採取のために農地を一時的に貸し付ける場合、農地法第5条第1項の許可は不要である。 (2019-21-4)

638 ★★★ ☐☐☐ 市街化区域内の農地を自家用駐車場に転用する場合、農地法第4条第1項の許可が必要である。 (2019-21-3)

639 ★★★ ☐☐☐ 市街化区域内の農地を耕作目的で取得する場合には、あらかじめ農業委員会に届け出れば、農地法第3条第1項の許可を受ける必要はない。 (2015-22-1)

640 ★★★ ☐☐☐ 市街化調整区域内の農地を宅地に転用する目的で所有権を取得する場合、あらかじめ農業委員会に届け出れば農地法第5条の許可を得る必要はない。 (2003-23-2)

641 ★★★ ☐☐☐ 市街化区域内にある農地を取得して住宅を建設する場合は、工事完了後遅滞なく農業委員会に届け出れば、農地法第5条第1項の許可を受ける必要はない。 (2011-22-4)

642 ★★★ ☐☐☐ 農地法第3条第1項又は法第5条第1項の許可が必要な農地の売買について、これらの許可を受けずに売買契約を締結しても、その所有権の移転の効力は生じない。 (2023-21-3)

643 ★★★ ☐☐☐ 会社の代表者が、その会社の業務に関し、法の規定に違反して転用行為をした場合は、その代表者が罰せられるのみならず、その会社も1億円以下の罰金刑が科せられる。 (2010-22-3)

637 ▶ 一時的でも許可必要

 一時的であっても、許可が必要となる場合があります。

コース **6** ポイント **❶ 4**

638 ▶ 市街化区域は4条許可と5条許可が不要

 市街化区域では、あらかじめ農業委員会に届け出れば、第4条と第5条の許可は必要ありません。

コース **6** ポイント **❶ 5**

639 ▶ 3条許可に市街化区域の特則はない

 第3条の許可について、市街化区域内の特則はありません。したがって、市街化区域内の農地を耕作のために取得する場合、第3条の許可が必要となります。

コース **6** ポイント **❶ 5**

640 ▶ 市街化調整区域は許可必要

 市街化区域内であれば許可不要ですが、市街化調整区域内は許可が必要です。

コース **6** ポイント **❶ 5**

641 ▶ 市街化区域では、4条・5条の事前届出

 市街化区域内であれば、第4条・第5条の許可は不要です。しかし、あらかじめ農業委員会に届け出る必要があります。「工事完了後遅滞なく」ではなく「あらかじめ」です。

コース **6** ポイント **❶ 5**

642 ▶ 許可を得ない場合効力を生じない

 第3条・第5条の許可が必要なのにもかかわらず、許可を得ないでした契約には、効力が生じません。

コース **6** ポイント **❶ 6**

643 ▶ 法人の代表者が違反行為を行うと、その法人にも罰則あり

 法人の代表者が違反行為を行った場合、その代表者が罰せられるだけでなく、その法人にも罰則があります。

コース **6** ポイント **❶ 6**

644
★★

農地の賃貸借について農地法第3条第1項の許可を得て農地の引渡しを受けても、土地登記簿に登記をしなかった場合、その後、その農地について所有権を取得した第三者に対抗することができない。

(2013-21-1)

644 引渡しで対抗力

農地賃借権の対抗要件は、農地の引渡しで足ります。したがって、今回は対抗力を有していることとなるので、第三者に対抗可能です。

コース6 ポイント❶ 7

7 土地区画整理法

645
★★★

土地区画整理組合が施行する土地区画整理事業は、市街化調整区域内において施行されることはない。　　　　　　　　(2000-21-2)

646
★★★

土地区画整理組合を設立しようとする者は、事業計画の決定に先立って組合を設立する必要があると認める場合においては、7人以上共同して、定款及び事業基本方針を定め、その組合の設立について都道府県知事の認可を受けることができる。　　　　(2017-21-3)

647
★★★

土地区画整理組合が施行する土地区画整理事業に係る施行地区内の宅地について所有権又は借地権を有する者は、すべてその組合の組合員とする。　　　　　　　　　　　　　　　(2012-21-4)

648
★★★

土地区画整理組合は、事業の完成により解散しようとする場合においては、都道府県知事の認可を受けなければならない。(2017-21-1)

649
★★★

土地区画整理組合の設立の認可の公告があった日以後、換地処分の公告がある日までは、施行地区内において、土地区画整理事業の施行の障害となるおそれがある建築物の新築を行おうとする者は、土地区画整理組合の許可を受けなければならない。　　　　(2022-20-1)

650
★★★

施行者は、施行地区内の宅地について換地処分を行うため、換地計画を定めなければならない。この場合において、当該施行者が土地区画整理組合であるときは、その換地計画について市町村長の認可を受けなければならない。　　　　　　　　　　　(2014-20-2)

645 　都市計画区域内で施行できる

✕　土地区画整理事業は**都市計画区域内の土地**において行うことができます。市街化調整区域内で行うこともあります。

(コース)**7** (ポイント)**❶** **1**

646 　組合は7人以上

◯　**7人以上**が共同して、定款及び事業基本方針を定め、その組合の設立について知事の設立認可を受けることができます。

(コース)**7** (ポイント)**❶** **2**

647 　所有権・借地権を有する者はすべて組合員

◯　施行地区内に**所有権・借地権を有する者はすべて組合員**となります。

(コース)**7** (ポイント)**❶** **2**

648 　解散には知事の認可が必要

◯　組合の解散には知事の認可が必要です。

(コース)**7** (ポイント)**❶** **2**

649 　知事等の許可

✕　施行地区内で土地の形質の変更、建築物の新築等を行う場合には、**知事等の許可**が必要となります。組合の許可ではありません。

(コース)**7** (ポイント)**❷** **2**

650 　知事の認可が必要

✕　施行者が個人施行者、土地区画整理組合、区画整理会社、市町村等であるときは、その換地計画について、都道府県知事の認可を受けなければなりません。

(コース)**7** (ポイント)**❷** **1**

651 ★★★ 区画整理会社が施行する土地区画整理事業の換地計画においては、土地区画整理事業の施行の費用に充てるため、一定の土地を換地として定めないで、その土地を保留地として定めることができる。

(2011-21-3)

652 ★★★ 換地計画において換地を定める場合においては、換地及び従前の宅地の位置、地積、土質、水利、利用状況、環境等が照応するように定めなければならない。

(2021⑩-20-2)

653 ★★★ 施行者は、換地処分を行う前において、換地計画に基づき換地処分を行うため必要がある場合においては、施行地区内の宅地について仮換地を指定することができる。

(2016-21-1)

654 ★★★ 土地区画整理組合は、仮換地を指定しようとする場合においては、あらかじめ、その指定について、土地区画整理審議会の同意を得なければならない。

(2023-20-4)

655 ★★★ 従前の宅地の所有者は、仮換地の指定により従前の宅地に抵当権を設定することはできなくなり、当該仮換地について抵当権を設定することができる。

(1996-27-2)

651 ▶ 保留地を定めることも可

○ 保留地を定め、それを土地区画整理事業の費用にあてることもできます。

コース7 ポイント❶ **1**

652 ▶ 換地照応の原則による

○ 換地計画において換地を定める場合においては、換地及び従前の宅地の位置、地積、土質、水利、利用状況、環境等が照応するように定めなければなりません（換地照応の原則）。

コース7 ポイント❷ **1**

653 ▶ 仮換地の指定も可

○ 施行者は、換地処分を行う前において、換地計画に基づき換地処分を行うため必要がある場合においては、施行地区内の宅地について仮換地を指定することができます。

コース7 ポイント❷ **3**

654 ▶ 土地区画整理審議会は公的施行で設置

✕ 土地区画整理審議会の同意が必要なのは公的施行の場合のみで、土地区画整理組合（＝民間施行）の場合には必要はありません。

コース7 ポイント❶ **2**

655 ▶ 抵当権は従前の宅地に設定

✕ 従前の宅地の所有者は、抵当権を従前の宅地に設定することができます。仮換地に抵当権を設定することはできません。

コース7 ポイント❷ **3**

656

★★★

施行者は、仮換地を指定した場合において、特別の事情があるときは、その仮換地について使用又は収益を開始することができる日を仮換地の指定の効力発生日と別に定めることができる。(2002-22-1)

657
★★★

仮換地が指定された場合においては、従前の宅地について権原に基づき使用し、又は収益することができる者は、仮換地の指定の効力発生の日から換地処分の公告がある日まで、仮換地について、従前の宅地について有する権利の内容である使用又は収益と同じ使用又は収益をすることができる。(2009-21-2)

658
★★★

土地区画整理組合が仮換地を指定した場合において、当該処分によって使用し又は収益することができる者のなくなった従前の宅地については、換地処分の公告がある日までは、当該宅地の存する市町村がこれを管理する。(2002-22-3)

659
★★★

換地処分は、換地計画に係る区域の全部について土地区画整理事業の工事がすべて完了した後でなければすることができない。(2006-24-3)

656 別に定めることも可

○ 特別の事情があるときは、使用収益の開始日を効力発生日と別に定めることができます。

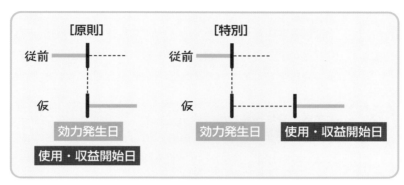

［原則］

従前　　効力発生日
仮　　　使用・収益開始日

［特別］

従前　　効力発生日
仮　　　使用・収益開始日

コース **7** ポイント **❷ ❸**

---

657 同じ使用収益が可能

○ 仮換地においては、従前の宅地と同様の使用又は収益が可能です。

コース **7** ポイント **❷ ❸**

---

658 施行者が管理

✕ 使用・収益することができる者のなくなった従前の宅地は施行者が管理します。

コース **7** ポイント **❷ ❸**

---

659 別段の定めがある場合には可

✕ 規準・規約・定款などに別段の定めがある場合には、工事がすべて完了する前に換地処分をすることができます。

コース **7** ポイント **❷ ❹**

660
★★★

換地処分は、施行者が換地計画において定められた関係事項を公告して行うものとする。　　　　　　　　　　　　　　(2013-20-2)

661
★★★

土地区画整理組合が施行する土地区画整理事業の換地計画において保留地が定められた場合、当該保留地は、換地処分の公告のあった日の翌日においてすべて土地区画整理組合が取得する。(1998-23-2)

662
★★★

土地区画整理事業の施行により公共施設が設置された場合においては、その公共施設は、換地処分があった旨の公告があった日の翌日において、原則としてその公共施設の所在する市町村の管理に属することになる。　　　　　　　　　　　　　　(2014-20-4)

663
★★★

換地処分に係る公告後、従前の宅地について存した抵当権は消滅するので、換地に移行することはない。　　　　　　　　(2003-22-3)

660 ▶ 換地処分は通知して行う

✕ 換地処分は、関係権利者に換地計画において定められた関係事項を通知して行います。公告して行うわけではありません。

コース **7** ポイント **❷ 4**

661 ▶ 保留地は施行者が取得

◯ 保留地は施行者（今回は組合）が取得します。

コース **7** ポイント **❷ 4**

662 ▶ 公共施設は原則として市町村が管理

◯ 土地区画整理事業の施行により公共施設が設置された場合、その公共施設は、換地処分があった旨の公告があった日の翌日において、原則としてその公共施設の所在する市町村の管理に属するものとされます。

コース **7** ポイント **❷ 4**

663 ▶ 抵当権は換地に移行する

✕ 換地処分にともない、従前の宅地に存した抵当権は、換地に移行します。消滅はしません。

● 換地処分にともなう権利の移動

1 所有権・抵当権等
原則：換地に移動
例外：換地を定めなかった場合は消滅

2 地役権
原則：従前の宅地に残る
例外：行使の利益がなくなった場合は消滅

コース **7** ポイント **❷ 4**

664

★★★

換地処分の公告があった場合においては、換地計画において定められた換地は、その公告があった日の翌日から従前の宅地とみなされ、換地計画において換地を定めなかった従前の宅地について存する権利は、その公告があった日が終了した時において消滅する。

(2009-21-4)

665

★★★

施行地区内の宅地について存する地役権は、行使する利益がなくなった場合を除き、換地処分に係る公告があった日の翌日以後においても、なお従前の宅地の上に存する。

(2003-22-2)

666

★

関係権利者は、換地処分があった旨の公告があった日以降いつでも、施行地区内の土地及び建物に関する登記を行うことができる。

(2014-20-3)

664 ▶ **公告日終了時に不要な利益が消滅、翌日に必要な利益が発生・確定**

○ 換地処分の公告の日の終了時に、換地計画で換地を定めなかった従前の宅地に存する権利が消滅し、公告の日の翌日に、換地計画で定められた換地が従前の宅地とみなされることとなります。

コース**7** ポイント **❷ 4**

665 ▶ **そのまま従前の宅地の上に存する**

○ 行使する利益のなくなった地役権は消滅しますが、それ以外の地役権はそのまま従前の宅地の上に存することとなります。

コース**7** ポイント **❷ 4**

666 ▶ **施行者が変動にかかる登記申請を先にしなければならない**

✕ 施行者は、施行地区内の土地等について変動があった場合、遅滞なく、その変動にかかる登記を申請し、又は嘱託しなければなりません。この登記がされるまでの間は、原則として他の登記をすることはできません。

コース**7** ポイント **❷ 5**

※問 667 ～ 677 について都道府県知事とは、地方自治法に基づく指定都市及び中核市にあってはその長をいうものとする。

667
★★★

宅地を宅地以外の土地にするために行う土地の形質の変更は、宅地造成に該当しない。 (2020⑩-19-2)

668
★★

宅地造成等に関する工事の許可を受けた者が、工事施行者を変更する場合には、遅滞なくその旨を都道府県知事に届け出ればよく、改めて許可を受ける必要はない。 (2020⑩-19-4)

669
★★★

宅地造成等工事規制区域内において行われる盛土であって、当該盛土をする土地の面積が300㎡で、かつ、高さ1.5mの崖を生ずることとなるものに関する工事については、都道府県知事の許可が必要である。 (2013-19-3)

670
★★★

宅地造成等工事規制区域内において、宅地を造成するために切土をする土地の面積が500㎡であって盛土が生じない場合、切土をした部分に生じる崖の高さが1.5mであれば、都道府県知事の許可は必要ない。 (2015-19-4)

---

667 宅地以外にするのは宅地造成ではない

○ 宅地を宅地以外にするのは、宅地造成ではありません。

[コース]**8** [ポイント]**❶** **2**

---

668 軽微変更は届出

○ 工事施行者が変更（＝軽微変更）の場合には、届出が必要となり、再度許可を受ける必要はありません。

> **覚えよう！**
>
> ● 盛土規制法の軽微変更にあたる場合
>
>   工事主・設計者・工事施行者の変更
>
>   工事の着手予定年月日・工事の完了予定年月日の変更

[コース]**8** [ポイント]**❶** **5**

---

669 盛土→１m超または500㎡超

○ 盛土の場合、高さ１m超か面積500㎡超の場合に許可が必要となります。今回は面積300㎡ですが盛土の高さが1.5mなので、許可が必要です。

[コース]**8** [ポイント]**❶** **3**

---

670 切土→２m超または500㎡超

○ 切土の場合、高さ２m超か面積500㎡超の場合に許可が必要となります。今回は面積500㎡ちょうどで高さ1.5mなので、許可は必要ありません。

[コース]**8** [ポイント]**❶** **3**

671
★★★
□□□

宅地造成等工事規制区域内において行われる宅地造成等に関する工事について許可をする都道府県知事は、当該許可に、工事の施行に伴う災害を防止するために必要な条件を付することができる。

(2012-20-2)

672
★★★
□□□

宅地造成等工事規制区域内において行われる宅地造成等に関する工事の請負人は、工事に着手する前に、原則として都道府県知事の許可を受けなければならない。

(2001-24-1)

673
★★
□□□

宅地造成等工事規制区域内において宅地造成等に関する工事を行う場合、宅地造成等に伴う災害を防止するために行う高さが5mを超える擁壁の設置に係る工事については、政令で定める資格を有する者の設計によらなければならない。

(2020⑫-19-2)

674
★★★
□□□

新たに指定された宅地造成等工事規制区域内において、指定の前にすでに着手されていた宅地造成等に関する工事については、その工事主はその指定があった日から21日以内に、都道府県知事の許可を受けなければならない。

(2003-24-3)

675
★★★
□□□

宅地造成等工事規制区域内の宅地において、高さが2mを超える擁壁を除却する工事を行おうとする者は、一定の場合を除き、その工事に着手する日の14日前までにその旨を都道府県知事に届け出なければならない。

(2016-20-3)

671 災害防止のために条件付けるのは可

◯ 災害防止のために必要な条件を付することができます。

コース**8** ポイント **❶ 3**

672 「請負人」→「工事主」

✕ 宅地造成等工事規制区域内において行われる宅地造成等に関する工事の工事主は、工事に着手する前に、原則として都道府県知事の許可を受けなければなりません。

コース**8** ポイント **❶ 3**

673 有資格者が設計

◯ 高さ5mを超える擁壁の設置をするときは、有資格者が設計をしなければなりません。

覚えよう！

● 有資格者の設計
①高さ5mを超える擁壁の設置
②切土・盛土をする土地の面積が1,500㎡を超える土地における排水施設の設置

コース**8** ポイント **❶ 6**

674 指定があった日から21日以内に届出

✕ 工事をすでに行っている場合、許可ではなくて、指定があった日から21日以内に届出が必要です。

コース**8** ポイント **❶ 3**

675 工事着手の14日前までに届出

◯ 高さが2mを超える擁壁または排水施設の全部または一部の除却工事を行おうとする場合、工事着手の14日前までに届出をしなければなりません。

コース**8** ポイント **❶ 3**

676 ★★★

宅地造成等工事規制区域内において、公共施設用地を宅地に転用した者は、一定の場合を除き、その転用した日から14日以内にその旨を都道府県知事に届け出なければならない。　　　　　　(2016-20-4)

677 ★★★

都道府県知事は、関係市町村長の意見を聴いて、宅地造成等工事規制区域内で、宅地造成等に伴う災害で相当数の居住者その他の者に危害を生ずるものの発生のおそれが大きい一団の造成宅地の区域であって一定の基準に該当するものを、造成宅地防災区域として指定することができる。　　　　　　(2012-20-4)

678 ★★★

河川法によれば、河川保全区域内において工作物の新築又は改築をしようとする者は、原則として河川管理者の許可を受けなければならない。　　　　　　(2001-24-3)

679 ★★

地すべり等防止法によれば、地すべり防止区域内において、地表水を放流し、又は停滞させる行為をしようとする者は、一定の場合を除き、市町村長の許可を受けなければならない。　　　　　　(2013-22-1)

676　転用した日から14日以内に届出

◯　公共施設用地を宅地に転用した場合、転用した日から14日以内に届出をしなければなりません。

〔コース〕**8**　〔ポイント〕**❶** **3**

677　造成宅地防災区域は宅地造成等工事規制区域外

✕　造成宅地防災区域は、宅地造成等工事規制区域以外の区域に指定します。

〔コース〕**8**　〔ポイント〕**❶** **9**

678　河川法→河川管理者

◯　河川法の場合には、河川管理者の許可です。

覚えよう！

● **法令上の制限と許可主体**
- 自然公園法（国立公園）　➡　環境大臣
- 文化財保護法　➡　文化庁長官
- 道路法　➡　道路管理者
- 河川法　➡　河川管理者
- 海岸法　➡　海岸管理者
- 港湾法　➡　港湾管理者
- 生産緑地法　➡　市町村長

〔コース〕**8**　〔ポイント〕**❷** **1**

679　知事の許可

✕　市町村長の許可ではなく、都道府県知事の許可です。

〔コース〕**8**　〔ポイント〕**❷** **1**

準都市計画区域においても、用途地域が定められている土地の区域については、市街地開発事業を定めることができる。

（2014-15-3）

市街地開発事業って？

 ニュータウンをつくるときなどに定めるものだね。

準都市計画区域ってどんな場所だっけ？

 乱開発を防ぐために、いろいろ規制を加える場所だったよね。じゃ、そういう場所で開発とかしてほしいと思う？

してほしくないね。

 だったら、準都市計画区域で市街地開発事業は？

できないってことか！

 その通り！

応用問題に チャレンジ！

工作物の建設を行おうとする場合は、地区整備計画が定められている地区計画の区域であっても、行為の種類、場所等の届出が必要となることはない。

(2009-16-3)

…もはや何もわからない。

一見、難しい問題だね。

解けない。

じゃ、言い方を変えるね。「地区計画の区域のうち地区整備計画が定められている区域内において、建築物の建築等の行為を行った者は、一定の行為を除き、当該行為の完了した日から30日以内に、行為の種類、場所等を市町村長に届け出なければならない。」これは？

これは×！
「行為着手の30日前まで」だよね！
一問一答でやったもん！（分冊③8ページ参照）

実は同じ問題だって気付いてる？

あ！「届け出なければならない」のだから、届出は基本的には必要ってことか！

そう。一問一答と同じ知識でも、聞き方が変わるだけで違う問題に見えるよね。

●都市計画法の開発許可と国土法の事後届出

開発許可		国土利用計画法
1,000㎡未満	市街化区域	2,000㎡以上
規模にかかわらず必要	市街化調整区域	5,000㎡以上
3,000㎡未満	非線引き区域	
	準都市計画区域	10,000㎡以上
10,000㎡未満	都市計画区域外	

　　は、許可不要　　　　　　　　　　　　　は、事後届出必要

開発許可の小規模開発と国土法の届出については、似ているけれども異なっているので気をつけましょう。

| 例 | 準都市計画区域

　　開発許可　➡　3,000㎡未満は許可不要

　　国土法届出　➡　10,000㎡以上が事後届出必要

＋αで考えよう！

● **国土利用計画法（事前届出）**

　注視区域と監視区域では、事前届出制がとられています。届出が必要となる契約は、事後届出の場合と同じです。また、届出が必要となる土地の面積も、注視区域では、事後届出と同じです。監視区域では、より狭い面積でも届出が必要となります。事後届出と事前届出の違いについては、以下のとおりです。

事後届出	事前届出
買主に届出義務	売主・買主双方に届出義務
買主の取得面積が規定面積以上で届出必要	売主・買主どちらかが規定面積以上で届出必要
額については審査されない	額についても審査される

　事後届出においては、買主のみが関わってきて、売主はあまり関わらないイメージでとらえていただければよいのですが、事前届出については、売主も関わるイメージでとらえておいてください。

第4編・税・その他

本試験での出題数：8問　得点目標：5点

論　点	問題番号
不動産取得税	問題 680 〜問題 689
固定資産税	問題 690 〜問題 702
所得税（譲渡所得）	問題 703 〜問題 713
印紙税	問題 714 〜問題 730
登録免許税	問題 731 〜問題 740
贈与税	問題 741 〜問題 743
地価公示法	問題 744 〜問題 752
不動産鑑定評価基準	問題 753 〜問題 761
住宅金融支援機構法	問題 762 〜問題 771
景品表示法	問題 772 〜問題 781
土地	問題 782 〜問題 790
建物	問題 791 〜問題 800

キリッ！

1 不動産取得税

680

★★★

不動産取得税は、不動産の取得に対し、当該不動産所在の市町村及び特別区において、当該不動産の取得者に課する。　　(2023-24-3)

681

★★★

不動産取得税は、相続、贈与、交換及び法人の合併により不動産を取得した場合には課せられない。　　(1996-30-3)

682

★★★

不動産取得税は、不動産の取得に対して課される税であるので、家屋を改築したことにより、当該家屋の価格が増加したとしても、不動産取得税は課されない。　　(2020⑩-24-3)

683

★★★

令和7年4月に住宅以外の家屋を取得した場合、不動産取得税の標準税率は、100分の3である。　　(2006-28-1改)

684

★★★

不動産取得税は、不動産の取得に対して、当該不動産の所在する都道府県が課する税であるが、その徴収は特別徴収の方法がとられている。　　(2006-28-3)

685

★

家屋が新築された日から3年を経過して、なお、当該家屋について最初の使用又は譲渡が行われない場合においては、当該家屋が新築された日から3年を経過した日において家屋の取得がなされたものとみなし、当該家屋の所有者を取得者とみなして、これに対して不動産取得税を課する。　　(2021⑩-24-2)

680 市町村→都道府県

不動産取得税の課税主体は、市町村ではなく都道府県です。

（コース）**1** （ポイント）**❷ 2**

681 相続・法人の合併は課税されない

贈与・交換の場合は課税されますが、相続・法人の合併の場合には課税されません。

（コース）**1** （ポイント）**❷ 3**

682 改築→価格が増加したら課税

有償・無償を問わず、不動産を売買や交換、贈与、新築、改築などにより取得した際に税金がかかります。ただし、改築については、家屋の価格が増加した場合のみ、その増加分に対して課税されます。

（コース）**1** （ポイント）**❷ 3**

683 住宅以外の家屋は100分の4

住宅以外の家屋の場合、100分の3ではなく100分の4です。

（コース）**1** （ポイント）**❷ 6**

684 普通徴収

特別徴収ではなく普通徴収です。

（コース）**1** （ポイント）**❷ 8**

685 3年→6カ月

3年ではなく6カ月（当該家屋の所有者が宅建業者の場合は1年）です。

（コース）**1** （ポイント）**❷ 3**

686

★★★

☐☐☐

令和 7 年 4 月に土地を取得した場合に、不動産取得税の課税標準となるべき額が30万円に満たないときには不動産取得税は課税されない。　　　　　　　　　　　　　　　　　　　　　（2007-28-1改）

687

★★★

☐☐☐

令和 7 年 4 月に取得した床面積250㎡である新築住宅に係る不動産取得税の課税標準の算定については、当該新築住宅の価格から1,200万円が控除される。　　　　　　　　　　　　　（2012-24-2改）

688

★★★

☐☐☐

平成10年 4 月に建築された床面積200㎡の中古住宅を法人が取得した場合の当該取得に係る不動産取得税の課税標準の算定については、当該住宅の価格から1,200万円が控除される。　　　（2007-28-2）

689

★★★

☐☐☐

宅地を令和 7 年 4 月に取得した場合、当該取得に係る不動産取得税の課税標準は、当該宅地価格の 2 分の 1 の額とされる。　　　　　　　　　　　　　　　　　　　　　　　　　　（2000-28-3改）

686 30万円→10万円

× 免税点は土地の場合は10万円です。30万円ではありません。

土地		10万円未満
建物	新築・増改築	1戸につき23万円未満
	その他（中古住宅の売買など）	1戸につき12万円未満

(コース)1 (ポイント)❷ 7

687 50〜240㎡

× 1,200万円控除されるのは50㎡〜240㎡の場合です。250㎡では控除されません。

(コース)1 (ポイント)❷ 9

688 法人には適用されない

× 中古住宅の取得に係る不動産取得税の課税標準の特例は、個人が自己の居住の用に供する既存住宅を取得した場合に適用され、法人の取得に対しては適用されません。

(コース)1 (ポイント)❷ 9

689 宅地は2分の1

○ 宅地評価土地（＝宅地）を取得した場合の課税標準は、宅地の価格の2分の1の額となります。

(コース)1 (ポイント)❷ 9

690
★★★

固定資産税の課税客体は、土地、家屋及び償却資産である。

(1997-26-1)

691
★★★

年度の途中において土地の売買があった場合の当該年度の固定資産税は、売主と買主がそれぞれその所有していた日数に応じて納付しなければならない。

(2003-28-1)

692
★★★

固定資産税は、固定資産の所有者に対して課されるが、質権又は100年より永い存続期間の定めのある地上権が設定されている土地については、所有者ではなくその質権者又は地上権者が固定資産税の納税義務者となる。

(2019-24-4)

693
★★★

固定資産税の標準税率は、100分の0.3である。

(1997-26-2)

694
★★★

固定資産税の徴収方法は、申告納付によるので、納税義務者は、固定資産を登記した際に、その事実を市町村長に申告又は報告しなければならない。

(2003-28-4)

695
★★

固定資産税の納税通知書は、遅くとも、納期限前10日までに納税者に交付しなければならない。

(1999-27-2)

690 固定資産税の課税客体は土地・家屋・償却資産

○ 固定資産とは土地、家屋及び償却資産をいいます。

コース 1 ポイント 3 1

691 日割り計算はしない

✕ 当該年度の初日の属する年の1月1日の所有者が1年度分負担します。日割り計算ではありません。

コース 1 ポイント 3 3

692 質権者・100年より永い地上権者は納税義務者

○ 所有者が納税するのが原則ですが、質権や100年より永い期間の地上権を設定している場合には、その人が納税することになります。

コース 1 ポイント 3 3

693 標準税率1.4%

✕ 固定資産税の標準税率は1.4%です。しかし、あくまで「標準」であり、1.4%でなければならないというわけではありません。

コース 1 ポイント 3 5

694 普通徴収

✕ 申告納付ではなく、普通徴収です。

コース 1 ポイント 3 8

695 納税通知書は10日前までに

○ 納税通知書は納期限前10日までに交付しなければなりません。

コース 1 ポイント 3 8

696 ★★
納税義務者又はその同意を受けた者以外の者は、固定資産課税台帳の記載事項の証明書の交付を受けることはできない。　(2005-28-2)

697 ★★★
固定資産税における土地の価格は、地目の変換がない限り、必ず基準年度の価格を3年間据え置くこととされている。　(2003-28-2)

698 ★★★
固定資産税の納期は、他の税目の納期と重複しないようにとの配慮から、4月、7月、12月、2月と定められており、市町村はこれと異なる納期を定めることはできない。　(2019-24-3)

699 ★★★
市町村は、財政上その他特別の必要がある場合を除き、当該市町村の区域内において同一の者が所有する土地に係る固定資産税の課税標準額が30万円未満の場合には課税できない。　(2015-24-4)

700 ★★★
住宅用地のうち、小規模住宅用地に対して課する固定資産税の課税標準は、当該小規模住宅用地に係る固定資産税の課税標準となるべき価格の3分の1の額とされている。　(2019-24-2)

701 ★★★
新築された住宅に対して課される固定資産税については、新たに課されることとなった年度から4年度分に限り、2分の1相当額を固定資産税額から減額される。　(2005-28-4)

696 賃借人なども可

固定資産課税台帳の記載事項の証明書は、確かに誰でも請求できるわけではありません。しかし、納税義務者やその同意を得た人以外であっても、賃借人などは交付を受けることができます。

[コース]1 [ポイント]❸ 4

697 地目の変換だけではない

地目の変換のほか、市町村の統合などでも土地の価格が変わることがあるので、地目の変換がない限り据え置くというわけではありません。

[コース]1 [ポイント]❸ 4

698 異なる定めも可

固定資産税の納期は4月・7月・12月・2月中において、市町村の条例で定められますが、市町村でこれと異なる定めをすることも可能です。

[コース]1 [ポイント]❸ 6

699 土地は30万円未満が免税

30万円未満の場合には原則として課税することができません。

土地	30万円未満
建物	20万円未満

[コース]1 [ポイント]❸ 7

700 3分の1→6分の1

小規模住宅用地（200㎡以下）は6分の1、一般の住宅用地（200㎡超）は3分の1となります。

[コース]1 [ポイント]❸ 9

701 4年度分→3年度分または5年度分

中高層耐火住宅は5年度分、その他の住宅は3年度分適用されます。税額が2分の1減額されます。

[コース]1 [ポイント]❸ 10

702

★★★

☐☐☐

固定資産税と都市計画税とは、あわせて賦課徴収することができる。

(1997-26-3)

702 ▷ **都市計画税も合わせて徴収**

◯ 都市計画税は固定資産税とあわせて徴収できます。

[コース] **1** [ポイント] ❸ **8**

3 所得税（譲渡所得）

703
★★★
☐☐☐

令和7年1月1日において所有期間が10年以下の居住用財産を、令和7年中に個人が譲渡した場合、居住用財産の譲渡所得の3,000万円特別控除（租税特別措置法第35条第1項）を適用することができない。 （2012-23-1改）

704
★★★
☐☐☐

居住用財産を配偶者に譲渡した場合には、居住用財産の譲渡所得の特別控除を適用することはできない。 （2003-26-3）

705
★★★
☐☐☐

居住用財産の譲渡所得の特別控除の適用については、居住用財産をその譲渡する時において自己の居住の用に供している場合に限り適用することができる。 （2003-26-4）

706
★★★
☐☐☐

その土地が居住用財産に該当するなど所定の要件を満たせば、令和5年に特定の居住用財産の買換えの場合の長期譲渡所得の課税の特例の適用を受けているときでも、居住用財産を譲渡した場合の3,000万円特別控除の適用を受けることができる。 （1998-27-3）

703 所有期間は問わない

✕　3,000万円特別控除は、所有期間を問わずに適用できます。

コース **1**　ポイント **④ 4**

704 親族等への譲渡では不可

◯　3,000万円特別控除は、親族等への譲渡では適用されません。

覚えよう！

- ● 3,000 万円特別控除
- **1** 居住用財産であること
  - ※ 居住しなくなって3年目の年末までに譲渡するもの
- **2** 親族等への譲渡ではないこと
- **3** 3年に1度だけ
  - ※ 3,000 万円特別控除のほか、買換え特例も受けていないこと

コース **1**　ポイント **④ 4**

705 3年経過する日の年末までは可

✕　譲渡する直前まで住んでいる必要はありません。自己の居住の用に供されなくなった日から3年を経過する日の年末までの間に譲渡すれば適用されます。

コース **1**　ポイント **④ 4**

706 前年・前々年に買換え特例の適用を受けている場合適用不可

✕　3,000万円特別控除の適用は、前年又は前々年において特定の買換え特例の適用を受けていないことが要件となっています。

コース **1**　ポイント **④ 4**

707 ★★★

租税特別措置法第36条の2の特定の居住用財産の買換えの場合の長期譲渡所得の課税の特例においては、譲渡資産とされる家屋について、その譲渡をした日の属する年の1月1日における所有期間が5年を超えるものであることが、適用要件とされている。

(2007-26-3)

708 ★★★

租税特別措置法第36条の2の特定の居住用財産の買換えの場合の長期譲渡所得の課税の特例においては、買換資産とされる家屋について、その床面積のうち自己が居住の用に供する部分の床面積が50㎡以上500㎡以下のものであることが、適用要件とされている。

(2002-26-4改)

709 ★★★

租税特別措置法第36条の2の特定の居住用財産の買換えの場合の長期譲渡所得の課税の特例においては、買換資産とされる家屋について、譲渡資産の譲渡をした日からその譲渡をした日の属する年の12月31日までに取得をしたものであることが、適用要件とされている。

(2007-26-2)

710 ★★★

租税特別措置法第36条の2の特定の居住用財産の買換えの場合の長期譲渡所得の課税の特例においては、譲渡資産とされる家屋について、その譲渡に係る対価の額が5,000万円以下であることが、適用要件とされている。

(2007-26-1)

711 ★★★

譲渡した年の1月1日において所有期間が5年を超える居住用財産を譲渡した場合には、居住用財産を譲渡した場合の軽減税率の特例の適用を受けることができる。

(1996-28-1)

707 ▶ 5年→10年

買換え特例における所有期間の要件は5年超ではなく10年超です。

 コース 1　ポイント 4 6

708 ▶ 床面積50㎡以上で敷地が500㎡以下

買換え特例は、買換資産の家屋の床面積が50㎡以上であることと、家屋の敷地が500㎡以下であることが適用要件とされています。

コース 1　ポイント 4 6

709 ▶ 前年1月1日～翌年12月31日

譲渡する前年の1月1日から翌年の12月31日までに取得したものであることが適用要件となります。

コース 1　ポイント 4 6

710 ▶ 5,000万円→1億円

買換え特例における譲渡資産の対価の額の要件は5,000万円以下ではなく、1億円以下です。

コース 1　ポイント 4 6

711 ▶「5年超」→「10年超」

居住用財産を譲渡した場合の軽減税率の特例の適用を受けるためには、所有期間が、譲渡をした年の1月1日において10年を超えることが必要です。

コース 1　ポイント 4 7

712

★★★

□□□

令和7年1月1日において所有期間が10年を超える居住用財産について、その譲渡した時にその居住用財産を自己の居住の用に供していなければ、居住用財産を譲渡した場合の軽減税率の特例を適用することができない。　　　　　　　　　　　　　　　　　　（2012-23-3改）

713

★★★

□□□

譲渡した年の1月1日において所有期間が10年を超える居住用財産を譲渡した場合において、居住用財産を譲渡した場合の軽減税率の特例を適用するときには、居住用財産の譲渡所得の特別控除を適用することはできない。　　　　　　　　　　　　　　　　　　　（2003-26-2）

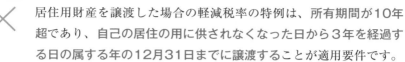

712 ▶ 譲渡時に自己の居住の用に供している必要はない

✕ 居住用財産を譲渡した場合の軽減税率の特例は、所有期間が10年超であり、自己の居住の用に供されなくなった日から３年を経過する日の属する年の12月31日までに譲渡することが適用要件です。

〔コース〕**1** 〔ポイント〕**❹ 7**

713 ▶ 重複適用可

✕ 居住用財産を譲渡した場合の軽減税率の特例と3,000万円特別控除は重複適用ができます。

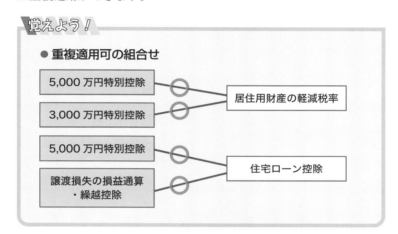

覚えよう！

● 重複適用可の組合せ

| 5,000万円特別控除 | ○ | |
| 3,000万円特別控除 | ○ | 居住用財産の軽減税率 |

| 5,000万円特別控除 | ○ | |
| 譲渡損失の損益通算・繰越控除 | ○ | 住宅ローン控除 |

〔コース〕**1** 〔ポイント〕**❹ 8**

4 印紙税

714
★★★
□□□

土地譲渡契約書に課税される印紙税を納付するため当該契約書に印紙をはり付けた場合には、課税文書と印紙の彩紋とにかけて判明に消印しなければならないが、契約当事者の従業者の印章又は署名で消印しても、消印したことにはならない。　　　　　　(2013-23-1)

715
★★★
□□□

後日、本契約書を作成することを文書上で明らかにした、土地を1億円で譲渡することを証した仮契約書には、印紙税は課されない。

(2004-28-1)

716
★★★
□□□

売主Aと買主Bが土地の譲渡契約書を3通作成し、A、B及び仲介人Cがそれぞれ1通ずつ保存する場合、当該契約書3通には印紙税が課される。　　　　　　　　　　　　　　　　　(2023-23-1)

717
★★★
□□□

土地の売却の代理を行ったA社が「A社は、売主Bの代理人として、土地代金5,000万円を受領した」旨を記載した領収書を作成した場合、当該領収書は、売主Bを納税義務者として印紙税が課される。

(2009-24-3)

718
★★★
□□□

売上代金に係る金銭の受取書（領収書）は記載された受取金額が3万円未満の場合、印紙税が課されないことから、不動産売買の仲介手数料として、現金49,500円（消費税及び地方消費税を含む。）を受け取り、それを受領した旨の領収書を作成した場合、受取金額に応じた印紙税が課される。　　　　　　　　　　(2016-23-4改)

714 ▶ **納税義務者でなくてもよい**

✕ 消印は納税義務者である必要はなく、従業者や代理人でも構いません。

〔コース〕1 〔ポイント〕❺ ❸

715 ▶ **仮契約書にも課される**

✕ 後日、本契約書を作成することを前提として作られる仮契約書も課税文書です。

〔コース〕1 〔ポイント〕❺ ❷

716 ▶ **3通とも課税文書**

◯ 契約書として作成するのであれば、3通とも課税文書となります。

〔コース〕1 〔ポイント〕❺ ❷

717 ▶ **納税義務者はA社**

✕ 印紙税の納付義務者は文書の作成者です。代理を行ったA社が作成したのであれば、その文書の納税義務者はA社となります。

〔コース〕1 〔ポイント〕❺ ❷

718 ▶ **5万円未満は非課税**

✕ 5万円未満の領収書は非課税となります。

〔コース〕1 〔ポイント〕❺ ❷

719
★★★

「建物の電気工事に係る請負金額は2,200万円（うち消費税額及び地方消費税額が200万円）とする」旨を記載した工事請負契約書について、印紙税の課税標準となる当該契約書の記載金額は、2,200万円である。 (2013-23-4改)

720
★★★

給与所得者である個人Cが生活の用に供している土地建物を株式会社であるD社に譲渡し、代金1億円を受け取った際に作成する領収書は、金銭の受取書として印紙税が課される。 (2001-27-4)

721
★★★

建物の賃貸借契約に際して敷金を受け取り、「敷金として20万円を領収し、当該敷金は賃借人が退去する際に全額返還する」旨を記載した敷金の領収証を作成した場合、印紙税は課税されない。 (2008-27-1)

722
★★★

一の契約書に土地の譲渡契約（譲渡金額5,000万円）と建物の建築請負契約（請負金額6,000万円）をそれぞれ区分して記載した場合、印紙税の課税標準となる当該契約書の記載金額は1億1,000万円である。 (2023-23-2)

723
★★★

「Aの所有する土地（価額1億7,000万円）とBの所有する土地（価額2億円）とを交換し、AはBに差額3,000万円支払う」旨を記載した土地交換契約書を作成した場合、印紙税の課税標準となる当該契約書の記載金額は、2億円である。 (2006-27-1)

724
★★★

「Dの所有する甲土地（時価2,000万円）をEに贈与する」旨を記載した贈与契約書を作成した場合、印紙税の課税標準となる当該契約書の記載金額は、2,000万円である。 (2023-23-3)

719　2,200万円→2,000万円

区分記載された消費税分は記載金額には含みません。よって、2,000万円が記載金額となります。

コース**1** ポイント**5** **4**

720　営業に関しない領収書は課税文書ではない

営業に関しない領収書は課税文書ではありません。

コース**1** ポイント**5** **2**

721　課税文書

敷金の領収証は課税文書です。

コース**1** ポイント**5** **2**

722　区分できる場合はいずれか大きい額が記載金額となる

1つの契約書が不動産の譲渡契約書と請負契約書の両方に該当する場合、原則として総額が記載金額となりますが、記載金額が譲渡と請負のそれぞれに区分できる場合には、いずれか大きい額が記載金額となります。

コース**1** ポイント**5** **4**

723　高いほうが記載金額

交換契約書の場合に、双方の金額が記載されているときは、高いほうの金額を記載金額とします。

コース**1** ポイント**5** **4**

724　記載金額なしとして扱う

贈与契約書の場合、記載金額のない契約書（＝印紙税額200円）として扱います。

コース**1** ポイント**5** **4**

725
★★★

「甲土地を6,000万円、乙建物を3,500万円、丙建物を1,500万円で譲渡する」旨を記載した契約書を作成した場合、印紙税の課税標準となる当該契約書の記載金額は、6,000万円である。　(2011-23-3)

726
★★★

「契約期間は10年間、賃料は月額10万円、権利金の額は100万円とする」旨が記載された土地の賃貸借契約書は、記載金額1,300万円の土地の賃借権の設定に関する契約書として印紙税が課される。

(2020⑩-23-4)

727
★★★

土地の譲渡金額の変更契約書で、「既作成の譲渡契約書に記載の譲渡金額1億円を1億1,000万円に変更する」旨が記載されている場合、その契約書の記載金額は1億1,000万円である。　(2000-27-4)

728
★★★

当初作成の「土地を1億円で譲渡する」旨を記載した土地譲渡契約書の契約金額を変更するために作成する契約書で、「当初の契約書の契約金額を1,000万円減額し、9,000万円とする」旨を記載した変更契約書について、印紙税の課税標準となる当該変更契約書の記載金額は、1,000万円である。　(2023-23-4)

729
★★★

印紙税の課税文書である不動産譲渡契約書を作成したが、印紙税を納付せず、その事実が税務調査により判明した場合は、納付しなかった印紙税額と納付しなかった印紙税額の10%に相当する金額の合計額が過怠税として徴収される。　(2016-23-1)

725 ▶ **6,000万円→1億1,000万円**

譲渡の場合、土地も建物も課税文書扱いとなります。したがって、3つの合計である1億1,000万円が記載金額となります。

コース1 ポイント⑤ 4

726 ▶ **100万円が記載金額**

土地の賃貸借契約書は課税文書です。権利金の額100万円が記載金額となります。

コース1 ポイント⑤ 4

727 ▶ **増額＝増加金額が記載金額**

契約金額を増加させる契約書は、増加金額である1,000万円が記載金額となります。

コース1 ポイント⑤ 4

728 ▶ **減額＝記載金額なし**

変更契約書は、減額の場合、記載金額のない契約書（＝印紙税額200円）として扱います。ですから、200円課税されます。

コース1 ポイント⑤ 4

729 ▶ **実質3倍の過怠税**

印紙税を納付しなかった場合、実質3倍の過怠税が徴収されます。自己申告の場合は1.1倍ですが、今回は「税務調査により判明」とあるため、自己申告ではありません。

コース1 ポイント⑤ 5

730

★★★

国とD社とが共同で土地の売買契約書（記載金額5,000万円）を2通作成し、双方で各1通保存する場合、D社が保存するものには、印紙税は課税されない。

(1997-28-2)

730 ▶ 国が作成する文書は非課税

○　国が作成する文書（＝私人が保存する文書）は課税されません。

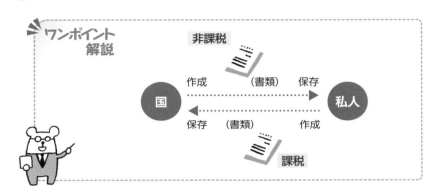

ワンポイント解説

非課税

作成　　（書類）　　保存

国　　　　　　　　　　　私人

保存　　（書類）　　作成

課税

コース 1　ポイント ❺ ❻

731
★★
☐☐☐
土地の売買に係る登録免許税の納税義務は、土地を取得した者にはなく、土地を譲渡した者にある。 (2002-27-4)

732
★★
☐☐☐
住宅用家屋の所有権の移転登記に係る登録免許税の税率の軽減措置に係る登録免許税の課税標準となる不動産の価額は、売買契約書に記載されたその住宅用家屋の実際の取引価格である。 (2020⑫-23-3)

733
★★
☐☐☐
登録免許税の課税標準の金額を計算する場合において、その金額が1千円に満たないときは、その課税標準は1千円とされる。 (1991-28-1)

734
★★
☐☐☐
住宅用家屋の所有権の移転登記に係る登録免許税の税率の軽減措置は、贈与により取得した住宅用家屋に係る所有権の移転登記には適用されない。 (2009-23-2)

735
★★
☐☐☐
住宅用家屋の所有権の移転登記に係る登録免許税の税率の軽減措置は、個人が自己の経営する会社の従業員の社宅として取得した住宅用家屋に係る所有権の移転の登記にも適用される。 (2014-23-2)

736
★★
☐☐☐
住宅用家屋の所有権の移転登記に係る登録免許税の税率の軽減措置の適用対象となる住宅用家屋は、床面積が100㎡以上で、その住宅用家屋を取得した個人の居住の用に供されるものに限られる。 (2009-23-1)

731 売主と買主が連帯して納付する義務

✕ 納税義務者は登記を受ける者です。不動産の売買によって所有権移転登記をする場合、売主と買主が連帯して納付する義務を負います。

コース1 ポイント 6 2

732 固定資産課税台帳の価格

✕ 売買などの場合、実際の取引価格ではなく、固定資産課税台帳の価格を基準にして課税標準が決まります。

コース1 ポイント 6 3

733 1,000円として計算

◯ 課税標準が1,000円未満の場合、課税標準は1,000円として計算されます。

コース1 ポイント 6 3

734 贈与では適用されない

◯ 所有権保存登記は新築のみ、所有権移転登記は売買・競落のみが軽減措置の対象です。したがって、贈与の場合には適用されません。

コース1 ポイント 6 5

735 個人の自己の居住用のみ

✕ 個人の自己の居住用の場合に適用されるので、社宅には適用されません。

コース1 ポイント 6 5

736 「100㎡」→「50㎡」

✕ 登録免許税の税率の軽減措置の適用を受けることができる住宅用家屋は、個人の住宅の用に供される家屋で、床面積の合計が50㎡以上である場合に限られます。

コース1 ポイント 6 5

737
★★
□□□

住宅用家屋の所有権の移転登記に係る登録免許税の税率の軽減措置の適用を受けるためには、その住宅用家屋の取得後6か月以内に所有権の移転登記をしなければならない。　　　　　　　　(2009-23-4)

738
★★
□□□

住宅用家屋の所有権の移転登記に係る登録免許税の税率の軽減措置は、一定の要件を満たせばその住宅用家屋の敷地の用に供されている土地に係る所有権の移転の登記にも適用される。　　(2014-23-1)

739
★★
□□□

住宅用家屋の所有権の移転登記に係る登録免許税の税率の軽減措置は、以前にこの措置の適用を受けたことがある者が新たに取得した住宅用家屋に係る所有権の移転の登記には適用されない。

(2014-23-3)

740
★★
□□□

登録免許税の納付は、納付すべき税額が3万円以下の場合においても、現金による納付が認められる。　　　　　　　　(1991-28-4)

737 6カ月以内→1年以内

登録免許税の税率の軽減措置の適用を受けるためには、適用対象となる住宅用家屋の取得後1年以内に所有権の移転登記を受ける必要があります。

コース1 ポイント❻ ❺

738 土地には適用されない

住宅用家屋の所有権の移転登記に係る登録免許税の税率の軽減措置は、家屋のみであり、土地には適用されません。

コース1 ポイント❻ ❺

739 以前適用を受けた者でも可

住宅用家屋の所有権の移転登記に係る登録免許税の税率の軽減措置は、以前にこの適用を受けたことがある者が新たに取得した住宅用家屋に係る所有権の移転の登記についても適用されます。

コース1 ポイント❻ ❺

740 3万円以下でも現金納付は可能

登録免許税の納付は現金納付が原則ですが、3万円以下であれば印紙納付も認められています。あくまでも任意ですので、3万円以下であっても現金納付は可能です。

コース1 ポイント❻ ❻

6 贈与税

741
★
☐☐☐

「直系尊属から住宅取得等資金の贈与を受けた場合の贈与税の非課税」に関して、直系尊属から住宅用の家屋の贈与を受けた場合でも、この特例の適用を受けることができる。 (2015-23-1)

742
★
☐☐☐

「直系尊属から住宅取得等資金の贈与を受けた場合の贈与税の非課税」に関して、贈与者が住宅取得等資金の贈与をした年の1月1日において60歳未満の場合でも、この特例の適用を受けることができる。 (2015-23-3)

743
★
☐☐☐

「直系尊属から住宅取得等資金の贈与を受けた場合の贈与税の非課税」に関して、受贈者について、住宅取得等資金の贈与を受けた年の所得税法に定める合計所得金額が2,000万円を超える場合でも、この特例の適用を受けることができる。 (2015-23-4)

741 資金の贈与のみ

✕ 特例が適用されるのは資金の贈与です。家屋そのものの贈与では特例は適用されません。

コース **1** ポイント **7** **3**

742 贈与者の年齢制限なし

◯ 贈与者の年齢に制限はありません。ちなみに、受贈者は18歳以上でなければなりません。

コース **1** ポイント **7** **3**

743 2,000万円以下

✕ 受贈者の合計所得金額は2,000万円以下に限ります。

覚えよう！

● **非課税と特例の適用要件**

	贈与税の非課税	相続時精算課税の特例
贈与の内容	住宅取得等資金の贈与（家屋の贈与はNG！）	住宅取得等資金の贈与（家屋の贈与はNG！）
贈与者	直系尊属（父母・祖父母等）年齢は問わない	祖父母・父母 年齢は問わない
受贈者	18 歳以上の子・孫等	18 歳以上の子・孫
受贈者の適用要件	所得金額 2,000 万円以下	所得金額を問わない
非課税額 特別控除額	非課税額 500 万円※	特別控除額 2,500 万円
基礎控除（110 万円）との併用	併用OK	併用OK

※住宅用家屋の種類によっては 1,000 万円

コース **1** ポイント **7** **3**

7 地価公示法

744
★★★
□□□
標準地の正常な価格は、土地鑑定委員会が毎年１回、２人以上の不動産鑑定士の鑑定評価を求め、その結果を審査し、必要な調整を行って判定し公示される。 (2006-29-1)

745
★★★
□□□
公示区域とは、土地鑑定委員会が都市計画法第４条第２項に規定する都市計画区域内において定める区域である。 (2011-25-1)

746
★★★
□□□
土地鑑定委員会は、自然的及び社会的条件からみて類似の利用価値を有すると認められる地域において、土地の利用状況、環境等が特に良好と認められる一団の土地について標準地を選定する。 (2019-25-4)

747
★★★
□□□
正常な価格とは、土地について、自由な取引が行われるとした場合におけるその取引（一定の場合を除く。）において通常成立すると認められる価格をいい、当該土地に建物がある場合には、当該建物が存するものとして通常成立すると認められる価格をいう。 (2022-25-2)

748
★★★
□□□
標準地の鑑定評価は、近傍類地の取引価格から算定される推定の価格、近傍類地の地代等から算定される推定の価格及び同等の効用を有する土地の造成に要する推定の費用の額を勘案して行われる。 (2009-25-2)

---

744 毎年１回、２人以上の不動産鑑定士の鑑定評価

○ 土地鑑定委員会が毎年１回、２人以上の不動産鑑定士の鑑定評価を
求めて行います。

コース**2**　ポイント**❶ 2**

---

745 都市計画区域外も可・国土交通大臣が指定

× 公示区域は都市計画区域外でも定めることができます。また、公示
区域を定めるのは土地鑑定委員会ではなく国土交通大臣です。

コース**2**　ポイント**❶ 2**

---

746 「特に良好」→「通常」

× 土地鑑定委員会は、自然的及び社会的条件からみて類似の利用価値
を有すると認められる地域において、土地の利用状況、環境等が通
常と認められる一団の土地について標準地を選定します。

コース**2**　ポイント**❶ 2**

---

747 存する→存しない

× 建物または土地の使用収益を制限する権利（＝借地権など）が存在
したとしても、それは存在していないものとして算定します。

コース**2**　ポイント**❶ 2**

---

748 取引価格、地代、造成費用を勘案

○ 鑑定評価は、取引価格、地代、造成費用を勘案して行います。

コース**2**　ポイント**❶ 2**

749 ★★★ □□□
都道府県知事は、土地鑑定委員会が公示した事項のうち、当該都道府県に存する標準地に係る部分を記載した書面及び当該標準地の所在を表示する図面を、当該都道府県の事務所において一般の閲覧に供しなければならない。　　　　　　　　　　　　　(2000-29-4)

750 ★ □□□
土地鑑定委員会は、標準地の正常な価格を判定したときは、標準地の単位面積当たりの価格のほか、当該標準地の地積及び形状についても官報で公示しなければならない。　　　　　　　　　　(2022-25-1)

751 ★★★ □□□
土地の取引を行う者は、取引の対象土地に類似する利用価値を有すると認められる標準地について公示された価格を指標として取引を行わなければならない。　　　　　　　　　　　　　(2011-25-3)

752 ★★★ □□□
不動産鑑定士は、公示区域内の土地について鑑定評価を行う場合において、当該土地の正常な価格を求めるときは、公示価格と実際の取引価格のうちいずれか適切なものを規準としなければならない。　　　　　　　　　　　　　(2003-29-3改)

749 ▶ 都道府県知事→市町村長

都道府県知事ではなく、関係市町村長が当該市町村の事務所において一般の閲覧に供します。

コース**2** ポイント**❶ 2**

750 ▶ 官報での公示が必要

官報には、以下の内容などを公示します。

ワンポイント解説

1 標準地の所在地
2 標準地の単位面積あたりの価格・価格判定の基準日
3 標準地の地積（面積）・形状（土地の形）
4 標準地及びその周辺の土地の利用の現況
5 標準地についての水道・ガス供給施設及び下水道の整備の状況

コース**2** ポイント**❶ 3**

751 ▶ 取引＝指標（努力目標）

土地取引の場合には、指標として取引するよう努めなければなりません。義務ではなく努力目標です。

コース**2** ポイント**❶ 4**

752 ▶ 公示価格を規準としなければならない

公示価格を規準としなければなりません。公示価格と実際の取引価格のどちらかから選ぶわけではありません。

コース**2** ポイント**❶ 4**

8 不動産鑑定評価基準

753
★★

不動産の価格は、その不動産の効用が最高度に発揮される可能性に最も富む使用を前提として把握される価格を標準として形成されるが、これを最有効使用の原則という。　　　　　　　　　　(2018-25-1)

754
★★★

正常価格とは、市場性を有する不動産について、現実の社会経済情勢の下で合理的と考えられる条件を満たす市場で形成されるであろう市場価値を表示する適正な価格をいう。　　　　　　　　(2010-25-3)

755
★★★

特殊価格とは、市場性を有する不動産について、法令等による社会的要請を背景とする評価目的の下で、正常価格の前提となる諸条件を満たさない場合における不動産の経済価値を適正に表示する価格をいう。　　　　　　　　　　　　　　　　　　　(2008-29-3)

756
★★★

原価法は、対象不動産が建物又は建物及びその敷地である場合には適用することができるが、対象不動産が土地のみである場合においては、いかなる場合も適用することができない。　　　(2023-25-2)

757
★★★

取引事例比較法における取引事例としては、特殊事情のある事例でもその具体的な状況が判明しており、補正できるものであれば採用することができるが、投機的取引であると認められる事例は採用できない。　　　　　　　　　　　　　　　　　　(1998-29-1)

753　最有効使用の原則の説明と合致

○　不動産の価格は、その不動産の効用が最高度に発揮される可能性に最も富む使用（最有効使用）を前提として把握される価格を標準として形成されます。これを最有効使用の原則といいます。

コース2　ポイント❷ 2

754　正常価格の説明と合致

○　正常価格とは、市場性を有する不動産について、現実の社会経済情勢の下で合理的と考えられる条件を満たす市場で形成されるであろう市場価値を表示する適正な価格のことです。

コース2　ポイント❷ 3

755　特殊価格→特定価格

×　特殊価格は、市場性を有しない不動産についての価格のことです。この文は特定価格についての説明です。

コース2　ポイント❷ 3

756　土地にも適用可

×　原価法は、再調達原価が求められる場合には、土地にも適用可能です。

コース2　ポイント❷ 4

757　投機的取引の事例は不可

○　取引事例比較法では、投機的取引の事例を用いることはできません。

コース2　ポイント❷ 4

758
★★★

収益還元法は、対象不動産が将来生み出すであろうと期待される純収益の現在価値の総和を求めることにより対象不動産の試算価格を求める手法であることから、賃貸用不動産の価格を求める場合に有効であり、自用の住宅地には適用すべきでない。　　(2008-29-4)

759
★★★

収益還元法は、対象不動産が将来生み出すであろうと期待される純収益の現在価値の総和を求めることにより対象不動産の試算価格を求める手法であり、このうち、一期間の純収益を還元利回りによって還元する方法をDCF（Discounted Cash Flow）法という。

(2007-29-4)

760
★★★

不動産の価格を求める鑑定評価の手法は、原価法、取引事例比較法及び収益還元法に大別されるが、鑑定評価に当たっては、案件に即してこれらの三手法のいずれか1つを適用することが原則である。

(2001-29-1)

761
★★

賃料の鑑定評価において、支払賃料とは、賃料の種類の如何を問わず賃貸人に支払われる賃料の算定の期間に対応する適正なすべての経済的対価をいい、純賃料及び不動産の賃貸借等を継続するために通常必要とされる諸経費等から成り立つものである。　　(2001-29-4)

758 ▶ **自用の不動産にも適用可**

収益還元法は、自用の不動産にも適用することができます。

コース**2** ポイント▶**❷** **4**

759 ▶ **DCF法→直接還元法**

一期間のもうけを考えるのは、直接還元法です。DCF法は複数の期間のもうけを考えます。

コース**2** ポイント▶**❷** **4**

760 ▶ **複数の手法を適用すべき**

原価法、取引事例比較法、収益還元法があり、複数の鑑定評価の手法を適用すべきとされています。

コース**2** ポイント▶**❷** **4**

761 ▶ **支払賃料ではなく実質賃料の説明**

たとえば、「賃料月額20万円で、権利金96万円を2年で償却」とあった場合で考えてみましょう。毎月払う賃料は20万円ですよね。これが支払賃料です。それに対して、権利金も払っているのだから、実質的には権利金の分（96万円を2年ということは、毎月4万円分）を上乗せしていると考えることもできます。なので、実質的には毎月24万円払っているということになります。これが実質賃料です。

コース**2** ポイント▶**❷** **5**

9 住宅金融支援機構法

762
★★★
□□□

独立行政法人住宅金融支援機構は、証券化支援事業（買取型）において、民間金融機関が貸し付ける長期・固定金利の住宅ローン債権を買取りの対象としている。 (2011-46-3)

763
★★★
□□□

独立行政法人住宅金融支援機構は、証券化支援事業（買取型）において、民間金融機関から買い取った住宅ローン債権を担保としてMBS（資産担保証券）を発行している。 (2012-46-1)

764
★★★
□□□

独立行政法人住宅金融支援機構は、証券化支援事業（買取型）において、住宅の建設や新築住宅の購入に係る貸付債権のほか、中古住宅を購入するための貸付債権も買取りの対象としている。

(2012-46-4)

765
★★★
□□□

証券化支援事業（買取型）における民間金融機関の住宅ローン金利は、金融機関によって異なる場合がある。 (2012-46-2)

766
★★★
□□□

独立行政法人住宅金融支援機構は、地震に対する安全性の向上を主たる目的とする住宅の改良に必要な資金の貸付けを業務として行っている。 (2014-46-1)

767
★★★
□□□

独立行政法人住宅金融支援機構は、高齢者の家庭に適した良好な居住性能及び居住環境を有する住宅とすることを主たる目的とする住宅の改良（高齢者が自ら居住する住宅について行うものに限る）に必要な資金の貸付けを業務として行っている。 (2014-46-3)

762 ▶ 民間金融機関の住宅ローン債権を買取り

◯ 民間金融機関が貸し付ける長期・固定金利の住宅ローン債権を買取りの対象としています。

〔コース〕**3** 〔ポイント〕**❶ 2**

763 ▶ 証券化して投資家に売る

◯ 民間の金融機関の住宅ローン債権を、機構が買い取って証券化し、それを投資家に売ります。これは、将来の金利変動のリスクを投資家に引き受けてもらうことが主な目的です。

〔コース〕**3** 〔ポイント〕**❶ 2**

764 ▶ 中古住宅も買い取り対象

◯ 証券化支援事業（買取型）の対象となる住宅ローン債権には新築住宅に係る貸付債権だけでなく、中古住宅を購入するための貸付債権も含まれます。

〔コース〕**3** 〔ポイント〕**❶ 2**

765 ▶ 金融機関によって異なる

◯ 利率は金融機関が定めるため、金融機関により利率は異なります。

〔コース〕**3** 〔ポイント〕**❶ 2**

766 ▶ 直接融資も行う

◯ 地震に対する安全性の向上を主たる目的とする住宅の改良に必要な資金の貸付けを業務として行っています。

〔コース〕**3** 〔ポイント〕**❶ 3**

767 ▶ 直接融資も行う

◯ 高齢者のために住宅の改良を行う際の資金について、直接融資の対象としています。

〔コース〕**3** 〔ポイント〕**❶ 3**

768
★★★
□□□
独立行政法人住宅金融支援機構は、経済情勢の著しい変動に伴い、住宅ローンの元利金の支払いが著しく困難となった場合に、償還期間の延長等の貸付条件の変更を行っている。 (2011-46-4)

769
★★★
□□□
機構は、証券化支援事業（買取型）において、住宅の改良に必要な資金の貸付けに係る貸付債権について譲受けの対象としている。 (2014-46-2)

770
★★★
□□□
証券化支援業務（買取型）において、機構による譲受けの対象となる住宅の購入に必要な資金の貸付けに係る金融機関の貸付債権には、当該住宅の購入に付随する改良に必要な資金も含まれる。 (2017-46-4)

771
★★★
□□□
機構は、団体信用生命保険業務として、貸付けを受けた者が死亡した場合のみならず、重度障害となった場合においても、支払われる生命保険の保険金を当該貸付けに係る債務の弁済に充当することができる。 (2017-46-1)

768 貸付条件の変更も可

○ 償還期間の延長等の貸付条件の変更を行っています。

コース**3** ポイント**❶ ❸**

769 建設・購入が対象であり、改良は対象ではない

✕ 証券化支援事業（買取型）において、譲受けの対象となるのは、住宅の建設・購入の場合であって、改良は対象としていません。なお、住宅の建設または購入に付随する改良は対象です。

コース**3** ポイント**❶ ❷**

770 住宅の購入に付随する改良は対象となる

○ 証券化支援事業（買取型）において、住宅の購入または建設に付随する土地もしくは借地権の取得又は当該住宅の改良に必要な資金も含まれます。

コース**3** ポイント**❶ ❷**

771 死亡の場合のみならず、重度障害となった場合も充当可能

○ 団体信用生命保険業務において、死亡の場合のみならず，重度障害の状態となった場合も、支払われる生命保険の保険金を当該貸付けに係る債務の弁済に充当することができます。

コース**3** ポイント**❶ ❹**

772
★★★
□□□
新築分譲マンションを販売するに当たり、契約者全員が四つの選択肢の中から景品を選ぶことができる総付景品のキャンペーンを企画している場合、選択肢の一つを現金200万円とし、他の選択肢を海外旅行として実施することができる。　　　　　(2005-47-2)

773
★★★
□□□
新築分譲住宅の広告において物件及びその周辺を写した写真を掲載する際に、当該物件の至近に所在する高圧電線の鉄塔を消去する加工を施した場合には、不当表示に該当する。　　　　　(2006-47-3)

774
★★★
□□□
インターネット広告においては、最初に掲載する時点で空室の物件であれば、その後、成約済みになったとしても、情報を更新することなく空室の物件として掲載し続けてもよい。　　　　　(2008-47-3)

775
★★★
□□□
建築工事完了後8か月しか経過していない分譲住宅については、入居の有無にかかわらず新築分譲住宅と表示してもよい。

(2013-47-4改)

776
★★★
□□□
近くに新駅の設置が予定されている分譲住宅の販売広告を行うに当たり、当該鉄道事業者が新駅設置及びその予定時期を公表している場合、広告の中に新駅設置の予定時期を明示して表示してもよい。

(2016-47-4)

777
★★★
□□□
分譲宅地（50区画）の価格については、パンフレット等の媒体を除き、1区画当たりの最低価格、最高価格及び最多価格帯並びにその価格帯に属する販売区画数を表示すれば足りる。　　(2011-47-1改)

772　　できない

× 懸賞によらないで提供する景品類は、取引価格の10分の1か、100万円のいずれか低い金額の範囲を超えてはなりません。

コース**3**　ポイント**❷ 7**

773　　不当表示に該当する

○ 実物よりも良く見せるために写真を加工してはなりません。

第2編 コース**9**　ポイント**❶ 3**

774　　広告を速やかに取り下げる

× 成約済みとなった場合、速やかに広告を取り下げなければなりません。

第2編 コース**9**　ポイント**❶ 3**

775　　「入居の有無にかかわらず」ではない

× 新築というのは未入居であって建築工事完了後1年未満のものです。入居者がいた場合、たとえ1年未満であっても新築とはいえません。

コース**3**　ポイント**❷ 3**

776　　運行主体が公表したものに限る

○ 新設予定の駅等またはバスの停留所は、当該路線の運行主体が公表したものに限り、その新設予定時期を明示して表示することができます。

コース**3**　ポイント**❷ 4**

777　　パンフレット等の媒体を除き、表示可

○ 分譲宅地（10区画以上）の価格については、パンフレット等の媒体を除き、1区画当たりの最低価格、最高価格及び最多価格帯ならびにその価格帯に属する販売区画数を表示すればよいです。

コース**3**　ポイント**❷ 5**

778 ★★★ ☐☐☐ 各種施設までの徒歩による所要時間を表示する場合は、直線距離80mにつき1分間を要するものとして算出した数値を表示し、また、1分未満の端数が生じたときは1分間として計算して表示しなければならない。 (2003-47-2)

779 ★★★ ☐☐☐ 宅地建物取引業者が行う広告について、新築分譲マンションの名称に、公園、庭園、旧跡その他の施設の名称を使用する場合には、当該物件がこれらの施設から最短の道路距離で300m以内に所在していなければならない。 (2006-47-1)

780 ★★★ ☐☐☐ 宅地建物取引業者が行う広告について、市街化調整区域内に所在する土地を販売する際の新聞折込広告においては、市街化調整区域に所在する旨を16ポイント以上の大きさの文字で表示すれば、宅地の造成や建物の建築ができない旨を表示する必要はない。 (2006-47-2)

781 ★★★ ☐☐☐ 取引しようとする物件の周辺に存在するデパート、スーパーマーケット等の商業施設については、現に利用できるものでなければ広告に表示することはできない。 (2012-47-3)

778 直線距離→道路距離

徒歩による所要時間は、道路距離80mにつき1分間を要するものとして算出した数値を表示します。この場合において、1分未満の端数が生じたときは、1分として算出します。

コース3 ポイント❷ 5

779 道路距離→直線距離

その施設が最短の直線距離で300m以内に所在していなければなりません。

コース3 ポイント❷ 4

780 造成・建築ができない旨も文字で明示

市街化調整区域に所在する土地について新聞折込チラシで広告する場合、「市街化調整区域。宅地の造成及び建物の建築はできません。」と16ポイント以上の文字で明示しなければなりません。ただし、開発許可を受けているもの等についてはこの限りではありません。

コース3 ポイント❷ 2

781 「現に利用できるもの」のみではない

デパート、スーパーマーケット、コンビニエンスストア、商店等の商業施設は、現に利用できるものを物件からの道路距離または徒歩所要時間を明示して表示しなければなりません。ただし、将来確実に利用できると認められる場合には、その整備予定時期を明記して表示することができます。

コース3 ポイント❷ 5

782
★★★

台地や丘陵の縁辺部は、豪雨などによる崖崩れに対しては、安全である。　　　　　　　　　　　　　　　　　　　　　　(2014-49-4)

783
★★★

台地上の池沼を埋め立てた地盤は、液状化に対して安全である。　　　　　　　　　　　　　　　　　　　　　　　　　　(2015-49-3)

784
★★★

丘陵地帯で地下水位が深く、固結した砂質土で形成された地盤の場合、地震時は液状化する可能性が高い。　　　　　　(2002-49-4)

785
★★★

谷出口に広がる扇状地は、地盤は堅固でないが、土石流災害に対して安全であることが多い。　　　　　　　　　　(2010-49-2)

786
★★★

丘陵地を切土と盛土により造成した地盤の場合は、その境目では地盤の強度が異なるため、不同沈下が起こりやすい。　　(2001-49-4)

787
★★★

埋立地は、一般に海面に対して比高を持ち、干拓地に比べ、水害に対して危険である。　　　　　　　　　　　　(2017-49-4)

782　縁辺部は安全とはいえない

✕　台地は安全ですが、縁辺部は安全とはいえません。

コース **3** ポイント **3** **1**

783　安全ではない

✕　池沼を埋め立てたのであれば、地下水が比較的浅い所にあり、砂を多く含む地盤なので、液状化の危険があり安全とはいえません。

コース **3** ポイント **3** **1**

784　液状化する可能性は高くない

✕　地下水位が深いのであれば、液状化の可能性は高くありません。

コース **3** ポイント **3** **1**

785　安全とは言い難い

✕　谷の出口なので、土石流が発生する危険性が高いです。

コース **3** ポイント **3** **1**

786　不同沈下が起こりやすい

◯　盛土よりも切土のほうが地盤は固いので、沈下量は盛土のほうが大きくなります。すると、不同沈下が生じる可能性は高くなります。

コース **3** ポイント **3** **3**

787　埋立地より干拓地のほうが水害に対して危険

✕　埋立地は海面よりも高いため、工事がしっかりと行われていれば、海面よりも低い干拓地よりは危険が少ないです。

コース **3** ポイント **3** **1**

788

★★★

☐☐☐

地表面の傾斜は、等高線の密度で読み取ることができ、等高線の密度が高い所は傾斜が急である。　　　　　　　　　　　　　　（2008-49-1）

789

★★★

☐☐☐

三角州は、河川の河口付近に見られる軟弱な地盤である。

　　　　　　　　　　　　　　　　　　　　　　　　　　　（2017-49-2）

790

★★★

☐☐☐

扇状地は、山地から河川により運ばれてきた砂礫等が堆積して形成された地盤である。　　　　　　　　　　　　　　　　　　（2017-49-1）

788 ▶ 密度が高いと傾斜は急

○ 等高線の密度が高い所は、傾斜が急です。

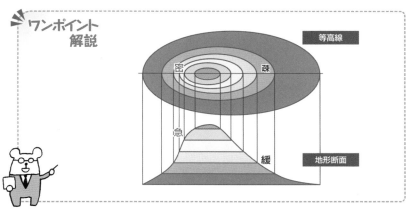

ワンポイント
解説

密 疎 等高線

急 緩 地形断面

コース 3 ポイント 3 2

789 ▶ 三角州は軟弱な地盤

○ 三角州は、河川の河口付近に見られる軟弱な地盤です。

コース 3 ポイント 3 1

790 ▶ 扇状地＝山地から河川

○ 扇状地とは、山地から河川により運ばれてきた砂礫等が谷の出口等に扇状に堆積し、広がった微高地です。

コース 3 ポイント 3 1

791
★★★

木材に一定の力をかけたときの圧縮に対する強度は、繊維方向に比べて繊維に直角方向のほうが大きい。 (2001-50-3)

792
★★★

木材の強度は、含水率が大きい状態のほうが小さくなる。

(2010-50-3)

793
★★★

集成材は、単板などを積層したもので、大規模な木造建築物に使用される。 (2010-50-4)

794
★★★

常温常圧において、鉄筋と普通コンクリートを比較すると、温度上昇に伴う体積の膨張の程度（熱膨張率）は、ほぼ等しい。

(2001-50-1)

795
★★★

コンクリートの引張強度は、圧縮強度より大きい。 (2010-50-2)

791 　繊維方向のほうが大きい

✕　圧縮に対する材料強度は、繊維方向のほうが大きくなります。

コース**3** ポイント**4** **2**

792 　水分が多いほど弱くなる

◯　木材の強度は、含水率が大きい状態のほうが小さくなります。

コース**3** ポイント**4** **2**

793 　集成材は大規模な木造建築物にも使用される

◯　集成材は、単板などを、繊維方向を平行に組み合わせ、接着剤により集成したものです。柱や梁などにも用いられます。大規模な木造建築物にも使用されます。

コース**3** ポイント**4** **2**

794 　熱膨張率はほぼ等しい

◯　コンクリートと鉄の熱膨張率はほぼ等しいです。

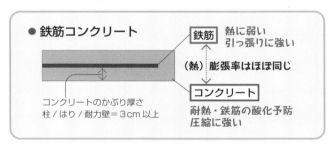

● 鉄筋コンクリート

鉄筋　熱に弱い　引っ張りに強い

（熱）膨張率はほぼ同じ

コンクリート　耐熱・鉄筋の酸化予防　圧縮に強い

コンクリートのかぶり厚さ　柱／はり／耐力壁＝3cm以上

コース**3** ポイント**4** **4**

795 　コンクリートは引っ張りに弱い

✕　コンクリートは圧縮に強く、引っ張りに弱いです。

コース**3** ポイント**4** **4**

796
★★★
☐☐☐

ラーメン構造は、柱とはりを組み合わせた直方体で構成する骨組である。 (2011-50-1)

797
★★★
☐☐☐

耐震構造は、建物の柱、はり、耐震壁などで剛性を高め、地震に対して十分耐えられるようにした構造である。 (2013-50-1)

798
★★★
☐☐☐

免震構造は、建物の下部構造と上部構造との間に積層ゴムなどを設置し、揺れを減らす構造である。 (2013-50-2)

799
★★★
☐☐☐

制震構造は、制震ダンパーなどを設置し、揺れを制御する構造である。 (2013-50-3)

800
★★★
☐☐☐

コンクリートは、水、セメント、砂及び砂利を混練したものである。 (2014-50-4)

---

796 ラーメン構造は柱とはりを組み合わせる

◯ ラーメン構造は、柱とはりといった部材の各接点が剛に接合されて一体となった骨組みによる構造をいいます。その形は直方体となります。

コース **3** ポイント **④ 5**

---

797 耐震構造は剛性を強化

◯ 耐震構造は、建物自体の剛性を高めるものです。

コース **3** ポイント **④ 6**

---

798 免震構造は積層ゴムを活用

◯ 免震構造は、積層ゴムや免震装置を設置して揺れを減らすものです。

コース **3** ポイント **④ 6**

---

799 制震構造は制震ダンパーを活用

◯ 制震構造は、制震ダンパーなどで揺れを吸収するものです。

コース **3** ポイント **④ 6**

---

800 コンクリートには砂利も混ぜる

◯ コンクリートは「セメント＋水＋砂＋砂利」です。

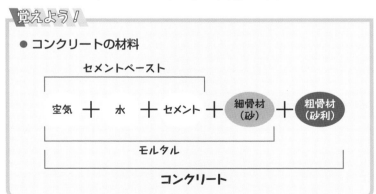

覚えよう！

● コンクリートの材料

セメントペースト

空気 ＋ 水 ＋ セメント ＋ 細骨材（砂） ＋ 粗骨材（砂利）

モルタル

コンクリート

コース **3** ポイント **④ 4**

〈執筆者〉

友次 正浩（ともつぐ まさひろ）

國學院大學文学部日本文学科卒業・國學院大學大学院文学研究科修了（修士）。
大学受験予備校講師として教壇に立ち、複数の予備校で講義を行うなど異色の
経歴を持つ。
現在はLEC東京リーガルマインド専任講師として、その経歴を活かした過去問
分析力と講義テクニックを武器に、初心者からリベンジを目指す人まで、幅広
い層の受講生を合格に導き、『講義のスペシャリスト』として受講生の絶大な支
持を受け、圧倒的な実績を作り続けている。
（講師ブログ）「TOM★CAT〜友次正浩の合格ブログ〜」
https://ameblo.jp/tomotsugu331/

2025年版 宅建士 合格のトリセツ 頻出一問一答式過去問題集

2022年 5 月10日　第 1 版　第 1 刷発行
2024年10月25日　第 4 版　第 1 刷発行

　　執　筆●友次 正浩
　　編著者●株式会社　東京リーガルマインド
　　　　　　LEC総合研究所　宅建士試験部

　　発行所●株式会社　東京リーガルマインド
　　　　　　〒164-0001　東京都中野区中野4-11-10
　　　　　　　　　　　　アーバンネット中野ビル
　　　　　　LECコールセンター　☎0570-064-464
　　　　　　　受付時間　平日9：30〜19：30／土・日・祝10：00〜18：00
　　　　　　　※このナビダイヤルは通話料お客様ご負担となります。
　　　　　　書店様専用受注センター　TEL 048-999-7581 ／ FAX 048-999-7591
　　　　　　　受付時間　平日9：00〜17：00／土・日・祝休み
　　　　　　www.lec-jp.com/

　　　　　　カバー・本文イラスト●矢寿 ひろお
　　　　　　本文デザイン●株式会社 リリーフ・システムズ
　　　　　　印刷・製本●情報印刷株式会社

©2024 TOKYO LEGAL MIND K.K., Printed in Japan　　　　　ISBN978-4-8449-9748-1

LEC宅建士 受験対策書籍のご案内

受験対策書籍の全ラインナップです。
学習進度に合わせてぜひご活用ください。

基礎からよくわかる！ 宅建士 合格のトリセツ シリーズ

法律初学者タイプ
・イチから始める方向け
・難しい法律用語が苦手

↓

★イラスト図解
★やさしい文章
★無料動画多数

基本テキスト
A5判 好評発売中
●フルカラー
●分野別3分冊
　＋別冊重要論点集
●インデックスシール
●無料講義動画45回分
●スマホ学習一問一答
　ちょこっとトレーニング

試験範囲を全網羅！ 出る順宅建士 シリーズ

万全合格タイプ
・学習の精度を上げたい
・完璧な試験対策をしたい

↓

★試験で重要な条文・
　判例を掲載
★LEC宅建士講座
　公式テキスト

合格テキスト
（全3巻）
❶権利関係
❷宅建業法
❸法令上の制限・税・その他
A5判 2024年12月発刊

超速合格タイプ
・短期間で合格したい
・法改正に万全に備えたい

どこでも宅建士 とらの巻
A5判 2025年5月発刊
●暗記集『とらの子』付録

↓合格は問題集で決まる↓

──────── OUTPUT ────────

過去問題集
分野別なので弱点補強に最適

一問一答問題集
学習効果が高く効率学習ができる

直前対策
本試験の臨場感を自宅で体感

厳選分野別
過去問題集

A5判 好評発売中
- ●分野別3分冊
- ●無料解説動画30回分
- ●全問収録本格アプリ
- ●最新過去問DL

頻出一問一答式
過去問題集

A5判 好評発売中
- ●分野別3分冊
- ●過去問を元にした一問一答
- ●全問収録本格アプリ
- ●最新過去問DL

当たる！
直前予想模試

B5判 2025年6月発刊
- ●無料解説動画4回分
- ●最新過去問DL
- ●WEB無料成績診断

ウォーク問
過去問題集（全3巻）

B6判 2024年12月発刊
- ●令和6年度試験問題・
  解説を全問収録
- ●過去の受験者の正解率付

一問一答○×
1000肢問題集

新書判 2025年1月発刊
- ●LECオリジナルの一問一答
- ●赤シート対応
- ●全問収録本格アプリ

過去30年良問厳選
模試 6回分＆
最新過去問

A5判 2025年2月発刊
- ●セパレート問題冊子
- ●最新過去問全問収録
- ●WEB無料成績診断

要点整理本
読み上げ音声でいつでもどこでも
要点をスイスイ暗記

逆解き式！
最重要ポイント555
B6判 2025年5月発刊
- ●赤シート対応
- ●読み上げ音声DL
- ●重要過去問選択肢も掲載

※デザイン・内容・発刊予定等は、変更になる場合がございます。予めご了承ください。

基礎から万全!「合格のトレーニングメニュー」を完全網羅!

プレミアム合格フルコース　全78回

スーパー合格講座 (34回×2.5h)	出た順必勝 総まとめ講座 (12回×2.5h)	とにかく6点アップ! 直前かけこみ講座 (2回×2h)
分野別! コレだけ演習 総まとめ講座 (3回×3.5h)	究極のポイント300 攻略講座 (3回×2h)	全日本宅建公開模試 基礎編(2回) 実戦編(3回)
マスター演習講座 (15回×2.5h)	試験に出るトコ 大予想会 (3回×2h)	ファイナル模試 (1回)

※講座名称は変更となる場合がございます。予めご了承ください。

受講形態

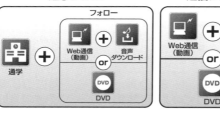

● 各受講スタイルのメリット

 通学　各本校での生講義が受講できます。講師に直接質問したい方、勉強にリズムを作りたい方にオススメ!

 通信　Web通信動画はPC以外にもスマートフォンやタブレットでも視聴可能。シーンに応じた使い分けで学習効率UP。

内容　「スーパー合格講座」では合格に必要な重要必須知識を理解・定着させることを目標とします。講師が、難しい専門用語を極力使わず、具体例をもって分かりやすく説明します。「分野別! これだけ演習総まとめ講座」ではスーパー合格講座の分野終了時に演習を行いながら総まとめをします。WebまたはDVDでの提供となりますので進捗にあわせていつでもご覧いただけます。「マスター演習講座」では、スーパー合格講座で学んだ内容を、○×式の演習課題を実際に解きながら問題の解き方をマスターし、重要知識の定着をさらに進めていきます。「出た順必勝総まとめ講座」は、過去の本試験問題のうち、合格者の正答率の高い問題を題材にして、落としてはならない論点を実際に解きながら総復習します。最後に、「全日本公開模試・ファイナル模試」で本試験さながらの演習トレーニングを受けて、その後の直前講座で実力の総仕上げをします。

対象者　・初めて宅建の学習を始める方
・何を勉強すればよいか分からず不安な方

● 受講料

受講形態	一般価格(税込)
通信・Web動画＋スマホ＋音声DL	176,000円
通信・DVD	198,000円
通学・フォロー(Web動画＋スマホ＋音声DL)付	192,500円

詳細はLEC宅建サイトをご覧ください
⇒ https://www.lec-jp.com/takken/

学習経験者専用のインプットと圧倒的な演習量を備えるリベンジコース

 学習経験者専用コース

再チャレンジ合格フルコース

全58回

合格ステップ完成講座 （10回×3h）	総合実戦答練 （3回×4h）	全日本宅建公開模試 ファイナル模試 （6回）
ハイレベル合格講座 （25回×3h）	直前バックアップ 総まとめ講座 （3回×3h）	免除科目スッキリ 対策講座 （2回×3h）
分野別ベーシック答練 （6回×3h）	過去問対策 ナビゲート講座 （2回×3h）	ラスト1週間の 重要ポイント見直し講座 （1回×3h）

※講座名称は変更となる場合がございます。予めご了承ください。

受講形態

通学クラス

通信クラス

● **各受講スタイルのメリット**

通学 各本校での生講義が受講できます。講師に直接質問したい方、勉強にリズムを作りたい方にオススメ！

通信 Web通信動画はPC以外にもスマートフォンやタブレットでも視聴可能。シーンに応じた使い分けで学習効率UP。

内 容 「合格ステップ完成講座」で基本的なインプット事項をテンポよく短時間で確認します。さらに、「ハイレベル合格講座」と2種類の答練を並行学習することで最新の出題パターンと解法テクニックを習得します。さらに4肢択一600問（模試6回＋答練9回）という業界トップクラスの演習量があなたを合格に導きます。

対象者 ・基礎から学びなおしてリベンジしたい方
・テキストの内容は覚えたのに過去問が解けない方

● **受講料**

受講形態	一般価格(税込)
通信・Web動画＋スマホ＋音声ＤＬ	159,500円
通信・DVD	181,500円
通学・フォロー（Web動画＋スマホ＋音声ＤＬ）付	176,000円

詳細はLEC宅建サイトをご覧ください
⇒ https://www.lec-jp.com/takken/

あなたの実力・弱点が明確にわかる！

公開模試・ファイナル模試成績表

ご希望の方のみ模試の成績表を送付します（有料）。

LECの成績表はココがすごい！

その① 正解率データが一目で分かる「総合成績表」で効率的に復習できる！

その② 自己分析ツールとしての「個人成績表」で弱点の発見ができる！

その③ 復習重要度が一目で分かる「個人成績表」で重要問題を重点的に復習できる！

■総合成績表

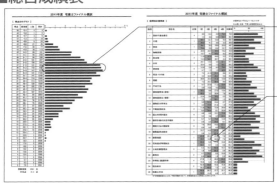

宅建士試験は競争試験です。
最も人数が多く分布している点数のおよそ2〜3点上が合格ラインとなります。
復習必要度aランクの肢はもちろん、合否を分けるbランクの肢も確実にしましょう。

ひっかけの肢である選択肢3を正解と判断した人が半数近くもいます。
ひっかけは正解肢よりも前にあることが多いです。早合点に注意しましょう。

■個人成績表

分野別の得点率が一目でわかるようにレーダーチャートになっています。

現時点での評価と、それを踏まえての今後の学習指針が示されます。

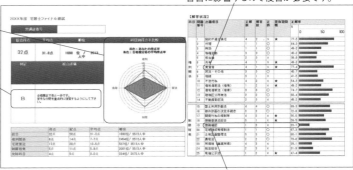

全受験生の6割以上が正解している肢です。合否に影響するので復習が必要です。

全受験生のほとんどが間違った肢です。合否には直接影響しません。深入りは禁物です。

講座及び受講料に関するお問い合わせは下記ナビダイヤルへ

LECコールセンター

☎0570-064-464 （平日9:30〜19:30 土・日・祝10:00〜18:00）

※このナビダイヤルは通話料お客様ご負担となります。
※固定電話・携帯電話共通（一部のPHS・IP電話からもご利用可能）。

2025 宅建実力診断模試 〔1回〕

高い的中率を誇るLECの「宅建実力診断模試」を、お試し価格でご提供します。まだ学習の進んでいないこの時期の模試は、たくさん間違うことが目的。弱点を知り、夏以降の学習の指針にしてください。

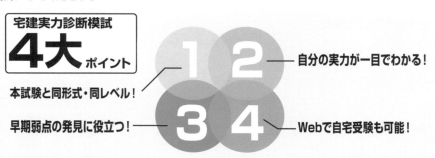

宅建実力診断模試 4大 ポイント

1 — 自分の実力が一目でわかる！

本試験と同形式・同レベル！

早期弱点の発見に役立つ！ — **3 4** — **Webで自宅受験も可能！**

ねらい 本試験で自分の力を十分に発揮するためには、本試験の雰囲気や時間配分に慣れる必要があります。LECの実力診断模試は、本試験と全く同じ形式で行われるだけでなく、その内容も本試験レベルのものとなっています。早い時期に本試験レベルの問題に触れることで弱点を発見し、自分の弱点を効率よく克服しましょう。

試験時間 **2時間**（50問）

本試験と同様に50問の問題を2時間で解いていただきます。試験終了後、詳細な解説冊子をお配り致します（Web解説の方はWeb上での閲覧のみとなります）。また、ご自宅でWeb解説（1時間）をご覧いただけます。

対象者 **2025年宅建士試験受験予定の全ての方**
早期に力試しをしたい方

● **実施スケジュール（予定）**
6/11（水）〜6/22（日）

スケジュール・受講料・実施校など
詳細はLEC宅建ホームページをご覧下さい。

● **実施校（予定）**

| LEC宅建 | 検索 |

新宿エルタワー・渋谷駅前・池袋・水道橋・立川・町田・横浜・千葉・大宮・梅田駅前・京都駅前・四条烏丸・神戸・難波駅前・福井南・札幌・仙台・静岡・名古屋駅前・富山・金沢・岡山・広島・福岡・長崎駅前・佐世保駅前・那覇

※現時点で実施が予定されているものです。実施校については変更の可能性がございます。
※実施曜日、実施時間については学校によって異なります。お申込み前に必ずお問合せください。

● **出題例**

実力診断模試

【問 31】 宅地建物取引業者Aが、Bの所有する宅地の売却の媒介の依頼を受け、Bと専属専任媒介契約（以下この問において「媒介契約」という。）を締結した場合に関する次の特約のうち、宅地建物取引業法の規定によれば、無効となるものはいくつあるか。
ア 媒介契約の有効期間を6週間とする旨の特約
イ Aがその業務の処理状況を毎日定時に報告する旨の特約
ウ 媒介契約の有効期間が満了した場合、Bの更新拒絶の申出がなければ、媒介契約は自動的に更新したものとみなされるとする旨の特約
エ 当該宅地を国土交通大臣が指定する流通機構に登録しないこととする旨の特約
1 一つ
2 二つ
3 三つ
4 四つ

解答　2　（ア：有効、イ：有効、ウ：無効、エ：無効）

LEC宅建登録実務講習のご案内

登録実務講習実施機関登録番号(6)第2号

LECは業務を行うために必要な「宅建士証」の取得を応援します!

宅建登録実務講習とは

宅建登録実務講習とは、直近10年以内の実務経験が2年未満の方が宅地建物取引士登録をするために受講・修了が必要となる講習のことです。

試験合格から宅地建物取引士証交付までの流れ

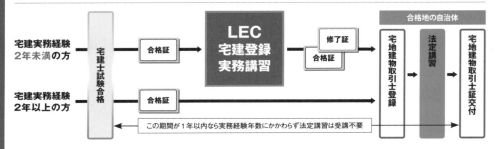

【LEC宅建登録実務講習の流れ】

① LEC宅建登録実務講習受講申込 → ② 自宅学習（学習期間約1ヶ月） → ③ スクーリング（12時間）+ 修了試験（1時間）

⑤ 宅建士登録申請 ← ④ 修了者に修了証発行 ←

【申込書入手方法】

申込書は下記の方法で入手可能です!

①https://personal.lec-jp.com/request/ より資料請求。
②お近くのLEC本校へ来校。
③LEC宅建登録実務講習ホームページよりPDFをプリントアウト。
④宅建講習専用ダイヤルへ問合せ。

> スクーリングクラスには定員がございますので、お早めのお申込みをオススメします!

法定講習免除ルートで宅建士登録申請したい…

就職前の年度末までに修了証が欲しい…今から間に合う!?

ひとまずLECをあたってみる!

2025 全日本宅建公開模試 全5回

多くの受験者数を誇るLECの全日本宅建公開模試。個人成績表で全国順位や偏差値、その時点での合格可能性が分かります。問題ごとに全受験生の正解率が出ますので、弱点を発見でき、その後の学習に活かせます。

基礎編（2回）　試験時間 2時間（50問）

内容　本試験の時期に近づけば近づくほど瑣末な知識に目が奪われがちなもの。そのような時期だからこそ、過去に繰り返し出題されている重要論点の再確認を意識的に行うことが大切になります。「基礎編」では、合格するために不可欠な重要論点の知識の穴を発見できるとともに、直前1ヶ月の学習の優先順位を教えてくれます。

対象者　全宅建受験生

実戦編（3回）　試験時間 2時間（50問）

内容　本試験と同じ2時間で50問解くことで、今まで培ってきた知識とテクニックが、確実に習得できているかどうかを最終チェックします。「実戦編」は可能な限り知識が重ならないように作られています。ですから、1回の公開模試につき200の知識（4肢×50問）、3回全て受けると600の知識の確認ができます。各問題の正解率データを駆使して効率的な復習をし、自分の弱点を効率よく克服しましょう。

対象者　全宅建受験生

● 開始スケジュール（一例）

			会場受験		
			水曜クラス	土曜クラス	日曜クラス
実施日	基礎編	第1回	7/23(水)	7/26(土)	7/27(日)
		第2回	8/ 6(水)	8/ 9(土)	8/10(日)
	実戦編	第1回	8/27(水)	8/30(土)	8/31(日)
		第2回	9/ 3(水)	9/ 6(土)	9/ 7(日)
		第3回	9/10(水)	9/13(土)	9/14(日)

※成績発表は、「Score Online（Web個人成績表）」にて行います。成績表の送付をご希望の方は、別途、成績表送付オプションをお申込みください。

● 実施校（予定）

新宿エルタワー・渋谷駅前・池袋・水道橋・立川・町田・横浜・千葉・大宮・新潟・梅田駅前・京都駅前・四条烏丸・神戸・難波駅前・福井南・札幌・仙台・静岡・名古屋駅前・富山・岡山・広島・高松・福岡・那覇・金沢・長崎駅前・佐世保駅前

※現時点で実施が予定されているものです。実施校については変更の可能性がございます。
※実施曜日、実施時間については学校によって異なります。お申込み前に必ずお問合せください。

● 出題例

公開模試

【問 3】　Aの子BがAの代理人と偽って、Aの所有地についてCと売買契約を締結した場合に関する次の記述のうち、民法の規定及び判例によれば、誤っているものはどれか。

1　Cは、Bが代理権を有しないことを知っていた場合でも、Aに対し、追認するか否か催告することができる。

2　BがCとの間で売買契約を締結した後に、Bの死亡によりAが単独でBを相続した場合、Cは甲土地の所有権を当然に取得する。

3　AがBの無権代理行為を追認するまでの間は、Cは、Bが代理権を有しないことについて知らなかったのであれば、過失があっても、当該契約を取り消すことができる。

4　Aが追認も追認拒絶もしないまま死亡して、Bが単独でAを相続した場合、BはCに対し土地を引き渡さなければならない。

解答　2

■お電話での講座に関するお問い合わせ（平日9:30～19:30　土・日・祝10:00～18:00）

LECコールセンター 📞 **0570-064-464**　※このナビダイヤルは通話料お客様ご負担となります。
※固定電話・携帯電話共通（一部のPHS・IP電話からもご利用可能）。

2025 ファイナル模試 1回

本試験の約3週間前に実施するファイナル模試。受験者が最も多く、しかもハイレベルな受験生が数多く参加します。学習の完成度を最終確認するとともに、合格のイメージトレーニングをしましょう。

内容 本試験直前に、毎年高い的中率を誇るLECの模試で、本試験対策の総まとめができる最後のチャンスです！例年、本試験直前期のファイナル模試は特に受験者も多く、しかもハイレベルな受験生が数多く結集します。実力者の中で今年の予想問題を解くことで、ご自身の本試験対策の完成度を最終確認し、合格をより確実なものにしましょう。

試験時間 **2時間**（50問）

対象者 **全宅建受験生**

● 実施スケジュール（一例）

	会場受験		
	水曜クラス	土曜クラス	日曜クラス
実施日	10/1(水)	10/4（土）	10/5（日）

※成績発表は、「ScoreOnline（Web個人成績表）」にて行います。成績表の送付をご希望の方は、別途、成績表送付オプションをお申込みください。
※自宅受験（Web解説）の場合、問題冊子・解説冊子・マークシート等の発送は一切ございません。Webページからご自身でプリントアウトした問題を見ながら、「Score Online」に解答入力をしてください。成績確認も「Score Online」になります。

● 実施校（予定）

新宿エルタワー・渋谷駅前・池袋・水道橋・立川・町田・横浜・千葉・大宮・新潟・梅田駅前・四条烏丸・京都駅前・神戸・難波駅前・福井南・札幌・仙台・静岡・名古屋駅前・富山・岡山・広島・高松・福岡・那覇・金沢・長崎駅前・佐世保駅前

※現時点で実施が予定されているものです。実施校については変更の可能性がございます。
※実施曜日、実施時間については学校によって異なります。お申込み前に必ずお問合せください。

● 出題例

【問 19】　建築基準法（以下この問において「法」という。）に関する次のアからエまでの記述のうち、誤っているものの組合せはどれか。
ア　建築物が防火地域及び準防火地域にわたる場合においては、原則として、その全部について防火地域内の建築物に関する規定を適用する。
イ　公衆便所、巡査派出所その他これらに類する公益上必要な建築物は、特定行政庁の許可を受けずに道路内に建築することができる。
ウ　容積率を算定する上では、共同住宅の共用の廊下及び階段部分は、当該共同住宅の延べ面積の3分の1を限度として、当該共同住宅の延べ面積に算入しない。
エ　商業地域内にある建築物については、法第56条の2第1項の規定による日影規制は、適用されない。ただし、冬至日において日影規制の対象区域内の土地に日影を生じさせる、高さ10mを超える建築物については、この限りでない。
1　ア、イ
2　ア、エ
3　イ、ウ
4　ウ、エ

解答　3

■お電話での講座に関するお問い合わせ（平日9:30～19:30　土・日・祝10:00～18:00）

LECコールセンター ☎ **0570-064-464** ※このナビダイヤルは通話料お客様ご負担となります。
※固定電話・携帯電話共通（一部のPHS・IP電話からもご利用可能）。

LEC Webサイト ▷▷▷ **www.lec-jp.com/**

情報盛りだくさん！

 資格を選ぶときも，
講座を選ぶときも，
最新情報でサポートします！

最新情報
各試験の試験日程や法改正情報，対策講座，模擬試験の最新情報を日々更新しています。

資料請求
講座案内など無料でお届けいたします。

受講・受験相談
メールでのご質問を随時受付けております。

よくある質問
LECのシステムから，資格試験についてまで，よくある質問をまとめました。疑問を今すぐ解決したいなら，まずチェック！

書籍・問題集（LEC書籍部）
LECが出版している書籍・問題集・レジュメをこちらで紹介しています。

充実の動画コンテンツ！

 ガイダンスや講演会動画，
講義の無料試聴まで
Webで今すぐCheck！

動画視聴OK
パンフレットやWebサイトを見てもわかりづらいところを動画で説明。いつでもすぐに問題解決！

Web無料試聴
講座の第1回目を動画で無料試聴！気になる講義内容をすぐに確認できます。